早わかり

都道府県
Data Book

話のネタ帳

日本食糧新聞社

CONTENTS

CONTENTS

統計一覧

〔都道府県の食〕

耕地面積（田畑計）
農林水産省「令和元年耕地面積」

コメの作付面積（水稲延べ）、収穫量（水稲）
農林水産省「作物統計」（2019年）
注：子実用

飼育頭数（肉用牛、豚、鶏〈ブロイラー〉）
農林水産省「畜産統計」（2019年）

海面漁業漁獲量（天然・養殖）
農林水産省「漁業・養殖業生産統計」（2018年）
注：養殖は種苗養殖を除く。

食料自給率（カロリーベース）
農林水産省「都道府県別食料自給率」
注：2017年度概算値。

エンゲル係数
総務省「家計調査」（2019年）
注：2人以上の世帯。

年間支出（食料費、牛乳・乳製品、調味料、生鮮野菜、果物、外食、調理食品）
総務省「家計調査」（2019年）
注：2人以上の世帯。

◆生 産
農林水産省「生産農業所得統計」（2018年）

◆消 費
総務省「家計調査」（2019年）
注：2人以上の世帯。「発泡酒他」は発泡酒・ビール風アルコール飲料。「カクテル等」にはチューハイを含む。「アイスクリーム」はシャーベットを含む。

◆食品産業
食料品製造業事業所数、食料品出荷額
経済産業省「工業統計」（2018年）
注：従業者4人以上の事業所。

飲食料小売業、百貨店・総合スーパー数、飲食料小売店数、コンビニ数、ドラッグストア数
総務省「経済センサス―活動調査」（2016年）

〔Dataで見る都道府県〕

◆快適度
※グラフは項目ごとの各県の偏差値を示し、人口密度・物価格差・犯罪件数については低いほど外側になっています。

人口密度
国土交通省「全国都道府県市区町村別面積調（2019年10月1日時点）」、総務省「人口推計」（2018年）

物価格差
総務省「小売物価統計調査（構造編）」（2018年）
注：全国平均＝100。

県（道、都、府、）民所得
内閣府「県民経済計算」（2015年度）
注：平成23年基準計数。

犯罪認知件数
警察庁「犯罪統計」（2019年）、総務省「人口推計」（2018年）

旅行に行く人の割合
総務省「社会生活基本調査」（2016年）
注：10歳以上、国内1泊2日以上の観光旅行

医師数
厚生労働省「医師・歯科医師・薬剤師統計」（201 年）、総務省「人口推計」（2018年）
注：従業地による。

◆行動ウエート
総務省「社会生活基本調査」（2016年）
注：10歳以上の1日当たりの平均行動時間。
※グラフは、行動時間の長さを項目ごとに偏差値化しています。外側ほど他県に比べて行動時間が長いことを示しています。1日の生活行動のなかでどこに重点を置いているか、傾向がわかります。

◆人 口
人口、人口増減数
総務省「住民基本台帳に基づく人口、人口動態及び世帯数」
注：2019年1月1日現在。

出生率、死亡率
厚生労働省「人口動態調査」（2018年）

外国人の割合
法務省「在留外国人統計」、総務省「人口推計」
注：総人口は2018年10月、外国人は2019年6月末の数値。

◆家 庭
総務省「家計調査」（2019年）
注：2人以上の世帯。

◆世 帯
世帯数、平均人員
総務省「住民基本台帳に基づく人口、人口動態及び世帯数」
注：2019年1月1日現在。

核家族世帯率、単身者世帯率、高齢者世帯率
総務省「国勢調査」（2015年）
注：世帯の総数に単身世帯を含む。

◆家 計
貯蓄現在高（平均値）、負債現在高（平均値）
総務省「家計調査」（貯蓄・負債編）（2018年）
注：2人以上の世帯。

消費支出、家賃地代、水道光熱費
総務省「家計調査」（2019年）
注：2人以上の世帯。

◆消 費
総務省「家計調査」（2019年）

注 ：２人以上の世帯。「教育費」は授業料等、教科書・学習参考教材、補習教育。「自動車等関係費」は自動車等購入、自転車購入、自動車等維持。「通信費」は郵便料、電話通信料、運送料等。

外国人旅行者
観光庁「宿泊旅行統計調査」（2019 年）

◆男　女
身長、体重
文部科学省「学校保健統計調査」（2019 年度）
注 ：17 歳の速報値。
寿命
厚生労働省「都道府県別生命表」（2015 年）
婚姻年齢、婚姻率、離婚率
厚生労働省「人口動態調査」（2018 年）

気　候
気象庁（2019 年）

◆産　業
事業所数、小売事業所数、卸売事業所数
経済産業省「経済センサス‐活動調査」（2016 年）
上場企業数、代表取締役出身数
㈱帝国データバンク
注 ：2019 年 8 月時点。

経　済
県（道、都、府）内総生産
内閣府「県民経済計算」（2015 年度）
注 ：平成 23 年基準計数、生産側、実質、連鎖方式。
企業倒産数
㈱東京商工リサーチ「全国企業倒産白書 2019」
有効求人倍率
厚生労働省「労働市場年報」（2018 年）
注 ：新規学卒者およびパートタイムを除く。
月額給与
厚生労働省「賃金構造基本統計調査」（2018 年）
注 ：企業規模 10 人以上、所定内給与額。

◆労　働
労働時間
厚生労働省「賃金構造基本統計調査」（2018 年）
注 ：企業規模 10 人以上。所定内実労働＋超過実労働の合計。
通勤時間
総務省「社会生活基本調査」（2016 年）
注 ：通学を含む。行動者の平均時間。

勤続年数、大卒初任給、パート時給
厚生労働省「賃金構造基本統計調査」（2018 年）
注 ：企業規模 10 人以上。「パート時給」は女性パートタイマー１時間当たり所定内給与額。

◆社　会
中高年の就職率
厚生労働省「職業安定業務統計」（2018 年）
注 ：45 歳以上、パートタイマーを除く。
失業率
総務省「労働力調査」（2019 年）
注 ：モデル推計値。
自殺者数
警察庁「令和元年中における自殺の状況」（速報）、総務省「人口推計」（2018 年）
注 ：自殺者数は、死体が発見された都道府県に計上している。
生活保護世帯数
厚生労働省「被保護者調査」（2017 年）
少年犯罪数
警察庁「平成 30 年中における少年の補導及び保護の概況」
注 ：中学生・高校生の検挙・補導人員。

◆福　祉
病院数、一般診療所数
厚生労働省「医療施設調査」（2018 年）
注 ：10 万人当たりの数。
児童福祉施設数、老人福祉センター数
厚生労働省「社会福祉施設等調査」（2018 年）、総務省「人口推計」
注 ：10 万人当たりの数。2018 年 10 月 1 日時点の数字。
図書館数
文部科学省「社会教育調査」2018 年度（中間報告）、総務省「人口推計」（2018 年）
注 ：10 万人当たりの数。2018 年 10 月 1 日時点の数字。

◆教　育
大学進学率、高卒の割合
文部科学省「学校基本調査」（2019 年度）
注 ：通信教育を含む全日制・定時制の計。「高卒の割合」は高校卒業者（通信教育を含む全日制・定時制の計）に占める就職者の割合。
学校の IT 化
文部科学省「学校における教育の情報化の実態等に関する調査結果」（2018 年度）
注 ：教育用コンピューター１台当たりの児童生徒数。児童生徒数（小中高校、中等教育、特別支援学校）は 2018 年 5 月 1 日現在。

統計一覧

教科書・参考書費、補習教育費
　　総務省「家計調査」(2019 年)
　　注　：2 人以上の世帯。「補習教育費」は幼児・
　小学校、中学校、高校・予備校の補習教育。

◆交通・通信
自動車保有台数
　　：総務省「全国消費実態調査」(2014 年)
　　注　：2 人以上の世帯、1,000 世帯当たり。
ガソリン代、交通費、電話代
　　総務省「家計調査」(2019 年)
　　注　：2 人以上の世帯。「交通費」は鉄道運賃、
　バス代、定期代、タクシー代、航空運賃、有料
　道路料、他の交通。「電話代」は移動電話・固
　定電話の通信料。
交通事故死亡者数
　　警察庁「交通事故死者数について」(2019 年)

◆学　校
保育所数
　　厚生労働省「社会福祉施設等調査」(2018 年)
幼稚園数、小学校数、高校数
　　文部科学省「学校基本調査」(2019 年度)
　　注　：「高校数」は全日制・定時制の本校と分
　校の合計。「大学数」は大学本部の所在地。

◆スポーツ
スポーツをする人の割合
(野球、ゴルフ、サッカー)
　　総務省「社会生活基本調査」(2016 年)
　　注　：10 歳以上。「野球」はキャッチボールを
　含む。「ゴルフ」は練習場を含む。「サッカー」
　はフットサルを含む。
ラグビー部のある高校、高校陸上部員数の割合
　　(公財) 全国高等学校体育連盟、文部科学省「学
　校基本調査」(2019 年度)
　　注　：2018 年 8 月現在の全日制＋定時制の加
　盟・登録状況。「ラグビー部」はラグビーフッ
　トボール男子。「高校陸上部員」は陸上競技。

◆娯　楽
博物館数
　　文部科学省「社会教育調査」2018 年度 (中
　報告)、総務省「人口推計」(2018 年)
　　注　：10 万人当たりの数。2018 年 10 月 1
　時点の数字。
映画館数
　　(一社) 日本映画製作者連盟、総務省「人口推計
　(2018 年)
　　注　：2019 年 12 月末現在。10 万人当たりの数
月謝類、書籍雑誌費
　　：総務省「家計調査」(2019 年)
　　注　：2 人以上の世帯。「月謝類」は語学・音
　等教育・教養的月謝、スポーツ月謝、自動車
　習料、家事月謝等。「書籍雑誌費」は新聞、
　誌 (週刊誌を含む)、書籍等。
海外旅行に行く人の割合
　　総務省「社会生活基本調査」(2016 年)
　　注　：10 歳以上、海外 1 泊 2 日以上の観光旅行

早わかり

2020

都道府県

Data Book

話のネタ帳

北海道

北海道

道の
木：エゾマツ
花：ハマナス
鳥：タンチョウ
道民の日：
道民歌：
　　光あふれて
音頭：北海ばやし
体操：どさんこ体操
道民の日：
　　7月17日

北海道民

他県民も受け入れる
心が広い人

新しいもの好き

遊ぶことが
大好き

北海道民の NO.1 ▶

| 耕地面積 | 高齢者世帯率[1] | 漁獲量[2] |

| 農業出荷額[2] | 食料自給率[3] |

[1]札幌市、[2]2018年、[3]2017年

凡　例
- - - 新幹線
━━━ JR
━━━ 国道
━━━ 道・県道

礼文島　礼文町

利尻富士町
利尻町
利尻島

稚内市

N

豊富町　猿払村
幌延町
浜頓別町
天塩町
遠別町
中川町

羽幌町
苫前町
初山別村

留萌市
小平町

増毛町
北竜町
沼田町
深川市
妹背牛町
秩父別町
新十津川町
雨竜町

滝川市
砂川市
赤平市
歌志内市

奈井江町
美唄市
三笠市
岩見沢市

旭川市
東神楽町

美瑛町
上富良野町

芦別市
富良野市

C

美深町
名寄市

仁木町
積丹町
余市町
小樽市
新篠津村
石狩市

神恵内村
泊村
岩内町
共和町
寿都町
蘭越町
島牧村
黒松内町
今金町
せたな町
八雲町

D
札幌市

北広島市
E

恵庭市
千歳市
F

当別町

江別市

南幌町
長沼町
由仁町
栗山町
夕張市

占冠村
むかわ町
日高町

伊達市
壮瞥町
豊浦町
洞爺湖町
白老町
登別市
室蘭市
I

伊達市

苫小牧市
安平町
厚真町

日高町
平取町
新冠町

門別

帯広

B

H

鹿部町
森町
七飯町
江差町
厚沢部町
乙部町
北斗市
J
函館市

知内町
木古内町
松前町
福島町

新ひだか町
浦河町
様似町
えりも町

大樹町

ばんえい／帯広市
1 t 超の馬が鉄ソリを引い
て直線コースで競う、日本
唯一のばんえい競馬。

オロチョンの火祭り / 網走市
かがり火を炊き、オホーツク沿岸の先住民族「オロチョン」の慰霊と豊穣を願う。

オンネトー / 足寄町
見る角度によって湖面の色が変わり、五色沼とも呼ばれる神秘的な湖。

しかりべつ湖コタン / 鹿追町
凍った湖の上に冬季のみ出現する雪と氷の村。アイスバーや露天風呂もある。

藻岩山 / 札幌市
ロープウェイで上る山頂は、札幌市内が一望にできる絶好の撮影スポット。

旧島松駅逓所 / 北広島市
道内最古の駅逓所。クラーク博士がここで名言「少年よ、大志を抱け」を残した。

パレットの丘 / 千歳市
辺り一帯に田園風景が広がり、9月下旬〜10月中旬頃には一面ひまわり畑。

丹頂鶴自然公園 / 釧路市
タンチョウを1年中観察できる。1970年に世界で初めて人工ふ化に成功している。

地球岬 / 室蘭市
100mもの断崖絶壁が連なる景勝地。晴れた日には太平洋が一望できる。

ハリストス正教会 / 函館市
日本初のロシア正教会聖堂。独特の鐘の音から「ガンガン寺」と親しまれる。

北海道 の 食

※札幌市の1世帯当たりの年間支出金額

耕地面積(田畑計)
114万
4,000ha
(第 **1** 位)

コメの作付面積(水稲延べ)

10万
3,000ha
(第 **2** 位)

コメの収穫量(水稲)

58万
8,100 t
(第 **2** 位)

肉用牛(飼育頭数)
51万
2,800 頭
(第 **1** 位)

養豚(飼育頭数)

69万
1,600 頭
(第 **3** 位)

ブロイラー(飼育頭数)

492 万羽
(第 **5** 位)

漁獲量・天然(海面漁業)

87万
6,625 t
(第 **1** 位)

漁獲量・養殖(海面養殖)
11万
8,509 t
(第 **2** 位)

食料自給率
(カロリーベース)
206%
(第 **1** 位)

エンゲル係数*
24.7
(第 **34** 位)

食費*(年間支出)
94万
256 円
(第 **27** 位)

牛乳・乳製品*(年間支出)

3万
4,596 円
(第 **29** 位)
●チーズ 7,688円 (第2位)
●バター 1,523円 (第4位)

調味料*(年間支出)

3万
7,943 円
(第 **27** 位)

生鮮野菜*(年間支出)

7万
2,049 円
(第 **17** 位)
●さつまいも 1,475円 (第2位)
●かぼちゃ 2,974円 (第3位)
●ほうれんそう 2,591円 (第4位)

果 物*(年間支出)
3万
9,556 円
(第 **20** 位)
●メロン 3,088円 (第2位)

外 食*(年間支出)

14万
4,971 円
(第 **35** 位)

調理食品*(年間支出)

9万
9,499 円
(第 **47** 位)

生　産

（単位：億円）

農業物上位 10 位

① 生乳　3,826 億円
② 乳牛　1,200 億円
③ 米　1,122 億円

④ 肉用牛 1,016 億円	⑧ 豚 439 億円
⑤ 玉ねぎ 696 億円	⑨ てんさい 408 億円
⑥ ばれいしょ 648 億円	⑩ トマト 240 億円
⑦ 軽種馬 481 億円	

農業産出額 12,593 億円（2019年）

- その他畜産物 509
- 鶏 357
- 豚 439
- コメ 1,122
- 野菜 2,271
- 果実 54
- 花き 131
- いも類 648
- 工芸農作物 414
- その他作物 605
- 肉用牛 1,016
- 乳用牛 5,026
- 畜産 7,347
- 耕種 5,246

消　費（1世帯当たりの年間支出金額）

鮮　魚
3万 8,472 円（21 位）

サケ	7,561 円
マグロ	4,296 円
エビ	3,336 円
イカ	1,937 円
カレイ	1,473 円

飲　料
5万 9,165 円（12 位）

炭酸飲料	9,084 円
果実・野菜ジュース	7,748 円
コーヒー	7,634 円
茶飲料	6,813 円
コーヒー飲料	4,465 円

酒　類
5万 3,854 円（3 位）

ビール	1万 4,503 円
発泡酒他	1万 1,967 円
ワイン	5,770 円
清　酒	5,576 円
焼　酎	5,219 円

菓　子
8万 9,175 円（14 位）

アイスクリーム	1万 399 円
チョコレート	8,070 円
スナック菓子	7,411 円
ケーキ	7,240 円
せんべい	4,710 円

穀　類 8万 1,693 円 7位
- 他の穀類 6,189 円（7.6%）
- 麺類 1万 7,488 円（21.4%）
- パン 2万 9,262 円（35.8%）
- 米 2万 8,755 円（35.2%）

肉　類 8万 3,840 円 35 位
- その他 6,149 円（7.3%）
- 豚肉 3万 567 円（36.5%）
- 鶏肉 1万 5,192 円（18.1%）
- 加工肉 2万 626 円（24.6%）
- 牛肉 1万 1,307 円（13.5%）

食品産業

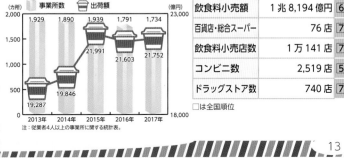

注：従業者4人以上の事業所に関する統計量。

飲食料小売額	1兆 8,194 億円	6
百貨店・総合スーパー	76 店	7
飲食料小売店数	1万 141 店	7
コンビニ数	2,519 店	5
ドラッグストア数	740 店	7

□は全国順位

Data で見る 北海道

快適度

人口密度 / km	63 人	47
物価格差	99.8	47
道県民所得 / 人	261.7 万円	35
犯罪認知件数 / 千人	4.47 件	29
旅行に行く人の割合	43.1%	31
医師数 /10 万人	243.1 人	26

■は全国順位

※グラフの外側がより高い快適度

行動ウエート

趣味・娯楽の時間	188 分	7
睡眠時間	471 分	8
仕事・学業をする時間	402 分	6
学習や自己啓発をする時間	119 分	41
スポーツをする時間	121 分	18
食事をする時間	96 分	46

※グラフの外側がより高いウエート

■は全国順位

人口

- 人口
  530 万 4,413 人（8 位）
- 人口増減数
  − 3 万 5,126 人（47 位）
- 出生率
  6.2 人／千人（44 位）
- 死亡率 12.2 人／千人（24 位）
- 外国人の割合 0.72%（40 位）

家庭*

- 世帯主年齢 57.2 歳（39 位）
- 子ども（18 歳未満）の人員
  0.68 人（13 位）
- 高齢者（65 歳以上）の人員
  0.74 人（37 位）
- 持ち家率 76.5%（40 位）
- 平均畳数 28.6 帖（5 位）

世帯

- 世帯数
  278 万 1,336 世帯（7 位）
- 平均人員 1.91 人（47 位）
- 核家族世帯率 55.9%
  （28 位）
- 単身者世帯率 37.3%（5 位）
- 高齢者世帯率 13.4%
  （9 位）

家計*

- 貯蓄額 1,302 万円（41 位）
- 負債総額 456 万円（35 位）
- 消費支出 353 万 6,185 円
  （22 位）
- 家賃 18 万 1,634 円（5 位）
- 水道光熱費 31 万 5,989 円
  （4 位）

消費*

- 衣類・履物費 13 万 2,164 円
  （18 位）
- 保健医療費 19 万 8,080 円
  （3 位）
- 教育費
  10 万 6,181 円（33 位）
- 自動車関連費
  27 万 6,072 円（29 位）
- 通信費 17万1,426 円（12 位）

外国人旅行者

宿泊者数の推移

(千人泊)

40,000						35,309

延べ宿泊者数　外国人延べ宿泊者数

8,335

2012 年　2013 年　2014 年　2015 年　2016 年　2017 年　2018 年

宿泊者上位 5 カ国

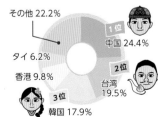

- その他 22.2%
- タイ 6.2%
- 香港 9.8%
- 韓国 17.9%（3 位）
- 台湾 19.5%（2 位）
- 中国 24.4%（1 位）

身長 170.6cm （18位）
体重 63.4kg （11位）
初婚年齢 30.8 歳 （20位）
寿命 80.28 年 （34位）

婚姻率 4.4 人／千人 （15位）
離婚率 1.90 人／千人 （3位）

身長 158.2cm （7位）
体重 53.4kg （15位）
初婚年齢 29.5 歳 （41位）
寿命 86.77 年 （37位）

気　候

最高気温 35℃以上の日数	0 日	全国で 45 位
平均気温	9.8℃	全国で 47 位
日照時間	1,988 時間	全国で 23 位
降水量	814 ㎜	全国で 47 位
平均相対湿度	68.7%	全国で 33 位

（札幌管区気象台 2019 年）

最低気温 -13.1℃／最高気温 34.2℃

産　業

- 総事業所数 22 万 4,718 （6位）
- 小売事業所数 4 万 902 （8位）
- 卸売事業所数 1 万 5,311 （6位）
- 上場企業数 49 （11位）
- 代表取締役出身者数 5 万 8,150 人 （2位）

経　済

- 道内総生産 18 兆 2,400 億円 （9位）
- 企業倒産数 17 件 （10位）
- 有効求人倍率 1.18 （43位）
- 月額給与（男）29.60 万円 （29位）
- 月額給与（女）22.51 万円 （28位）

労　働

- 労働時間 178 時間／月 （30位）
- 通勤時間 25 分 （35位）
- 勤続年数 11.6 年 （41位）
- 大卒初任給 19.76 万円 （25位）
- パート時給 1,046 円 （27位）

社　会

- 中高年の就職率 25.91% （39位）
- 失業率 2.57% （9位）
- 自殺者数 18.0 人 /10 万人 （13位）
- 生活保護世帯数 4 万 9,054 世帯 （4位）
- 少年犯罪数 2.38 人／千人 （21位）

福　祉

- 病院数 10.5 施設／10万人（10位）
- 一般診療所数 64.2 人／ 10 万人 （43位）
- 児童福祉施設数 31.9 施設／ 10 万人 （32位）
- 老人福祉センター数 5.0 施設／ 10 万人 （25位）
- 図書館数 2.9 施設／ 10 万人 （28位）

教　育

- 大学進学率 46.2% （34位）
- 高卒の割合 23.0% （18位）
- 学校の I T 化 4.9 人／台 （24位）
- 教科書・参考書費* 2,365 円 （26位）
- 補習教育費 2 万 3,256 円（31位）

交通・通信

- 自動車保有台数 1,325 台／千世帯 （40位）
- ガソリン代* 7 万 1,452 円（24位）
- 交通費* 6 万 1,770 円 （17位）
- 電話代* 15 万 57 円 （21位）
- 交通事故死亡者数 2.88 人／ 10 万人 （31位）

学　校

- 保育所数 1,003 カ所 （9位）
- 幼稚園数 404 カ所 （9位）
- 小学校数 1,027 校 （2位）
- 高校数 277 校 （2位）
- 大学数 37 校 （4位）

スポーツ

- 野球をする人の割合 8.2% （4位）
- ゴルフをする人の割合 5.8% （37位）
- サッカーをする人の割合 4.8% （33位）
- ラグビー部のある高校 13.7% （35位）
- 高校陸上部員数の割合 3.3% （31位）

娯　楽

- 博物館数 1.0 施設／ 10 万人 （21位）
- 映画館数 2.0 施設／ 10 万人 （39位）
- 月謝類* 4 万 1,500 円（16位）
- 書籍雑誌費* 3 万 9,965 円 （23位）
- 海外旅行に行く人の割合 4.3% （28位）

早わかり

2020

都道府県

Data Book

話のネタ帳

東　北

青森県

木：ヒバ	県民歌：
花：リンゴの花	青い森のメッセージ
鳥：ハクチョウ	
魚：ヒラメ	
歌：青森県賛歌	

県の

青森県民

辛抱強く、負けず嫌い

陽気な津軽人
VS
保守的な南部人

じょっぱり
→強情っぱり

いがめんち / 弘前市
包丁で叩いたイカの足（ゲソ）と野菜を小麦粉で混ぜ、揚げ焼きした家庭料理。

青森県の NO.1 ▶

体重（男）

焼き鳥（惣菜）支出金額[1]

ゴボウ出荷量[2]

ニンニク出荷量[2]

趣味・娯楽の時間[3]

[1] 青森市、[2] 2018年、[3] 2016年

キリスト祭 / 新郷村
キリストの墓とされる地で獅子舞や「ナニャドヤラ」の踊りを奉納する。

ゼネラル・レクラーク / 南部町
フランスで1950年に発見された稀少な西洋梨。

外ヶ浜町

D

今別町

中泊町

C 五所川原市

E

中泊町

蓬田村

F

つがる市

五所川原市

鶴田町

板柳町

青森市

鯵ヶ沢町

藤崎町

田舎館村

黒石市

G

深浦町

弘前市

H

西目屋村

大鰐町

平川市

凡例

- ━ ━ ━ 新幹線
- ━━━ JR
- ━━━ 国道
- ━━━ 縣道・有料道

N

I

H

J

18

恐山大祭 / むつ市
菩提寺まで僧侶らの籠行列が進む。期間中はイタコの口寄せも行われる。

ジャステラ / 野辺地町
野辺地町特産の薬草「カワラケツメイ」の入ったクリームカステラ。

津軽すこっぷ三味線 / 五所川原市
三味線に見立てたスコップでパフォーマンスを競う。

青函トンネル / 今別町
本州側の入り口。トンネル入口の題字「青函随道」は中曽根元首相によるもの。

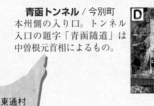

津軽海峡冬景色歌謡碑 / 外ヶ浜町
「ごらんあれが竜飛岬北のはずれと…」の音楽が流れる。

高山稲荷神社 / つがる市
美しい日本庭園に列なる千本鳥居は迫力があり、近年人気の写真スポット。

大間町
風間浦村
佐井村
むつ市 A
東通村
横浜町
六ヶ所村
B 野辺地町
平内町
東北町
小川原湖
七戸町
三沢市
おいらせ町
十和田市
六戸町
五戸町
十和田湖
I 新郷村
階上町
三戸町
南部町
八戸市
田子町
J

田んぼアート / 田舎館村
7色の稲を使った巨大な絵。細部まで作りこまれた壮大なアートはまさに圧巻。

青森県 の 食

*青森市の1世帯当たりの年間支出金額

耕地面積(田畑計)
15万500ha
(第4位)

コメの作付面積(水稲延べ)
4万5,000ha
(第11位)

コメの収穫量(水稲)
28万2,200t
(第10位)

肉用牛(飼育頭数)
5万3,500頭
(第11位)

養豚(飼育頭数)
35万1,800頭
(第10位)

ブロイラー(飼育頭数)
694万3,000羽
(第4位)

漁獲量・天然(海面漁業)
9万344t
(第10位)

漁獲量・養殖(海面養殖)
8万4,968t
(第4位)

食料自給率(カロリーベース)
117%
(第4位)

エンゲル係数*
27.3
(第7位)

食費*(年間支出)
85万1,964円
(第42位)

牛乳・乳製品*(年間支出)
3万3,127円
(第37位)

調味料*(年間支出)
3万5,344円
(第43位)
●食塩 525円 (第5位)

生鮮野菜*(年間支出)
6万6,892円
(第23位)
●もやし 1,329円 (第2位)

果　物*(年間支出)
3万7,777円
(第27位)
●りんご 8,796円 (第1位)
●グレープフルーツ 355円 (第4位)
●柿 1,339円 (第5位)

外　食*(年間支出)
9万3,512円
(第47位)

調理食品*(年間支出)
11万326円
(第42位)
●やきとり 4,006円 (第1位)
●ハンバーグ 1,636円 (第4位)

生産

（単位：億円）

その他畜産物 15
鶏 424
コメ 553
乳用牛 86
豚 216
肉用牛 164
畜産 905
その他作物 7
農業産出額 3,222 億円（2019 年）
工芸農作物 40
野菜 836
耕種 2,317
いも類 15
花き 20
果実 828

農業物上位10位

① りんご	784 億円
② 米	553 億円
③ 豚	216 億円

④ ブロイラー 216 億円	⑧ やまのいも 143 億円
⑤ 鶏卵 193 億円	⑨ ごぼう 93 億円
⑥ にんにく 180 億円	⑩ だいこん 90 億円
⑦ 肉用牛 164 億円	

消　費（1世帯当たりの年間支出金額）

鮮魚
3 万 8,161 円（22 位）

マグロ	6,376 円
サ　ケ	5,367 円
エ　ビ	2,996 円
イ　カ	2,623 円
ブ　リ	1,798 円

飲料
5 万 3,424 円（32 位）

果実・野菜ジュース	8,946 円
炭酸飲料	7,607 円
コーヒー	6,798 円
茶飲料	6,684 円
コーヒー飲料	4,890 円

酒　類
5 万 1,225 円（5 位）

ビール	1 万 3,236 円
発泡酒他	1 万 1,606 円
焼　酎	8,595 円
清　酒	5,694 円
カクテル等	4,115 円

菓　子
7 万 7,248 円（41 位）

アイスクリーム	8,590 円
ケーキ	5,992 円
スナック菓子	5,315 円
せんべい	5,263 円
チョコ	5,216 円

他の穀類 3,844 円（5.4%）
麺　類 1 万 9,059 円（27.3%）
パン 2 万 3,887 円（34.2%）
穀　類 6 万 9,909 円 40 位
米 2 万 3,120 円（33.1%）

鶏　肉 1 万 3,380 円（16.4%）
その他 4,030 円（4.9%）
豚　肉 3 万 71 円（36.9%）
肉　類 8 万 1,497 円 38 位
加工肉 1 万 9,683 円（24.2%）
牛　肉 1 万 4,333 円（17.6%）

食品産業

（カ所）	事業所数	出荷額	（億円）

事業所数／出荷額（注：従業者4人以上の事業所に関する統計表。）

年	2013年	2014年	2015年	2016年	2017年
出荷額	3,110	3,274	3,567	3,781	3,737
事業所数	405	396	435	385	368

飲食料小売額	4,554 店	26
百貨店・総合スーパー	19 店	25
飲食料小売店数	3,465 店	26
コンビニ数	453 店	27
ドラッグストア数	103 店	36

□は全国順位

Data で見る 青森県

※青森市の1世帯当たりの年間支出金額

快適度

人口密度 /km	131人	41
物価格差	98.6	26
県民所得 / 人	255.8万円	38
犯罪認知件数 / 千人	2.76件	43
旅行に行く人の割合	32.9%	46
医師数 /10万人	203.3人	42

■は全国順位

人口密度 / 物価格差 / 県民所得 / 犯罪件数 / 旅行 / 医師数

※グラフの外側がより高い快適度

行動ウエート

趣味 / 寝る / 仕事・勉強 / 学ぶ / スポーツ / 食べる

※グラフの外側がより高いウエート

趣味・娯楽の時間	204分	1
睡眠時間	480分	2
仕事・学業をする時間	431分	4
学習や自己啓発をする時間	110分	45
スポーツをする時間	117分	25
食事をする時間	100分	27

■は全国順位

人口

- 人口
  129万2,709人（31位）
- 人口増減数
  － 1万5,998人（42位）
- 出生率
  6.2人／千人（44位）
- 死亡率 14.3人／千人（4位）
- 外国人の割合 0.48%（46位）

家庭*

- 世帯主年齢 61.6歳（5位）
- 子ども（18歳未満）の人員
  0.49人（40位）
- 高齢者（65歳以上）の人員
  0.92人（5位）
- 持ち家率 83.8%（18位）
- 平均畳数 23.9帖（28位）

世帯

- 世帯数
  59万2,453世帯（30位）
- 平均人員 2.18人（33位）
- 核家族世帯率 53.3%
  （37位）
- 単身者世帯率 30.1%
  （29位）
- 高齢者世帯率 11.1%
  （37位）

家計*

- 貯蓄額 982万円（46位）
- 負債総額 439万円（36位）
- 消費支出 292万3,311円
  （45位）
- 家賃 7万7,936円（35位）
- 水道光熱費 33万7,062円
  （2位）

消費*

- 衣類・履物費 8万9,680円
  （46位）
- 保健医療費 12万3,938円
  （47位）
- 教育費 6万1,172円（47位）
- 自動車関連費
  25万601円（36位）
- 通信費 15万8,032円
  （30位）

外国人旅行者

宿泊者数の推移

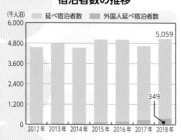

（千人泊）
延べ宿泊者数 / 外国人延べ宿泊者数
6,000
4,800
3,600
2,400
1,200
0
2012年 2013年 2014年 2015年 2016年 2017年 2018年
5,059
349

宿泊者上位5カ国

その他 15.2%
アメリカ 7.2%
香港 8.1%
3位 韓国 12.8%
2位 中国 24.4%
1位 台湾 32.3%

身長 171.0cm （10 位）
体重 65.5kg （1 位）
初婚年齢 30.8 歳 （20 位）
寿命 78.67 年 （47 位）

婚姻率 3.8 人／千人 （43 位）

1.61 人／千人 （26 位）離婚率

身長 157.8cm （22 位）
体重 54.1kg （4 位）
初婚年齢 29.0 歳 （14 位）
寿命 85.93 年 （47 位）

気　候

最高気温 35℃以上の日数	1 日	全国で 40 位 ▼
平均気温	11.4℃	全国で 45 位 ▼
日照時間	1,877 時間	全国で 38 位 ▼
降水量	1,093 mm	全国で 42 位 ▼
平均相対湿度	72.8%	全国で 14 位 ▼

（青森管区気象台 2019 年）

最低気温 -8.3℃／最高気温 35.5℃

産　業

・総事業所数 5 万 8,116 （31 位）
・小売事業所数 1 万 2,183 （29 位）
・卸売事業所数 3,616 （30 位）
・上場企業数 4 （40 位）
・代表取締役出身者数 1 万 6,218 人 （26 位）

経　済

・県内総生産 4 兆 4,674 億円 （30 位）
・企業倒産所数 6 件 （24 位）
・有効求人倍率 1.20 （40 位）
・月額給与（男）26.18 万円 （47 位）
・月額給与（女）21.11 万円 （40 位）

労　働

・労働時間 178 時間／月 （30 位）
・通勤時間 24 分 （42 位）
・勤続年数 12.4 年 （18 位）
・大卒初任給 18.94 万円 （41 位）
・パート時給 991 円 （37 位）

社　会

・中高年の就職率 31.76% （19 位）
・失業率 2.68% （4 位）
・自殺者数 17.7 人／10 万人 （15 位）
・生活保護世帯数 1 万 3,539 世帯 （12 位）
・少年犯罪数 1.61 人／千人 （39 位）

福　祉

・病院数 7.5 施設／10 万人（21 位）
・一般診療所数 70.1 人／10 万人 （42 位）
・児童福祉施設数 51.6 施設／10 万人 （6 位）
・老人福祉センター数 6.6 施設／10 万人 （16 位）
・図書館数 2.7 施設／10 万人 （33 位）

教　育

・大学進学率 46.2% （34 位）
・高卒の割合 31.1% （2 位）
・学校の I T 化 4.6 人／台 （16 位）
・教科書・参考書費* 1,600 円 （41 位）
・補習教育費* 1 万 277 円 （46 位）

交通・通信

・自動車保有台数 1,651 台／千世帯 （27 位）
・ガソリン代* 6 万 6,694円（29 位）
・交通費* 3 万 9,905 円 （37 位）
・電話代* 1 万 6,938 円 （26 位）
・交通事故死亡者数 2.93 人／10 万人 （30 位）

学　校

・保育所数 479 カ所 （20 位）
・幼稚園数 88 カ所 （36 位）
・小学校数 282 校 （28 位）
・高校数 76 校 （25 位）
・大学数 10 校 （20 位）

スポーツ

・野球をする人の割合 6.6%（30 位）
・ゴルフをする人の割合 3.4% （47 位）
・サッカーをする人の割合 4.3% （42 位）
・ラグビー部のある高校 28.9% （6 位）
・高校陸上部員数の割合 4.4% （8 位）

娯　楽

・博物館数 0.2 施設／10 万人 （47 位）
・映画館数 3.5 施設／10 万人 （10 位）
・月謝類* 2 万 1,494 円（46 位）
・書籍雑誌費* 4 万 1,814 円 （15 位）
・海外旅行に行く人の割合 2.4% （45 位）

岩手県

県の
木：ナンブアカマツ
花：キリ
鳥：キジ
魚：ナンブサケ
歌：岩手県民の歌

岩手県民

粘り強く、ガマン強い

冷静で素朴な
ロマンチスト

牛のように（？）
おとなしい

岩手県の NO.1 ▶

体重（女）

乳製品
支出金額※1

乾燥スープ
支出金額※1

ほうれん草
支出金額※1

リンドウ
出荷量※2

※1 盛岡市、※2 2018 年

C 八幡平市

D 盛岡市

二戸市

岩手町

滝沢市

雫石町

矢巾町

紫波町

G 花巻市

西和賀町

H 北上市

金ケ崎町

奥州市

平泉町

J

H
鬼剣舞 / 北上市
念仏剣舞の一つで、仏の化身である威嚇的な面をつけて踊る芸能。

I
滝流しそば / 住田町
竹筒から流れるそばをすくって食べる。滝観洞の冷たい水がおいしい。

凡 例
－・－・－ 新幹線
－ － － J R
――― 国 道
――― 鉄・新幹線

J

毛越寺 / 平泉町
平安時代後期の浄土思想に基づいて造られた浄土庭園がほぼ完全な状態で保存。

一戸町

A
軽米町

九戸村

洋野町

B
久慈市

葛巻町

岩泉町

普代村
田野畑村

E
宮古市

山田町

大槌町

F
遠野市

釜石市

I
住田町

大船渡市

陸前高田市

一関市

N

そばかっけ / 軽米町
そば作りでできた切れ端（かっけ）をゆで上げ、にんにく味噌でいただく。

こたつ列車 / 久慈〜宮古駅
三陸鉄道北リアス線の冬の名物。こたつ仕様の座席で三陸海岸の景色を堪能。

平笠裸参り / 八幡平市
無病息災、家内安全、五穀豊穣を祈願する行事で、全国的にも珍しい女性の荒行。

盛岡天満宮 / 盛岡市
石川啄木も愛したという狛犬をはじめ、ユニークな石像が鎮座する。

青の洞窟 / 宮古市
洞窟は青森県八戸市につながっているとか。小型の磯舟「さっぱ船」で潜入する。

暮坪かぶ / 遠野市
爽やかな辛みがそばや刺身・焼肉に合う。「究極の薬味」ともいわれる。

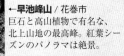

←早池峰山 / 花巻市
巨石と高山植物で有名な、北上山地の最高峰。紅葉シーズンのパノラマは絶景。

岩手県 の 食

耕地面積（田畑計）
14万
9,800ha
（第 5 位）

コメの作付面積（水稲延べ）
5万
500ha
（第 10 位）

コメの収穫量（水稲）
27万
9,800 t
（第 11 位）

肉用牛（飼育頭数）
8万
8,700頭
（第 5 位）

養豚（飼育頭数）
40万
2,400頭
（第 8 位）

ブロイラー（飼育頭数）
2,164万
7,000羽
（第 3 位）

漁獲量・天然（海面漁業）
9万
87 t
（第 11 位）

漁獲量・養殖（海面養殖）
3万
6,502 t
（第 12 位）

食料自給率（カロリーベース）
101%
（第 6 位）

エンゲル係数*
25.7
（第 19 位）

食費*（年間支出）
95万
8,316円
（第 19 位）

牛乳・乳製品*（年間支出）
4万
4,556円
（第 1 位）
- ●ヨーグルト 17,214 （第1位）
- ●牛乳 17,315 （第4位）

調味料*（年間支出）
4万
2,346円
（第 5 位）
- ●乾燥スープ 4,550円 （第1位）
- ●つゆ・たれ 5,663円 （第3位）

生鮮野菜*（年間支出）
7万
4,577円
（第 13 位）
- ●ほうれんそう 3,202円 （第1位）
- ●ごぼう 1,279円 （第3位）
- ●にんじん 2,558円 （第4位）

果 物*（年間支出）
4万
2,060円
（第 14 位）
- ●りんご 8,261円 （第3位）

外 食*（年間支出）
12万
6,041円
（第 43 位）

調理食品*（年間支出）
12万
687円
（第 29 位）
- ●カツレツ 2,741 （第4位）

生産

（単位：億円）

その他畜産物 9
コメ 582
鶏 761
豚 282
乳用牛 270
肉用牛 284
畜産 1,608
野菜 303
果実 126
花き 42
いも類 4
その他作物 21
工芸農作物 41
耕種 1,119

農業産出額 2,727 億円（2019 年）

農業物上位 **10** 位

① 米　　　　　582 億円
② ブロイラー　574 億円
③ 肉用牛　　　284 億円

④ 豚 282 億円	⑧ 乳牛 39 億円
⑤ 生乳 231 億円	⑨ 葉たばこ 38 億円
⑥ 鶏卵 152 億円	⑩ きゅうり 38 億円
⑦ りんご 104 億円	

消費（1 世帯当たりの年間支出金額）

鮮魚

3 万 5,631 円（30 位）

マグロ	5,947 円
サケ	5,675 円
カツオ	2,395 円
ブリ	2,134 円
エビ	1,885 円

飲料

6 万 1,017 円（10 位）

果実・野菜ジュース	9,538 円
コーヒー	7,961 円
茶飲料	7,597 円
炭酸飲料	6,472 円
コーヒー飲料	4,726 円

酒類

5 万 4,965 円（2 位）

ビール	1 万 4,654 円
発泡酒他	1 万 2,828 円
清酒	8,262 円
焼酎	6,136 円
カクテル等	5,458 円

菓子

8 万 8,544 円（16 位）

アイスクリーム	1 万 1,482 円
ケーキ	7,160 円
せんべい	6,469 円
チョコレート	5,984 円
スナック菓子	4,840 円

穀類 8 万 809 円 10 位
他の穀類 5,258 円（6.5%）
麺類 2 万 1,189 円（26.2%）
パン 2 万 8,593 円（35.4%）
米 2 万 5,769 円（31.9%）

肉類 7 万 6,083 円 41 位
その他 4,502 円（5.9%）
鶏肉 1 万 4,115 円（18.6%）
豚肉 2 万 8,587 円（37.6%）
加工肉 1 万 8,663 円（24.5%）
牛肉 1 万 216 円（13.4%）

食品産業

	事業所数	出荷額
2013年	492	3,208
2014年	499	3,391
2015年	537	3,649
2016年	488	3,660
2017年	483	3,802

（カ所）事業所数　（億円）出荷額
600／6,000 ～ 200／2,000

注：従業者4人以上の事業所に関する統計表。

飲食料小売額	3,948 億円	32
百貨店・総合スーパー	12 店	36
飲食料小売店数	3,279 店	29
コンビニ数	454 店	26
ドラッグストア数	177 店	23

□は全国順位

27

Data で見る　岩手県

③盛岡市の1世帯当たりの年間支出金額

快適度

人口密度 /km	81 人	46
物価格差	99.1	19
県民所得 / 人	273.7 万円	31
犯罪認知件数 / 千人	2.47 件	46
旅行に行く人の割合	37.7%	43
医師数 /10 万人	201.7 人	43

■は全国順位

人口密度・物価格差・県民所得・犯罪件数・旅行・医師数
※グラフの外側がより高い快適度

行動ウエート

趣味・食べる・寝る・スポーツ・仕事・勉強・学ぶ
※グラフの外側がより高いウエート

趣味・娯楽の時間	188 分	7
睡眠時間	475 分	4
仕事・学業をする時間	411 分	29
学習や自己啓発をする時間	131 分	17
スポーツをする時間	117 分	25
食事をする時間	102 分	15

■は全国順位

人口

- 人口
  125 万 142 人（32 位）
- 人口増減数
  − 1 万 4,187 人（39 位）
- 出生率
  6.2 人／千人（44 位）
- 死亡率 14.1 人／千人（5 位）
- 外国人の割合 0.61%（45 位）

家庭*

- 世帯主年齢 58.3 歳（29 位）
- 子ども（18 歳未満）の人員
  0.69 人（10 位）
- 高齢者（65 歳以上）の人員
  0.85 人（16 位）
- 持ち家率 83.1%（23 位）
- 平均畳数 28.1 帖（7 位）

世帯

- 世帯数
  52 万 6,690 世帯（33 位）
- 平均人員　2.37 人（11 位）
- 核家族世帯率 51.3%
  （45 位）
- 単身者世帯率 30.4%
  （45 位）
- 高齢者世帯率 10.9%
  （38 位）

家計*

- 貯蓄額 1,418 万円（38 位）
- 負債総額 756 万円　（4 位）
- 消費支出 354 万 4,753 円
  （20 位）
- 家賃 8 万 6,476 円（30 位）
- 水道光熱費 32 万 8,622 円
  （3 位）

消費*

- 衣類・履物費 12 万 9,602 円
  （23 位）
- 保健医療費 16 万 7,976 円
  （18 位）
- 教育費
  12 万 8,660 円（21 位）
- 自動車関連費
  30 万 6,183 円（23 位）
- 通信費 16 万 8,725 円（18 位）

外国人旅行者

宿泊者数の推移

（千人泊）
延べ宿泊者数　外国人延べ宿泊者数

10,000 / 8,000 / 6,000 / 4,000 / 2,000 / 0

6,099
259

2012年 2013年 2014年 2015年 2016年 2017年 2018年

宿泊者上位 5 カ国

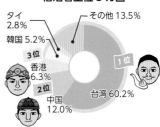

タイ 2.8%
韓国 5.2%　3位
香港 6.3%　2位
中国 12.0%
その他 13.5%
1位
台湾 60.2%

身長 171.3cm（5位）
体重 64.1kg（5位）
初婚年齢 31.0 歳（33位）
寿命 79.86 年（45位）

婚姻率 3.6 人／千人（46位）

1.49 人／千人（38位）離婚率

身長 157.9cm（19位）
体重 54.8kg（1位）
初婚年齢 29.1 歳（17位）
寿命 86.44 年（42位）

気候

最高気温 35℃以上の日数	3 日	 全国で 33 位
平均気温	11.3℃	全国で 46 位
日照時間	1,883 時間	全国で 37 位
降水量	1,030 mm	全国で 43 位
平均相対湿度	74.1%	全国で 10 位

（盛岡管区気象台 2019 年）

最低気温 -9.0℃／最高気温 35.9℃

産業

- 総事業所数 5 万 8,415（30位）
- 小売事業所数 1 万 1,909（30位）
- 卸売事業所数 3,495（31位）
- 上場企業数 4（40位）
- 代表取締役出身者数 1 万 3,091 人（35位）

経済

- 県内総生産 4 兆 4,706 億円（29位）
- 企業倒産数 5 件（28位）
- 有効求人倍率 1.38（33位）
- 月額給与（男）27.09 万円（41位）
- 月額給与（女）20.76 万円（44位）

労働

- 労働時間 179 時間／月（14位）
- 通勤時間 25 分（35位）
- 勤続年数 12.4 年（18位）
- 大卒初任給 19.16 万円（35位）
- パート時給 954 円（46位）

社会

- 中高年の就職率 36.56%（5位）
- 失業率 2.06%（25位）
- 自殺者数 21.7 人／10 万人（3位）
- 生活保護世帯数 6,621 世帯（30位）
- 少年犯罪数 1.33 人／千人（42位）

福祉

- 病院数7.5施設／10万人（21位）
- 一般診療所数 71.1 人／10 万人（41位）
- 児童福祉施設数 47.6 施設／10 万人（9位）
- 老人福祉センター数 6.9 施設／10 万人（9位）
- 図書館数 3.7 施設／10 万人（11位）

教育

- 大学進学率 43.7%（43位）
- 高卒の割合 29.1%（7位）
- 学校のＩＴ化 4.8 人／台（21位）
- 教科書・参考書費* 3,444 円（12位）
- 補習教育費* 2 万 9,244 円（24位）

交通・通信

- 自動車保有台数 1,812 台／千世帯（18位）
- ガソリン代* 8 万 3,193 円（13位）
- 交通費* 5 万 7,580 円（19位）
- 電話代*15 万 2,283 円（20位）
- 交通事故死亡者数 3.63 人／10 万人（18位）

学校

- 保育所数 379 カ所（28位）
- 幼稚園数 92 カ所（33位）
- 小学校数 312 校（25位）
- 高校数 80 校（21位）
- 大学数 6 校（34位）

スポーツ

- 野球をする人の割合 7.5%（14位）
- ゴルフをする人の割合 4.2%（46位）
- サッカーをする人の割合 5.2%（27位）
- ラグビー部のある高校 25.0%（15位）
- 高校陸上部員数の割合 5.1%（3位）

娯楽

- 博物館数 1.5 施設／10 万人（11位）
- 映画館数 1.9 施設／10 万人（43位）
- 月謝類* 2 万 9,248 円（37位）
- 書籍雑誌費* 4 万 2,780 円（3位）
- 海外旅行に行く人の割合 2.1%（46位）

宮城県

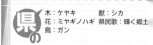

県の
木：ケヤキ　　獣：シカ
花：ミヤギノハギ　県民歌：輝く郷土
鳥：ガン

伊達男
→自尊心が高く
目立ちたがり屋

サッパリして
諦めが早い

社交的で
オシャレ

宮城県の NO.1 ▶

グレープフルーツ支出金額[1]

スイッチ出荷額[2]

変成器出荷額[2]

パプリカ収穫量[3]

セリ収穫量[3]

[1]仙台市、[2]2018 年、[3]2016 年

わらじで歩こう七ヶ宿 / 七ヶ宿町
参勤交代路、山中七ヶ宿街道約11kmをわらじで歩く。

プンタレッラ / 丸森町
県の友好姉妹県ローマの伝統的冬野菜で、チコリの一種。サラダでどうぞ。

栗原市

C 大崎市

D 加美町

色麻町
大衡村

大和町

富谷市

F 仙台市

N

川崎町

村田町

蔵王町

I 七ヶ宿町

H 白石市

柴田町
大河原町
角田市

J 丸森町

凡 例
- - - 新幹線
- ・ - JR
―― 国 道
―― 高速・有料道路

リアスシャークミュージアム / 気仙沼市
日本で唯一、サメの生態をテーマにした博物館。

サン・ファン・バウティスタ / 石巻市
伊達政宗時代の慶長遣欧使節の船が復元されている。

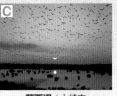

蕪栗沼 / 大崎市
貴重な自然環境を残す沼。冬にはシベリアから多くの渡り鳥が訪れる。

気仙沼市

A

南三陸町

登米市

涌谷町

美里町

B
石巻市

女川町

大郷町

東松島市

松島町 **E**

塩竈市 **G**

七ケ浜町

利府町

多賀城市

名取市

岩沼市

亘理町

山元町

火伏せの虎舞 / 加美町
「雲は龍に従い、風は虎に従う」。約650年前から続く無火災を祈願する虎舞。

かきバーガー / 松島町
カキのクリームコロッケを登米産米粉パンでサンドしたご当地バーガー。

光のページェント / 仙台市
ケヤキ並木が数十万のイルミネーションで覆われる、美しい光の回廊。

鹽竈神社 / 塩竈市
202段の急な石段の上に建ち、古くから奥州一宮として崇敬をあつめる。

こけしの初挽き / 白石市
こけし工人が1年間の無病息災・技術の向上などを祈願する、正月の伝統行事。

宮城県 の 食

※仙台市の1世帯当たりの年間支出金額

耕地面積（田畑計）
12万
6,300ha
（第 8 位）

コメの作付面積（水稲延べ）
6万
8,400ha
（第 4 位）

コメの収穫量（水稲）
37万
6,900 t
（第 5 位）

肉用牛（飼育頭数）
7万
9,800頭
（第 6 位）

養豚（飼育頭数）
18万
6,100頭
（第 16 位）

ブロイラー（飼育頭数）
216万
6,000羽
（第 14 位）

漁獲量・天然（海面漁業）
18万
4,738 t
（第 5 位）

漁獲量・養殖（海面養殖）
8万
1,173 t
（第 6 位）

食料自給率（カロリーベース）
70%
（第 12 位）

エンゲル係数*
28.2
（第 4 位）

食費*（年間支出）
100万
2,008 円
（第 8 位）

牛乳・乳製品*（年間支出）
4万
1,538 円
（第 5 位）
●チーズ　7,625（第 4 位）

調味料*（年間支出）
3万
9,799 円
（第 15 位）

生鮮野菜*（年間支出）
8万
1,265 円
（第 4 位）
●だいこん　1,930 円（第 2 位）
●ごぼう　1,326 円（第 2 位）
●ほうれんそう　2,723 円（第 3 位）

果　物*（年間支出）
4万
2,248 円
（第 13 位）
●グレープフルーツ　383 円（第 1 位）
●果物加工品　4,517 円（第 2 位）

外　食*（年間支出）
14万
7,319 円
（第 31 位）
●中華そば　11,154 円（第 4 位）

調理食品*（年間支出）
12万
7,573 円
（第 21 位）
●おにぎり等　5,741 円（第 5 位）
●カツレツ　2,646 円（第 5 位）

生 産

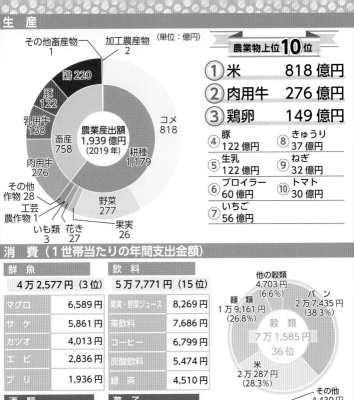

（単位：億円）

その他畜産物 1
加工農産物 2
鶏 220
豚 122
乳用牛 138
畜産 758
肉用牛 276
その他作物 28
工芸農作物 1
いも類 3
花き 27
果実 26
野菜 277
耕種 1,179
コメ 818

農業産出額 1,939 億円（2019年）

農業物上位 10 位

①	米	818 億円
②	肉用牛	276 億円
③	鶏卵	149 億円

④	豚 122 億円	⑧	きゅうり 37 億円
⑤	生乳 122 億円	⑨	ねぎ 32 億円
⑥	ブロイラー 60 億円	⑩	トマト 30 億円
⑦	いちご 56 億円		

消 費（1世帯当たりの年間支出金額）

鮮 魚

4万 2,577 円（3位）

マグロ	6,589 円
サケ	5,861 円
カツオ	4,013 円
エビ	2,836 円
ブリ	1,936 円

飲 料

5万 7,771 円（15位）

果実・野菜ジュース	8,269 円
茶飲料	7,686 円
コーヒー	6,799 円
炭酸飲料	5,474 円
緑茶	4,510 円

酒 類

5万 2,162 円（4位）

ビール	1万 3,604 円
清酒	9,397 円
ワイン	9,079 円
発泡酒他	6,971 円
焼酎	6,364 円

菓 子

9万 3,854 円（7位）

アイスクリーム	9,662 円
ケーキ	7,513 円
チョコレート	7,513 円
せんべい	6,212 円
スナック菓子	5,027 円

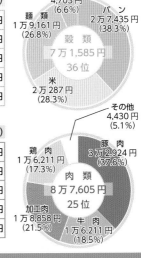

穀 類 7万 1,585 円 36 位
パン 2万 7,435 円（38.3%）
他の穀類 4,703 円（6.6%）
麺類 1万 9,161 円（26.8%）
米 2万 287 円（28.3%）

肉 類 8万 7,605 円 25 位
その他 4,430 円（5.1%）
豚 肉 3万 2,924 円（37.6%）
鶏 肉 1万 6,211 円（17.3%）
加工肉 1万 8,858 円（21.5%）
牛 肉 1万 6,211 円（18.5%）

食品産業

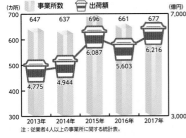

事業所数　出荷額

（カ所）700 / 600 / 500 / 400 / 300
（億円）7,000 / 6,000 / 5,000 / 4,000 / 3,000

2013年	2014年	2015年	2016年	2017年
647	637	696	661	677
4,775	4,944	6,087	5,603	6,216

注：従業者4人以上の事業所に関する統計表。

飲食料小売額	7,393 億円	15
百貨店・総合スーパー	38 店	11
飲食料小売店数	4,719 店	16
コンビニ数	892 店	13
ドラッグストア数	302 店	15

□は全国順位

Data で見る 宮城県

※仙台市の1世帯当たりの年間支出金額

快適度

項目	値	順位
人口密度 /k㎡	318 人	19
物価格差	98.8	22
県民所得 / 人	292.6 万円	21
犯罪認知件数 / 千人	5.60 件	14
旅行に行く人の割合	47.7%	19
医師数 /10 万人	238.4 人	29

■は全国順位

人口密度・物価格差・県民所得・犯罪件数・旅行・医師数

※グラフの外側がより高い快適度

行動ウエート

項目	値	順位
趣味・娯楽の時間	181 分	20
睡眠時間	467 分	13
仕事・学業をする時間	410 分	32
学習や自己啓発をする時間	121 分	36
スポーツをする時間	123 分	12
食事をする時間	103 分	12

趣味・寝る・仕事・勉強・学ぶ・スポーツ・食べる

※グラフの外側がより高いウエート

■は全国順位

人口

・人口
　230 万 3,098 人（14 位）
・人口増減数
　－ 8,982 人（25 位）
・出生率
　7.1 人／千人（23 位）
・死亡率 10.7 人／千人（36 位）
・外国人の割合 0.97%（30 位）

家庭*

・世帯主年齢 60.2 歳（16 位）
・子ども（18 歳未満）の人員
　0.57 人（27 位）
・高齢者（65 歳以上）の人員
　0.89 人（9 位）
・持ち家率 84.1%（17 位）
・平均畳数 22.7 帖（36 位）

世帯

・世帯数
　99 万 7,384 世帯（14 位）
・平均人員　2.31 人（20 位）
・核家族世帯率 51.3%
　　　　　　　　（44 位）
・単身者世帯率 34.4%
　　　　　　　　（10 位）
・高齢者世帯率 9.6%
　　　　　　　　（45 位）

家計*

・貯蓄額 1,788 万円（20 位）
・負債総額 692 万円　（7 位）
・消費支出 331 万 4,450 円
　　　　　　　　（33 位）
・家賃 8 万 2,188 円（33 位）
・水道光熱費 28 万 1,516 円
　　　　　　　　（14 位）

消費*

・衣類・履物費 14 万 1,916 円
　　　　　　　　（10 位）
・保健医療費 15 万 4,250 円
　　　　　　　　（30 位）
・教育費
　　　　12 万 2,631 円（26 位）
・自動車関連費
　　　19 万 8,609 円（42 位）
・通信費 14 万 1,096 円（42位）

外国人旅行者

宿泊者数の推移

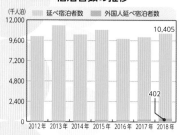

（千人泊）延べ宿泊者数　外国人延べ宿泊者数

10,405
402

2012年 2013年 2014年 2015年 2016年 2017年 2018年

宿泊者上位 5 カ国

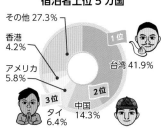

その他 27.3%
香港 4.2%
アメリカ 5.8%
タイ 6.4%
中国 14.3%
台湾 41.9%
1 位　2 位　3位

身長 170.5cm（23 位）
体重 63.5kg（10 位）
初婚年齢 30.9 歳（28 位）
寿命 80.99 年（15 位）

4.5 人／千人（10 位）婚姻率

1.59 人／千人（31 位）離婚率

身長 157.6cm（28 位）
体重 53.8kg（7 位）
初婚年齢 29.4 歳（36 位）
寿命 87.16 年（20 位）

気　候

最高気温 35℃以上の日数	2 日	全国で 37 位
平均気温	13.6℃	全国で 40 位
日照時間	2,056 時間	全国で 18 位
降水量	1,390 mm	全国で 34 位
平均相対湿度	70.4%	全国で 25 位

（仙台管区気象台 2019 年）

最低気温 -3.6℃／最高気温 36.1℃

産　業

・総事業所数 9 万 7,974（17 位）
・小売事業所数
　　　1 万 8,461（16 位）
・卸売事業所数
　　　8,641（12 位）
・上場企業数 20（20 位）
・代表取締役出身者数
　　　1 万 8,344 人（23 位）

経　済

・県内総生産
　　　9 兆 2,309 億円（14 位）
・企業倒産数 9 件（15 位）
・有効求人倍率 1.71（13 位）
・月額給与（男）31.06 万円
　　　　　　　　　　（21 位）
・月額給与（女）22.56 万円
　　　　　　　　　　（26 位）

労　働

・労働時間 178 時間／月
　　　　　　　　　（30 位）
・通勤時間 30 分（14 位）
・勤続年数 12.4 年
　　　　　　　　（18 位）
・大卒初任給 19.68 万円
　　　　　　　　（27 位）
・パート時給 1,151 円
　　　　　　　　（5 位）

社　会

・中高年の就職率 28.58%
　　　　　　　　　（30 位）
・失業率 2.63%（7 位）
・自殺者数 17.6 人／10 万人
　　　　　　　　（17 位）
・生活保護世帯数
　　　7,872 世帯（23 位）
・少年犯罪数 1.63 人／千人
　　　　　　　　（37 位）

福　祉

・病院数 6.0 施設／10 万人（33 位）
・一般診療所数
　　　72.2 人／10 万人（39 位）
・児童福祉施設数
　　　48.0 施設／10 万人（8 位）
・老人福祉センター数
　　　3.9 施設／10 万人（36 位）
・図書館数 1.5 施設／10 万人
　　　　　　　　（45 位）

教　育

・大学進学率 49.6%（26 位）
・高卒の割合 22.8%（22 位）
・学校の I T 化
　　　5.4 人／台（32 位）
・教科書・参考書費*
　　　2,937 円（19 位）
・補習教育費* 2 万 8,309 円（26 位）

交通・通信

・自動車保有台数
　　　1,625 台／千世帯（30 位）
・ガソリン代* 6 万 3,795 円（31 位）
・交通費* 6 万 3,392 円（15 位）
・電話代* 12 万 2,547 円（45 位）
・交通事故死亡者数
　　　2.81 人／10 万人（32 位）

学　校

・保育所数 468 カ所
　　　　　　　　（21 位）
・幼稚園数 238 カ所
　　　　　　　　（14 位）
・小学校数 383 校
　　　　　　　　（17 位）
・高校数 94 校
　　　　　　　　（17 位）
・大学数 14 校（14 位）

スポーツ

・野球をする人の割合 7.6%（13 位）
・ゴルフをする人の割合 6.1%
　　　　　　　　（34 位）
・サッカーをする人の割合 6.0%
　　　　　　　　（12 位）
・ラグビー部のある高校
　　　21.3%（22 位）
・高校陸上部員数の割合
　　　4.2%（15 位）

娯　楽

・博物館数 0.6 施設／10 万人
　　　　　　　　（35 位）
・映画館数 3.4 施設／10 万人
　　　　　　　　（12 位）
・月謝類* 4 万 3,154 円（13 位）
・書籍雑誌費* 3 万 6,956 円
　　　　　　　　（35 位）
・海外旅行に行く人の割合
　　　4.7%（23 位）

秋田県

県の
木：秋田杉
花：フキノトウ
鳥：ヤマドリ
魚：ハタハタ
歌：
　秋田県民歌、県民
　の歌

秋田県民

秋田美人
→色白でキレイ

頼まれると断れない

秋田男
→酒と遊びが大好き

秋田県の NO.1 ▶

ナス
支出金額※1

酒類
支出金額※1

通勤時間
（短）※2

睡眠時間※2

少年犯罪数
（少）※3

※1 秋田市、※2 2016年、※3 人口当たり

藤里
八峰町

B 能代市

三種町

大潟村

八郎潟町

C 男鹿市

E 五城目町
井川町

潟上市

由利本荘市

にかほ市

I

秋田蕗 / 秋田市
傘のように大きく、葉の直径が1mを超えるものもあるという郷土野菜のフキ。

横手市増田まんが美術館
／ 横手市
全国初、マンガ原画の収蔵がテーマの本格的な美術館。

獅子ヶ鼻湿原 / にかほ市
世界的に貴重なコケが大量に群生。「鳥海まりも」はここでのみ見られる。

かだる雪まつり／湯沢市
2月開催。スキー場に飾られた、約3000個のかまくらの灯りが幻想的な光景。

凡例
- ━━ 新幹線
- ┅┅ J R
- ━━ 国 道
- ━━ 鉄道・都市鉄道

十和田湖

小坂町

A 大館市

鹿角市

北秋田市

D

上小阿仁村

F 仙北市

田沢湖

秋田市 **G**

大仙市

美郷町

横手市 **H**

羽後町

東成瀬村

湯沢市 **J**

A

秋田犬ふれあい処 / 大館市
大館駅観光駅長の二匹がお
出迎え。秋田犬の魅力を全
国にアピール。

B

ハタハタ / 沿岸部
ほぐれやすく身の柔らかな
白身魚。卵巣はブリコと呼
ばれ珍重される。

C

ギバサ / 男鹿市
食物繊維が多く粘り気の強
い海藻で、アカモクのこと。
ポン酢や醤油でいただく。

D

綴子例大祭 / 北秋田市
1262 年に始まったと伝えら
れる。大太鼓を打ち鳴らし
ながら行進する様は圧巻。

E

だまこ鍋 / 五城目町
つぶしたご飯をまるめ、セ
リやゴボウなどの野菜と比
内地鶏の出汁で煮た鍋。

F

御座石神社 / 仙北市
美の守護神を祀る田沢湖畔
の神社。たつこが姿を映し
た「鏡石」などもある。

耕地面積（田畑計）

14万
7,100ha

（第 6 位）

コメの作付面積（水稲延べ）

8万
7,800ha

（第 3 位）

コメの収穫量（水稲）

52万
6,800 t

（第 3 位）

肉用牛（飼育頭数）

1万
9,100 頭

（第 31 位）

養豚（飼育頭数）

27万
2,100 頭

（第 12 位）

ブロイラー（飼育頭数）

—

（第 一 位）

漁獲量・天然（海面漁業）

6,193 t

（第 37 位）

漁獲量・養殖（海面養殖）

193 t

（第 35 位）

食料自給率（カロリーベース）

188%

（第 2 位）

エンゲル係数*

26.4

（第 13 位）

食費*（年間支出）

88万
942 円

（第 40 位）

牛乳・乳製品*（年間支出）

3万
2,686 円

（第 39 位）

調味料*（年間支出）

3万
8,024 円

（第 24 位）

●みそ　2,731 円（第 4 位）

生鮮野菜*（年間支出）

7万
6,941 円

（第 7 位）

●なす　2,731 円（第 1 位）
●ほうれんそう　2,873 円（第 2 位）
●さやまめ　4,065 円（第 2 位）

果物*（年間支出）

4万
1,332 円

（第 15 位）

●りんご　8,631 円（第 2 位）
●すいか　1,738 円（第 4 位）

外食*（年間支出）

11万
1,753 円

（第 46 位）

調理食品*（年間支出）

10万
4,717 円

（第 45 位）

生産

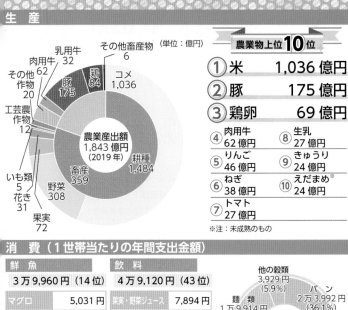

（単位：億円）

農業産出額 1,843 億円（2019 年）

- コメ 1,036
- 耕種 1,484
- 畜産 359
- 豚 175
- 鶏 84
- 乳用牛 32
- その他畜産物 6
- 肉用牛 62
- その他作物 20
- 工芸農作物 12
- いも類 5
- 花き 31
- 野菜 308
- 果実 72

農業物上位 10 位

① 米	1,036 億円
② 豚	175 億円
③ 鶏卵	69 億円

④ 肉用牛 62 億円	⑧ 生乳 27 億円
⑤ りんご 46 億円	⑨ きゅうり 24 億円
⑥ ねぎ 38 億円	⑩ えだまめ※ 24 億円
⑦ トマト 27 億円	

※注：未成熟のもの

消費（1 世帯当たりの年間支出金額）

鮮魚

3 万 9,960 円（14 位）

マグロ	5,031 円
サケ	4,828 円
エビ	3,021 円
イカ	2,368 円
ブリ	2,163 円

飲料

4 万 9,120 円（43 位）

果実・野菜ジュース	7,894 円
コーヒー	6,484 円
茶飲料	5,987 円
炭酸飲料	5,262 円
緑茶	3,618 円

酒類

5 万 5,605 円（1 位）

ビール	1 万 2,677 円
発泡酒他	1 万 1,596 円
清酒	1 万 394 円
焼酎	7,797 円
カクテル等	4,880 円

菓子

7 万 9,979 円（38 位）

アイスクリーム	8,184 円
ケーキ	6,503 円
チョコレート	5,504 円
せんべい	4,231 円
スナック菓子	3,206 円

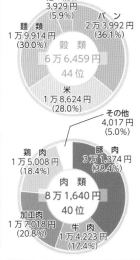

穀類 6 万 6,459 円 44 位

- 他の穀類 3,929 円（5.9%）
- パン 2 万 3,992 円（36.1%）
- 麺類 1 万 9,914 円（30.0%）
- 米 1 万 8,624 円（28.0%）

肉類 8 万 1,640 円 40 位

- その他 4,017 円（5.0%）
- 豚肉 3 万 1,374 円（38.4%）
- 鶏肉 1 万 5,008 円（18.4%）
- 牛肉 1 万 4,223 円（17.4%）
- 加工肉 1 万 7,018 円（20.8%）

食品産業

注：従業者 4 人以上の事業所に関する統計表。

飲食料小売額	3,487 億円	36
百貨店・総合スーパー	16 店	32
飲食料小売店数	2,944 店	33
コンビニ数	389 店	33
ドラッグストア数	102 店	38

□は全国順位

Data で見る 秋田県

※秋田市の1世帯当たりの年間支出金額

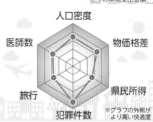

快適度

人口密度 /k㎡	84 人	45
物価格差	98.3	33
県民所得 / 人	255.3 万円	39
犯罪認知件数 / 千人	2.20 件	47
旅行に行く人の割合	41.4%	34
医師数 /10 万人	234.0 人	30

■は全国順位

※グラフの外側がより高い快適度

行動ウエート

※グラフの外側がより高いウエート

趣味・娯楽の時間	189 分	5
睡眠時間	482 分	1
仕事・学業をする時間	410 分	32
学習や自己啓発をする時間	131 分	17
スポーツをする時間	121 分	18
食事をする時間	105 分	4

■は全国順位

人口

・人口
　100 万 223 人（38 位）
・人口増減数
　－ 1 万 4,834 人（40 位）
・出生率
　5.2 人／千人（47 位）
・死亡率 15.8 人／千人（1 位）
・外国人の割合 0.43%（47 位）

家庭※

・世帯主年齢 61.5 歳（6 位）
・子ども（18 歳未満）の人員
　0.47 人（43 位）
・高齢者（65 歳以上）の人員
　0.85 人（16 位）
・持ち家率 90.3%（5 位）
・平均畳数 24.0 帖（27 位）

世帯

・世帯数
　42 万 5,775 世帯（38 位）
・平均人員　2.35 人（17 位）
・核家族世帯率 52.0%
　（41 位）
・単身者世帯率 27.9%
　（39 位）
・高齢者世帯率 12.7%
　（19 位）

家計※

・貯蓄額 1,149 万円（44 位）
・負債総額 737 万円　（5 位）
・消費支出 313 万 8,945 円
　（41 位）
・家賃 5 万 7,257 円（44 位）
・水道光熱費 31 万 4,162 円
　（6 位）

消費※

・衣類・履物費 10 万 6,634 円
　（44 位）
・保健医療費 13 万 6,604 円
　（44 位）
・教育費
　11 万 311 円（30 位）
・自動車関連費
　29 万 3,397 円（25 位）
・通信費 15 万 6,616 円（32 位）

外国人旅行者

宿泊者数の推移

（千人泊）
■ 延べ宿泊者数　■ 外国人延べ宿泊者数
10,000
8,000
6,000
4,000　3,505
2,000　123
0
2012年 2013年 2014年 2015年 2016年 2017年 2018年

宿泊者上位 5 カ国

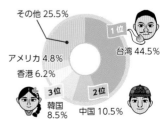

その他 25.5%
アメリカ 4.8%
香港 6.2%
3位 韓国 8.5%
2位 中国 10.5%
1位 台湾 44.5%

身長 171.6cm（2 位）
体重 65.4kg（2 位）
初婚年齢 31.1 歳
　　　　　　（39 位）
寿命 79.51 年（46 位）

3.1 人／千人
婚姻率（47 位）

1.27 人／千人
（46 位）離婚率

身長 158.2cm（7 位）
体重 53.1kg（22 位）
初婚年齢 29.3 歳
　　　　　　（30 位）
寿命 86.38年（44 位）

気　候

最高気温 35℃以上の日数	1 日	全国で 40 位
平均気温	12.9℃	全国で 41 位
日照時間	1,834 時間	全国で 39 位
降水量	1,567 mm	全国で 22 位
平均相対湿度	71.6%	全国で 18 位

（秋田管区気象台 2019 年）

最低気温 -5.9℃／最高気温 36.8℃

産　業

・総事業所数 4 万 8,769（37 位）
・小売事業所数
　　　　　1 万 307（37 位）
・卸売事業所数
　　　　　2,727（38 位）
・上場企業 3（45 位）
・代表取締役出身者数
　　　1 万 2,516 人（37 位）

経　済

・県内総生産
　　　3 兆 3,335 億円（40 位）
・企業倒産数 2 件（40 位）
・有効求人倍率 1.42（28 位）
・月額給与（男）26.54 万円
　　　　　　　　　　（45 位）
・月額給与（女）20.40 万円
　　　　　　　　　　（46 位）

労　働

・労働時間 176 時間／月
　　　　　　　　　（41 位）
・通勤時間 22 分（47 位）
・勤続年数 13.1 年
　　　　　　　　（4 位）
・大卒初任給 17.97 万円
　　　　　　　　（47 位）
・パート時給 951 円
　　　　　　　　（47 位）

社　会

・中高年の就職率 36.15%
　　　　　　　　　（6 位）
・失業率 2.77%（3 位）
・自殺者数 21.9 人／10 万人
　　　　　　　　　（2 位）
・生活保護世帯数
　　　　　7,226 世帯（28 位）
・少年犯罪数 1.00 人／千人
　　　　　　　　　（47 位）

福　祉

・病院数 7.0 施設／10 万人（25 位）
・一般診療所数
　　83.0 人／10 万人（24 位）
・児童福祉施設数
　　43.2 施設／10 万人（15 位）
・老人福祉センター数
　　8.1 施設／10 万人（5 位）
・図書館数 4.7 施設／10 万人
　　　　　　　　　（7 位）

教　育

・大学進学率 45.4%（38 位）
・高卒の割合 30.2%（4 位）
・学校の I T 化
　　　　4.5 人／台（15 位）
・教科書・参考書代*
　　　　　1,755 円（37 位）
・補習教育費*2 万 1,551 円（34 位）

交通・通信

・自動車保有台数
　　　1,802 台／千世帯（19 位）
・ガソリン代* 7 万 9,297 円（18 位）
・交通費* 3 万 6,838 円（42 位）
・電話代* 1 万 5,560 円（27 位）
・交通事故死亡者数
　　　4.08 人／10 万人（10 位）

学　校

・保育所数 275 カ所
　　　　　　　　（39 位）
・幼稚園数 39 カ所
　　　　　　　　（45 位）
・小学校数 195 校
　　　　　　　　（41 位）
・高校数 54 校
　　　　　　　　（35 位）
・大学数 7 校（30 位）

スポーツ

・野球をする人の割合 7.5%（14 位）
・ゴルフをする人の割合 5.0%
　　　　　　　　　（42 位）
・サッカーをする人の割合 3.4%
　　　　　　　　　（47 位）
・ラグビー部のある高校
　　　　　　　16.7%（29 位）
・高校陸上部員数の割合
　　　　　　　5.7%（1 位）

娯　楽

・博物館数 0.5 施設／10 万人
　　　　　　　　　（40 位）
・映画館数 1.9 施設／10 万人
　　　　　　　　　（41 位）
・月謝類* 2 万 4,986 円（42 位）
・書籍雑誌費* 4 万 1,488 円
　　　　　　　　　（16 位）
・海外旅行に行く人の割合
　　　　　　　2.1%（46 位）

山形県

山形県民

コツコツと堅実

「おしん」のように働き者

口下手

山形県の NO.1 ▶

しょう油支出金額[1]

水道光熱費[1]

果物支出金額[1]

勤続年数[2]

スポーツをする時間[3]

[1]山形市、[2]2018年、[3]2016年

N

遊佐町

A 酒田市

三川町

D 鶴岡市

小国町

飯豊町

慈恩寺 / 寒河江市
746年聖武天皇の勅命によってバラモン僧正が開基したと伝わる古刹。

H **根本中堂** / 山形市
五大明王を祀る道場。断崖に突き出すように立ち、山寺を一望できる。

紅花摘み / 白鷹町など
紅花は口紅や染料、食用にも使われる。6～8月には畑一面に鮮やかな花が咲く。

上杉神社 / 米沢市
米沢藩祖・上杉謙信公を祀る。明治9年建立、その後焼失するが大正12年再建。

凡　例
- ━━━ 新幹線
- ━━ JR
- ━━ 国道
- ━━ 磐・朝磐道

飛島海づり公園 / 酒田市
桟橋の先端に日本初の浮体式海中展望塔があり、海中の様子を観察できる。

小杉の大杉 / 鮭川村
樹齢1000年とされる巨杉でトトロの木ともいわれる。根元には山神様が祀られる。

最上川 / 戸沢村
源義経や芭蕉ゆかりの大河。川下りでは四季折々の雄大な自然を感じられる。

民田ナス / 鶴岡市
手のひらサイズのナス。果肉のしまりが良く、からし漬けなど漬物に最適。

銀山温泉 / 尾花沢市
大正から昭和にかけて建てられた洋風旅館が立ち並ぶ、ノスタルジーな温泉街。

林家舞楽 / 河北町
9月の谷地どんが祭りで奏演される舞。1200年の伝統を守り続けている。

真室川町
金山町
新庄市
鮭川村
最上町
戸沢村
大蔵村
舟形町
庄内町
大石田町
尾花沢市
西川町
村山市
寒河江市
河北町
東根市
大江町
天童市
中山町
朝日町
山辺町
山形市
白鷹町
南陽市
上山市
長井市
高畠町
川西町
米沢市

山形県 の 食

※山形市の1世帯当たりの年間支出金額

耕地面積（田畑計）
11万7,300ha
（第11位）

コメの作付面積（水稲延べ）
6万4,500ha
（第7位）

コメの収穫量（水稲）
40万4,400t
（第4位）

肉用牛（飼育頭数）
3万8,400頭
（第19位）

養豚（飼育頭数）
15万4,600頭
（第18位）

ブロイラー（飼育頭数）
－
（第一位）

漁獲量・天然（海面漁業）
3,937t
（第38位）

漁獲量・養殖（海面養殖）
－
（第一位）

食料自給率（カロリーベース）
137%
（第3位）

エンゲル係数*
25.3
（第25位）

食費*（年間支出）
100万2,992円
（第7位）

牛乳・乳製品*（年間支出）
3万7,262円
（第18位）

調味料*（年間支出）
4万938円
（第10位）
●しょう油 3,152円（第1位）

生鮮野菜*（年間支出）
7万5,594円
（第10位）
●さといも 2,166円（第1位）
●ごぼう 1,344円（第1位）
●たけのこ 1,479円（第1位）

果 物*（年間支出）
4万7,553円
（第1位）
●ぶどう 4,138円（第2位）
●りんご 7,590円（第5位）

外 食*（年間支出）
14万6,215円
（第32位）
●中華そば 1万4,501円（第1位）

調理食品*（年間支出）
12万9,006円
（第18位）
●天ぷら・フライ 1万4,317円（第2位）
●ハンバーグ 1,699円（第3位）

生産

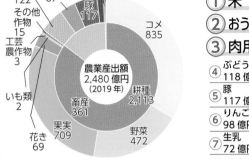

その他畜産物 4
乳用牛 87
鶏 33
豚 117
肉用牛 122
その他作物 15
工芸農作物 3
いも類 2
花き 69
果実 709
畜産 361
野菜 472
コメ 835
耕種 2,113
加工農産物（単位：億円）6

農業産出額 2,480 億円（2019 年）

農業物上位 10 位

①	米	835 億円
②	おうとう	374 億円
③	肉用牛	122 億円

④	ぶどう 118 億円	⑧	すいか 62 億円
⑤	豚 117 億円	⑨	西洋なし 56 億円
⑥	りんご 98 億円	⑩	えだまめ※ 45 億円
⑦	生乳 72 億円		

※注：未成熟のもの

消費（1世帯当たりの年間支出金額）

鮮魚
3 万 3,655 円 (37 位)

マグロ	5,583 円
サケ	4,749 円
カツオ	2,740 円
エビ	2,564 円
ブリ	1,997 円

飲料
5 万 5,461 円 (24 位)

茶飲料	8,172 円
果実・野菜ジュース	7,936 円
炭酸飲料	7,134 円
コーヒー	6,544 円
コーヒー飲料	4,026 円

酒類
5 万 67 円 (6 位)

ビール	1 万 2,669 円
発泡酒他	1 万 1,152 円
焼酎	7,305 円
清酒	6,074 円
ワイン	4,338 円

菓子
9 万 1,216 円 (10 位)

アイスクリーム	1 万 586 円
せんべい	7,621 円
ケーキ	7,435 円
チョコレート	6,733 円
ビスケット	5,180 円

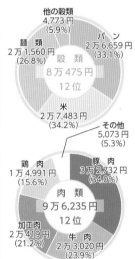

他の穀類 4,773 円 (5.9%)
麺類 2 万 1,560 円 (26.8%)
パン 2 万 6,659 円 (33.1%)
穀類 8 万 475 円 12 位
米 2 万 7,483 円 (34.2%)

その他 5,073 円 (5.3%)
鶏肉 1 万 4,991 円 (15.6%)
豚肉 3 万 2,732 円 (34.0%)
肉類 9 万 6,235 円 12 位
加工肉 2 万 419 円 (21.2%)
牛肉 2 万 3,020 円 (23.9%)

食品産業

（カ所）事業所数　出荷額（億円）

2013年	2014年	2015年	2016年	2017年
457	442	435	412	406
2,816	3,011	3,004	3,199	3,361

注：従業者4人以上の事業所に関する統計表。

飲食料小売額	3,393 億円	37
百貨店・総合スーパー	17 店	29
飲食料小売店数	3,246 店	30
コンビニ数	382 店	34
ドラッグストア数	155 店	28

□は全国順位

45

Data で見る 山形県

※山形市の1世帯当たりの年間支出金額

快適度

人口密度 /km	117 人	42
物価格差	100.0	8
県民所得 / 人	275.8 万円	30
犯罪認知件数 / 千人	3.00 件	42
旅行に行く人の割合	46.5%	24
医師数 /10 万人	226.0 人	35

■は全国順位

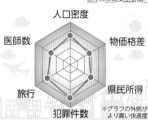

※グラフの外側がより高い快適度

行動ウエート

趣味・娯楽の時間	168 分	40
睡眠時間	476 分	3
仕事・学業をする時間	406 分	37
学習や自己啓発をする時間	107 分	47
スポーツをする時間	131 分	1
食事をする時間	100 分	27

※グラフの外側がより高いウエート

■は全国順位

人口

- 人口
  109 万 5,383 人（36 位）
- 人口増減数
  － 1 万 1,601 人（33 位）
- 出生率
  6.4 人／千人（43 位）
- 死亡率 14.1 人／千人（5 位）
- 外国人の割合 0.70%（42 位）

家庭*

- 世帯主年齢 59.2 歳（24 位）
- 子ども（18 歳未満）の人員
  0.69 人（10 位）
- 高齢者（65 歳以上）の人員
  0.90 人（8 位）
- 持ち家率 78.1%（35 位）
- 平均畳数 24.6 帖（22 位）

世帯

- 世帯数
  41 万 5,578 世帯（40 位）
- 平均人員　2.64 人（2 位）
- 核家族世帯率 49.8%
  （46 位）
- 単身者世帯率 25.5%
  （47 位）
- 高齢者世帯率 10.7%
  （41 位）

家計*

- 貯蓄額 1,431 万円（36 位）
- 負債総額 457 万円（34 位）
- 消費支出 367 万 5,230 円
  （14 位）
- 家賃 12 万 5,890 円（11 位）
- 水道光熱費 36 万 2,650 円
  （1 位）

消費*

- 衣類・履物費 12 万 5,479 円
  （28 位）
- 保健医療費 15 万 139 円
  （36 位）
- 教育費
  14 万 8,636 円（14 位）
- 自動車関連費
  41 万 4,706 円（5 位）
- 通信費 18 万 8,915 円（3 位）

外国人旅行者

宿泊者数の推移

（千人泊）　延べ宿泊者数　　外国人延べ宿泊者数

5,431
163

2012年 2013年 2014年 2015年 2016年 2017年 2018年

宿泊者上位 5 カ国

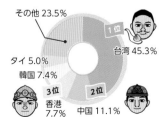

その他 23.5%
タイ 5.0%
韓国 7.4%
1 位 台湾 45.3%
3 位 香港 7.7%
2 位 中国 11.1%

気候

身長 170.6cm（18位）
体重 64.4kg（4位）
初婚年齢 30.8歳（20位）
寿命 80.52年（29位）

3.7人／千人（45位）婚姻率

1.37人／千人（42位）離婚率

身長 158.3cm（6位）
体重 54.2kg（3位）
初婚年齢 29.2歳（25位）
寿命 86.96年（29位）

最高気温 35℃以上の日数	11日	全国で 16位
平均気温	12.8℃	全国で 44位
日照時間	1,790時間	全国で 42位
降水量	1,262㎜	全国で 37位
平均相対湿度	73.2%	全国で 12位

（山形管区気象台 2019年）

最低気温 -6.3℃／最高気温 36.8℃

産業

・総事業所数 5万 5,778（32位）
・小売事業所数
　　1万 1,343（31位）
・卸売事業所数
　　　3,153（33位）
・上場企業数 5（38位）
・代表取締役出身者数
　　1万 5,921人（27位）

経済

・県内総生産
　　3兆 9,321億円（35位）
・企業倒産数 6件（24位）
・有効求人倍率 1.55（22位）
・月額給与（男）27.03万円
　　　　　　　　　（42位）
・月額給与（女）20.66万円
　　　　　　　　　（45位）

労働

・労働時間 179時間／月
　　　　　　　　　（14位）
・通勤時間 25分（35位）
・勤続年数 13.4年
　　　　　　　　（1位）
・大卒初任給 19.51万円
　　　　　　　　（31位）
・パート時給 965円
　　　　　　　　（42位）

社会

・中高年の就職率 34.09%
　　　　　　　　　（8位）
・失業率 1.68%（42位）
・自殺者数 17.7人／10万人
　　　　　　　　（16位）
・生活保護世帯数
　　6,106世帯（34位）
・少年犯罪数 1.86人／千人
　　　　　　　　（30位）

福祉

・病院数 6.2施設／10万人（31位）
・一般診療所数
　　84.3人／10万人（20位）
・児童福祉施設数
　　45.0施設／10万人（12位）
・老人福祉センター数
　　4.4人／10万人（31位）
・図書館数 3.6施設／10万人
　　　　　　　　（15位）

教育

・大学進学率 44.6%（40位）
・高卒の割合 29.7%（5位）
・学校のIT化
　　4.7人／台（17位）
・教科書・参考書費*
　　2,911円（20位）
・補習教育費* 2万54円（37位）

交通・通信

・自動車保有台数
　　2,111台／千世帯（1位）
・ガソリン代* 9万 1,705円（5位）
・交通費* 3万 6,305（43位）
・電話代* 17万 3,951円（2位）
・交通事故死亡者数
　　2.94人／10万人（29位）

学校

・保育所数 286カ所
　　　　　　　　（37位）
・幼稚園数 72カ所
　　　　　　　　（38位）
・小学校数 249校
　　　　　　　　（32位）
・高校数 61校
　　　　　　　　（31位）
・大学数 6校（34位）

スポーツ

・野球をする人の割合 6.4%（34位）
・ゴルフをする人の割合 5.1%
　　　　　　　　（41位）
・サッカーをする人の割合 5.5%
　　　　　　　　（21位）
・ラグビー部のある高校
　　6.6%（46位）
・高校陸上部員数の割合
　　5.5%（2位）

娯楽

・博物館数 1.4施設／10万人
　　　　　　　　（14位）
・映画館数 5.1施設／10万人
　　　　　　　　（2位）
・月謝類* 2万 8,621円（39位）
・書籍雑誌費* 3万 8,189円
　　　　　　　　（28位）
・海外旅行に行く人の割合
　　4.0%（33位）

福島県

昭和羅漢 / 小野町
807年開山とされる満福寺に
鎮座する、470体以上の個性
的すぎる羅漢様。

福島県民

義理&
人情に厚い

伝統守る！

会津っぽ
↓
ガンコで硬派

新しモノ好き
の浜通り・
中通り

福島県の NO.1

桃の
支出金額[1]

持ち家率[1]

つるむらさき
出荷額[2]

印刷装置部
品出荷額[2]

春秋きゅうり
出荷額[2]

[1] 福島市、[2] 2018年

N

B 喜多方市

北塩原村

磐梯町

猪苗代町

会津坂下町

西会津町

湯川村

E 会津若松市

猪苗代

金山町

三島町

柳津町

会津美里町

J 下郷町

天栄村

昭和村

西郷村

只見町

南会津町

檜枝岐村

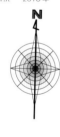

南須釜念仏踊り / 玉川村
江戸初期から続く民俗芸能。
6～12歳の花笠姿の少女た
ちが華やかに踊る。

凡　例
- - - 新幹線
- - - J　R
―― 国　道
―― 県道・解解道

ねぎそば / 下郷町
箸と薬味を兼ねた太いね
をかじりながら、大根お
しをかけていただく。

A 魔女の瞳 / 福島市
一切経山の山頂から眺められる五色沼。その美しさから魔女の瞳とも呼ばれる。

B 新宮熊野神社 / 喜多方市
拝殿として建てられた長床は、平安時代の寝殿造り。44本の太い円柱が並ぶ。

C 木幡の幡祭り / 二本松市
木幡山に積もった雪を敵が源氏の白旗と見違え、戦わず敗走した故事に由来。

福島市エリア地図

国見町
桑折町
新地町
伊達市
相馬市
川俣町
飯舘村
南相馬市
C 二本松市
大玉村
葛尾村
D 田村市
浪江町
双葉町
本宮市
大熊町
三春町
富岡町
郡山市
H
小野町
川内村
G 須賀川市
楢葉町
鏡石町
F
玉川村
平田村
広野町
矢吹町
中島村
I
石川町
いわき市
白河市
古殿町
浅川町
泉崎村
鮫川村
棚倉町
塙町
矢祭町

D あぶくま洞 / 田村市
全長600mの洞内に連なる鍾乳石は、種類・数ともに東洋一。恋人の聖地に指定。

（E）

E 赤べこ / 会津若松市
厄除けお守りの張子人形。会津のマスコット「あかべぇ」のモチーフ源。

G 布引高原 / 郡山市
巨大な風力発電機の下、一面に広がる花畑が見事。磐梯山や猪苗代湖も一望。

F マミーすいとん / 楢葉町
サッカー日本代表トルシエ監督（当時）が気に入ったことで命名された名物料理。

福島県 の 食

＊福島市の1世帯当たりの年間支出金額

耕地面積(田畑計)
13万
9,600ha
(第 7 位)

コメの作付面積(水稲延べ)
6万
5,800ha
(第 6 位)

コメの収穫量(水稲)
36万
8,500 t
(第 6 位)

肉用牛(飼育頭数)
4万
7,500頭
(第 15 位)

養豚(飼育頭数)
12万
4,500頭
(第 20 位)

ブロイラー(飼育頭数)
78万
5,000羽
(第 26 位)

漁獲量・天然(海面漁業)
5万
33 t
(第 18 位)

漁獲量・養殖(海面養殖)
44 t
(第 36 位)

食料自給率
（カロリーベース）
75%
(第 10 位)

エンゲル係数＊
26.2
(第 15 位)

食費＊(年間支出)
95万
538円
(第 23 位)

牛乳・乳製品＊(年間支出)
3万
3,634円
(第 35 位)

調味料＊(年間支出)
3万
7,881円
(第 28 位)
●食塩 628円 (第 2 位)
●つゆ・たれ 5,645円 (第 4 位)

生鮮野菜＊(年間支出)
6万
2,771円
(第 31 位)

果 物＊(年間支出)
4万
6,841円
(第 3 位)
●桃 7,424円 (第 1 位)

外 食＊(年間支出)
13万
5,395円
(第 38 位)
●中華そば 1万1,127円 (第 5 位)

調理食品＊(年間支出)
13万
2,076円
(第 12 位)
●コロッケ 2,512円 (第 4 位)

生産

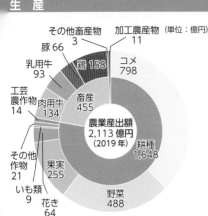

その他畜産物 3
加工農産物 11 （単位：億円）
豚 66
乳用牛 93
鶏 158
コメ 798
工芸農作物 14
肉用牛 134
畜産 455
農業産出額 2,113 億円 （2019年）
耕種 1,648
その他作物 21
いも類 9
花き 64
果実 255
野菜 488

農業物上位10位

① 米	798 億円		
② 肉用牛	134 億円		
③ きゅうり	129 億円		
④ 鶏卵	121 億円	⑧ 豚	66 億円
⑤ もも	110 億円	⑨ りんご	47 億円
⑥ 生乳	76 億円	⑩ 日本なし	42 億円
⑦ トマト	70 億円		

消費（1世帯当たりの年間支出金額）

鮮魚
3万2,307円（40位）

マグロ	7,003 円
サケ	4,576 円
カツオ	2,714 円
エビ	1,854 円
ブリ	1,480 円

飲料
6万1,886円（8位）

茶飲料	8,932 円
果実・野菜ジュース	8,173 円
炭酸飲料	6,896 円
コーヒー	5,731 円
乳酸菌飲料	5,072 円

酒類
4万7,668円（9位）

ビール	1万2,704 円
発泡酒他	1万1,561 円
清酒	8,872 円
焼酎	6,205 円
ワイン	2,769 円

菓子
9万4,865円（6位）

アイスクリーム	1万975 円
せんべい	8,132 円
チョコレート	6,485 円
ケーキ	5,787 円
スナック菓子	5,570 円

他の穀類 4,242円（5.5%）
麺類 1万9,182円（24.6%）
パン 2万6,594円（34.1%）
穀類 7万7,907円 20位
米 2万7,888円（35.8%）

その他 3,340円（4.5%）
鶏肉 1万2,181円（16.3%）
豚肉 3万2,574円（43.7%）
肉類 7万4,554円 42位
加工肉 1万7,221円（23.1%）
牛肉 9,238円（12.4%）

食品産業

（カ所）　■事業所数　□出荷額　（億円）

年	事業所数	出荷額
2013年	508	2,874
2014年	498	2,879
2015年	524	2,791
2016年	488	3,103
2017年	482	3,093

注：従業者4人以上の事業所に関する統計表。

飲食料小売額	6,257 億円	16
百貨店・総合スーパー	27 店	17
飲食料小売店数	4,508 店	18
コンビニ数	651 店	20
ドラッグストア数	218 店	19

□は全国順位

Data で見る 福島県

※福島市の1世帯当たりの年間支出金額

快適度

項目	値	全国順位
人口密度 /km²	135 人	40
物価格差	99.4	14
県民所得 / 人	300.5 万円	16
犯罪認知件数 / 千人	5.05 件	17
旅行に行く人の割合	47.1%	21
医師数 /10 万人	204.9 人	41

■は全国順位

人口密度・物価格差・県民所得・犯罪件数・旅行・医師数

※グラフの外側がより高い快適度

行動ウエート

趣味・食べる・寝る・スポーツ・仕事・勉強・学ぶ

※グラフの外側がより高いウエート

項目	値	全国順位
趣味・娯楽の時間	177 分	27
睡眠時間	470 分	9
仕事・学業をする時間	418 分	16
学習や自己啓発をする時間	115 分	43
スポーツをする時間	117 分	25
食事をする時間	102 分	15

■は全国順位

人口

- 人口
  190 万 1,053 人（21 位）
- 人口増減数
  － 1 万 8,627 人（44 位）
- 出生率
  6.8 人／千人（33 位）
- 死亡率 13.4 人／千人（13 位）
- 外国人の割合 0.80%（36 位）

家庭※

- 世帯主年齢 63.5 歳（2 位）
- 子ども（18 歳未満）の人員
  0.50 人（38 位）
- 高齢者（65 歳以上）の人員
  1.04 人（2 位）
- 持ち家率 92.8%（1 位）
- 平均畳数 20.6 帖（43 位）

世帯

- 世帯数
  78 万 4,465 世帯（23 位）
- 平均人員　2.42 人（8 位）
- 核家族世帯率 51.4%
  （43 位）
- 単身者世帯率 30.6%
  （25 位）
- 高齢者世帯率 10.6%
  （44 位）

家計※

- 貯蓄額 1,543 万円（33 位）
- 負債総額 586 万円（12 位）
- 消費支出 331 万 1,888 円
  （35 位）
- 家賃 3 万 4,983 円（47 位）
- 水道光熱費 29 万 6,410 円
  （10 位）

消費※

- 衣類・履物費 12 万 4,875 円
  （30 位）
- 保健医療費 13 万 7,100 円
  （43 位）
- 教育費
  10 万 521 円（35 位）
- 自動車関連費
  27 万 8,850 円（28 位）
- 通信費 17 万 4,588 円（10位）

外国人旅行者

宿泊者数の推移

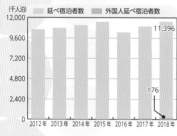

（千人泊）
延べ宿泊者数　外国人延べ宿泊者数

12,000
9,600
7,200
4,800
2,400
0

11,396
176

2012年 2013年 2014年 2015年 2016年 2017年 2018年

宿泊者上位 5 カ国

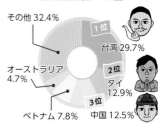

その他 32.4%
台湾 29.7%　1位
タイ 12.9%　2位
中国 12.5%　3位
ベトナム 7.8%
オーストラリア 4.7%

身長 169.7cm（43位）
体重 63.8kg（7位）
初婚年齢 30.6 歳（16位）
寿命 80.12 年（41位）

婚姻率 4.2 人／千人（29位）

1.67 人／千人（15位）離婚率

身長 157.7cm（26位）
体重 54.0kg（5位）
初婚年齢 28.8 歳（3位）
寿命 86.40 年（43位）

気候

項目	値	全国順位
最高気温 35℃以上の日数	17 日	全国で 8位
平均気温	14.0℃	全国で 39位
日照時間	1,927 時間	全国で 32位
降水量	1,463 ㎜	全国で 28位
平均相対湿度	69.6%	全国で 28位

（福島管区気象台 2019 年）

最低気温 -4.2℃／最高気温 37.1℃

産業

・総事業所数 8 万 5,960（20位）
・小売事業所数 1 万 7,042（18位）
・卸売事業所数 5,022（21位）
・上場企業数 10（28位）
・代表取締役出身者数 2 万 1,696 人（17位）

経済

・県内総生産 7 兆 5,716 億円（20位）
・企業倒産数 9 件（15位）
・有効求人倍率 1.55（23位）
・月額給与（男）29.46 万円（30位）
・月額給与（女）21.74 万円（35位）

労働

・労働時間 179 時間／月（14位）
・通勤時間 28 分（23位）
・勤続年数 13.0 年（6位）
・大卒初任給 18.82 万円（44位）
・パート時給 987 円（39位）

社会

・中高年の就職率 30.90%（24位）
・失業率 2.10%（23位）
・自殺者数 19.1 人／10 万人（6位）
・生活保護世帯数 7,577 世帯（24位）
・少年犯罪数 1.23 人／千人（44位）

福祉

・病院数 6.9 施設／10万人（26位）
・一般診療所数 72.5 人／10 万人（38位）
・児童福祉施設数 28.8 施設／10 万人（40位）
・老人福祉センター数 4.8 施設／10 万人（30位）
・図書館数 3.6 施設／10 万人（14位）

教育

・大学進学率 45.8%（37位）
・高卒の割合 29.1%（6位）
・学校の I T 化 4.7 人／台（17位）
・教科書・参考書費* 2,528 円（24位）
・補習教育費* 2 万 6,665 円（29位）

交通・通信

・自動車保有台数 1,889 台／千世帯（12位）
・ガソリン代 8 万 9,674 円（7位）
・交通費* 4 万 9,755 円（26位）
・電話代* 15 万 8,761 円（10位）
・交通事故死亡者数 3.27 人／ 10 万人（23位）

学校

・保育所数 356 カ所（29位）
・幼稚園数 242 カ所（12位）
・小学校数 440 校（15位）
・高校数 110 校（13位）
・大学数 8 校（26位）

スポーツ

・野球をする人の割合 5.7%（43位）
・ゴルフをする人の割合 6.5%（28位）
・サッカーをする人の割合 4.6%（37位）
・ラグビー部のある高校 10.9%（37位）
・高校陸上部員数の割合 4.0%（21位）

娯楽

・博物館数 0.8 施設／ 10 万人（30位）
・映画館数 1.7 施設／ 10 万人（44位）
・月謝類* 3 万 1,292 円（34位）
・書籍雑誌費* 4 万 5,268 円（4位）
・海外旅行に行く人の割合 3.3%（40位）

53

茨城県

県の
木：ウメ
花：バラ
鳥：ヒバリ
魚：ヒラメ
歌：茨城県民の歌
体操：
茨城県民体操
県民の日：
11月13日

凡　例
新幹線
ＪＲ
国　道
謎・用語謎

茨城県民

茨城の三ぽい
→怒りっぽい＆
忘れっぽい＆
飽きっぽい

水戸っぽ
→怒りっぽい＆
理屈っぽい＆
骨っぽい

茨城県の NO.1 ▶

洋食
支出金額[※1]

飲料
支出金額[※1]

勤続年数[※2]

カリフラワー
出荷量[※2]

クリ出荷量[※2]

[※1]水戸市、[※2]2018年

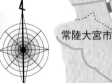

N

A 大子町

常陸大宮市

城里町

E 桜川市
D 笠間市

結城市

筑西市
石岡市
小美玉市

下妻市
G

古河市　八千代町

境町
坂東市
常総市
つくば市
土浦市

五霞町

かすみがうら

霞ヶ浦
美浦村
阿見町
稲敷市

つくばみらい市
牛久市
守谷市
龍ヶ崎市
取手市
河内町
利根町

鹿島神宮 / 鹿嶋市
神武天皇元年創建と伝えられる。武の神が祀られ、勝負事にご利益あり。

水郷潮来あやめまつり
／潮来市
嫁入り船やろ舟遊覧など水運で栄えた歴史を伝える。

←袋田の滝 / 大子町
日本三名瀑の一つ。大岩壁を四段に落下し、四度（よど）の滝とも呼ばれる。

酒列磯前神社 / ひたちなか市
856年創建。参道両脇には椿など樹叢（ごう）が続く。宝くじが当たる神社と噂。

くれふしの里古墳公園 / 水戸市
はに丸タワーが目印。復元された古墳群が多数ある。

雨引観音 / 桜川市
587年開山したとされ、安産・子育ての寺として名高い。あじさいの名所。

石切山脈 / 笠間市
高級石材「稲田みかげ石」の採掘現場で、東西8km、南北6kmにもわたる絶景。

ひょうたん美術館 / 小美玉市
70年かけて全国から収集したひょうたん約2万点を土蔵と倉に展示している。

大洗磯前神社 / 大洗町
平安時代に創建。神が降り立ったといわれる岩礁には、神磯の鳥居が立つ。

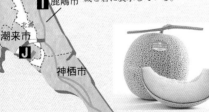

H イバラキング / 鉾田市
鉾田市はメロン生産量日本一の名産地。イバラキングは茨城県のオリジナル品種。

北茨城市
高萩市
日立市
常陸太田市
那珂市
東海村
水戸市
ひたちなか市
大洗町
城町
涸沼
鉾田市
行方市
鹿嶋市
北浦
潮来市
神栖市

茨城県 の 食

※水戸市の1世帯当たりの年間支出金額

耕地面積（田畑計）
16万
4,600ha
（第 3 位）

コメの作付面積（水稲延べ）
6万
8,300ha
（第 5 位）

コメの収穫量（水稲）
34万
4,200 t
（第 7 位）

肉用牛（飼育頭数）
4万
9,200頭
（第 14 位）

養豚（飼育頭数）
46万
6,400頭
（第 6 位）

ブロイラー（飼育頭数）
113万
5,000羽
（第 21 位）

漁獲量・天然（海面漁業）
25万
9,031 t
（第 3 位）

漁獲量・養殖（海面養殖）
—
（第 一 位）

食料自給率（カロリーベース）
72%
（第 11 位）

エンゲル係数*
24.8
（第 32 位）

食費*（年間支出）
92万
7,976 円
（第 33 位）

牛乳・乳製品*（年間支出）
4万
1,843 円
（第 2 位）
●ヨーグルト
1万7,167円 （第2位）
●粉ミルク
1,466円 （第4位）

調味料*（年間支出）
3万
5,650 円
（第 41 位）

生鮮野菜*（年間支出）
6万
1,723 円
（第 35 位）
●しめじ
2,299円 （第2位）

果物*（年間支出）
4万
398 円
（第 18 位）
●メロン
3,922円 （第1位）

外食*（年間支出）
15万
9,276 円
（第 23 位）
●洋食
2万3,089円 （第1位）

調理食品*（年間支出）
12万
4,637 円
（第 23 位）

生産

（単位：億円）

その他畜産物 2
加工農産物 83
鶏 497
乳用牛 209
豚 405
肉用牛 164
畜産 1,277
コメ 868
その他作物 39
工芸農作物 11
いも類 274
花き 137
果実 112
野菜 1,708
耕種 3,148

農業産出額 4,508 億円（2019 年）

農業物上位 **10** 位	
① 米	868 億円
② 鶏卵	449 億円
③ 豚	405 億円
④ かんしょ 249 億円	⑧ トマト 133 億円
⑤ 生乳 183 億円	⑨ メロン 130 億円
⑥ 肉用牛 164 億円	⑩ ピーマン 125 億円
⑦ ねぎ 134 億円	

消費（1世帯当たりの年間支出金額）

鮮魚
3 万 1,250 円（43 位）

マグロ	5,249 円
サ ケ	4,748 円
カツオ	2,580 円
ブ リ	2,017 円
エ ビ	1,742 円

飲料
6 万 8,409 円（1 位）

茶飲料	1 万 845 円
コーヒー	8,486 円
果実・野菜ジュース	7,942 円
炭酸飲料	7,049 円
コーヒー飲料	5,426 円

酒類
3 万 831 円（44 位）

ビール	7,856 円
清 酒	7,031 円
発泡酒等	4,897 円
焼 酎	3,515 円
ワイン	2,997 円

菓子
9 万 2,158 円（9 位）

アイスクリーム	9,743 円
せんべい	7,727 円
ケーキ	7,309 円
チョコレート	6,910 円
スナック菓子	5,411 円

穀類 6 万 6,281 円 45 位
パン 2 万 6,057 円（39.3%）
米 1 万 9,194 円（29.0%）
麺類 1 万 6,387 円（24.7%）
他の穀類 4,643 円（7.0%）

肉類 7 万 3,659 円 45 位
豚肉 2 万 7,489 円（37.3%）
加工肉 1 万 7,565 円（23.8%）
鶏肉 1 万 4,047 円（19.1%）
牛肉 1 万 1,858 円（16.1%）
その他 2,699 円（3.7%）

食品産業

（カ所）事業所数　出荷額（億円）

2013年	2014年	2015年	2016年	2017年
812	786	798	14,374	14,740
11,644	12,723	13,759	727	704

注：従業者4人以上の事業所に関する統計表。

飲食料小売額	8,899 億円	12
百貨店・総合スーパー	30 店	14
飲食料小売店数	5,960 店	12
コンビニ数	1,068 店	11
ドラッグストア数	307 店	14

□は全国順位

59

Dataで見る 茨城県

快適度

項目	値	順位
人口密度 /㎢	472 人	12
物価格差	97.9	38
県民所得 / 人	311.6 万円	10
犯罪認知件数 / 千人	7.06 件	5
旅行に行く人の割合	46.8%	22
医師数 /10 万人	187.5 人	46

■は全国順位

人口密度・物価格差・県民所得・犯罪件数・旅行・医師数
※グラフの外側がより高い快適度

行動ウエート

趣味・食べる・寝る・スポーツ・仕事・勉強・学ぶ
※グラフの外側がより高いウエート

項目	値	順位
趣味・娯楽の時間	189 分	5
睡眠時間	458 分	39
仕事・学業をする時間	427 分	6
学習や自己啓発をする時間	123 分	32
スポーツをする時間	125 分	7
食事をする時間	102 分 z	15

■は全国順位

人口

- 人口
  293 万 6,184 人（11 位）
- 人口増減数
  − 1 万 4,903 人（41 位）
- 出生率
  6.8 人／千人（33 位）
- 死亡率 11.6 人／千人（31 位）
- 外国人の割合 2.36%（12 位）

家庭※

- 世帯主年齢 58.0 歳（32 位）
- 子ども（18 歳未満）の人員
  0.62 人（17 位）
- 高齢者（65 歳以上）の人員
  0.77 人（31 位）
- 持ち家率 81.9%（30 位）
- 平均畳数 26.8 帖（10 位）

世帯

- 世帯数
  124 万 6,807 世帯（12 位）
- 平均人員 2.35 人（14 位）
- 核家族世帯率 57.4%
  （17 位）
- 単身者世帯率 28.4%
  （38 位）
- 高齢者世帯率 11.7%
  （28 位）

家計※

- 貯蓄額 1,720 万円（22 位）
- 負債総額 832 万円 （3 位）
- 消費支出 344 万 807 円
  （27 位）
- 家賃 10 万 9,328 円（20 位）
- 水道光熱費 27 万 73 円
  （18 位）

消費※

- 衣類・履物費 12 万 801 円
  （34 位）
- 保健医療費 18 万 3,468 円
  （8 位）
- 教育費
  16 万 6,042 円（12 位）
- 自動車関連費
  32 万 3,900 円（18 位）
- 通信費 17 万 742 円（14 位）

外国人旅行者

宿泊者数の推移

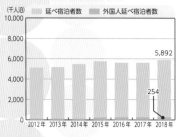

（千人泊）　延べ宿泊者数　　外国人延べ宿泊者数
10,000 / 8,000 / 6,000 / 4,000 / 2,000 / 0
2012年 2013年 2014年 2015年 2016年 2017年 2018年
5,892
254

宿泊者上位 5 カ国

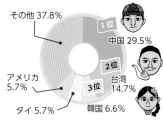

その他 37.8%
中国 29.5%（1 位）
台湾 14.7%（2 位）
韓国 6.6%（3 位）
タイ 5.7%
アメリカ 5.7%

身長 170.3cm（31位）
体重 63.6kg（9位）
初婚年齢 31.1歳（39位）
寿命 80.28年（34位）

❤️ 婚姻率 4.4人／千人（15位）

💔 離婚率 1.68人／千人（14位）

身長 157.8cm（22位）
体重 53.5kg（11位）
初婚年齢 29.1歳（17位）
寿命 86.33年（45位）

気候

最高気温 35℃以上の日数	☀️	全国で 28位
6日		
平均気温	🌡️	全国で 36位
14.9℃		
日照時間	☀️	全国で 15位
2,089時間		
降水量	☂️	全国で 33位
1,391mm		
平均相対湿度	🧥	全国で 22位
70.9%		

（水戸管区気象台 2019年）

最低気温 -5.8℃／最高気温 36.3℃

産業

- 総事業所数 11万5,007（12位）
- 小売事業所数
  2万2,550（12位）
- 卸売事業所数
  6,594（15位）
- 上場企業数 12（26位）
- 代表取締役出身者数
  2万4,201人（13位）

経済

- 県内総生産
  12兆3,861億円（11位）
- 企業倒産数 7件（20位）
- 有効求人倍率 1.51（26位）
- 月額給与（男）32.81万円（7位）
- 月額給与（女）23.92万円（12位）

労働

- 労働時間 180時間／月（4位）
- 通勤時間 33分（9位）
- 勤続年数 13.4年（1位）
- 大卒初任給 20.31万円（14位）
- パート時給 1,095円（13位）

社会

- 中高年の就職率 25.12%（41位）
- 失業率 2.35%（14位）
- 自殺者数 15.9人／10万人（29位）
- 生活保護世帯数
  2万1,280世帯（8位）
- 少年犯罪数 1.77人／千人（35位）

福祉

- 病院数 6.0施設／10万人（33位）
- 一般診療所数
  60.4人／10万人（46位）
- 児童福祉施設数
  26.5施設／10万人（45位）
- 老人福祉センター数
  4.1施設／10万人（33位）
- 図書館数 2.2施設／10万人（42位）

教育

- 大学進学率 50.5%（25位）
- 高卒の割合 20.8%（28位）
- 学校のIT化
  5.6人／台（36位）
- 教科書・参考書費*
  1,665円（38位）
- 補習教育費* 3万458円（21位）

交通・通信

- 自動車保有台数
  1,948台／千世帯（7位）
- ガソリン代* 7万9,893円（16位）
- 交通費* 5万1,728円（23位）
- 電話代* 15万7,648円（12位）
- 交通事故死亡者数
  3.72人／10万人（16位）

学校

- 保育所数 591カ所（14位）
- 幼稚園数 258カ所（11位）
- 小学校数 480校（12位）
- 高校数 122校（12位）
- 大学数 10校（20位）

スポーツ

- 野球をする人の割合 5.8%（42位）
- ゴルフをする人の割合 10.1%（1位）
- サッカーをする人の割合 5.5%（21位）
- ラグビー部のある高校
  23.8%（16位）
- 高校陸上部員数の割合
  3.2%（34位）

娯楽

- 博物館数 0.6施設／10万人（37位）
- 映画館数 3.1施設／10万人（17位）
- 月謝類* 2万9,900円（36位）
- 書籍雑誌費* 3万7,708円（32位）
- 海外旅行に行く人の割合
  5.4%（17位）

栃木県

県の
木：トチノキ　　県民歌：県民の歌
花：ヤシオツツジ　県民の日：
鳥：オオルリ　　　　　　6月15日
獣：ニホンカモシカ

栃木県民

私はこのままで…

おとなしく
慎ましい

協調性が
大事

人は人、
自分は自分

かみなり汁 / 壬生町
豆腐を炒めるときに聞こえ
る雷のような音が名前の由
来。具だくさんの汁物。

栃木県の NO.1 ▶

ドレッシング
支出金額[1]

ダイコン
支出金額[1]

自動車等
関係費[1]

イチゴ
出荷量[2]

飲料・タバコ・
飼料出荷額[2]

[1] 宇都宮市、[2] 2018年

C 日光市

鹿沼

栃

I 佐野市

J 足利市

しもつけ丼 / 下野市
下野市産の鶏肉やカンピョ
ウなど、地元食材の旨みが
丼に集結。

磯山弁財天 / 佐野市
技芸学問の守護神として948
年建立と伝えられる。近く
に出流原弁天池の名水。

行道山浄因寺 / 足利市
「関東の高野山」の異名をも
つ。天高橋は葛飾北斎「雲
のかけはし」のモデル。

殺生石 / 那須町
「九尾の狐」にまつわる伝説が残る。一面に岩石が転がり、荒涼とした風景。

凡　例
- ----- 新幹線
- ----- JR
- ――― 国　道
- ――― 県・郡境

トテ馬車 / 那須塩原市
明治中期に始まった乗り合い馬車が起源とされる。現在は塩原の名所を巡る。

戦場ヶ原 / 日光市
野鳥や植物の多様性に富んだ広大な湿原。自然を全身で体感できる。

大谷資料館 / 宇都宮市
約1000万本の石が切り出され、地下採掘場跡は2万㎡の巨大空間になっている。

いちご飯 / 真岡市
イチゴがたっぷり乗ったチャーハンで、イチゴ生産量日本一をアピール。

御神酒頂戴式 / 益子町
関東の三大奇祭。1年を表す3升6合5勺の酒を次の当番町10人で3杯飲み干す。

那須町
那須塩原市
矢板市
塩谷町
大田原市
さくら市
那珂川町
宇都宮市
那須烏山市
高根沢町
市貝町
芳賀町
茂木町
壬生町
上三川町
真岡市
益子町
下野市
小山市
野木町

※宇都宮市の1世帯当たりの年間支出金額

耕地面積（田畑計）
12万2,600ha
（第10位）

コメの作付面積（水稲延べ）
5万9,200ha
（第8位）

コメの収穫量（水稲）
31万1,400t
（第8位）

肉用牛（飼育頭数）
7万9,600頭
（第7位）

養豚（飼育頭数）
40万6,000頭
（第7位）

ブロイラー（飼育頭数）
—
（第一位）

漁獲量・天然（海面漁業）
0t
（第一位）

漁獲量・養殖（海面養殖）
0t
（第一位）

食料自給率（カロリーベース）
68%
（第13位）

エンゲル係数*
25.5
（第22位）

食費*（年間支出）
97万3,179円
（第15位）

牛乳・乳製品*（年間支出）
3万8,349円
（第15位）
- ●ヨーグルト 1万5,515円（第4位）

調味料*（年間支出）
4万2,440円
（第4位）
- ●ドレッシング 2,834円（第1位）
- ●つゆ・たれ 6,082円（第2位）

生鮮野菜*（年間支出）
7万7,106円
（第6位）
- ●だいこん 2,494円（第1位）
- ●レタス 2,924円（第3位）
- ●きゅうり 4,025円（第3位）

果物*（年間支出）
4万3,449円
（第8位）
- ●いちご 4,723円（第1位）
- ●みかん 4,835円（第4位）
- ●オレンジ 922円（第5位）

外食*（年間支出）
14万8,229円
（第30位）
- ●洋食 1万9,671円（第4位）

調理食品*（年間支出）
13万4,789円
（第8位）
- ●ぎょうざ 4,358円（第1位）
- ●サラダ 7,468円（第3位）
- ●調理パン 7,408円（第5位）

生 産

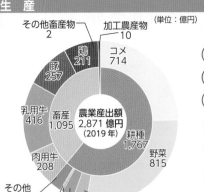

（単位：億円）

その他畜産物 2
加工農産物 10
鶏 211
コメ 714
豚 257
乳用牛 416
畜産 1,095
農業産出額 2,871 億円（2019 年）
耕種 1,767
野菜 815
肉用牛 208
その他作物 72
工芸農作物 6
いも類 12
花き 68
果実 80

農業物上位 10 位

① 米	714 億円	
② 生乳	350 億円	
③ いちご	257 億円	

④ 豚 257 億円　⑧ トマト 93 億円
⑤ 肉用牛 208 億円　⑨ 乳牛 67 億円
⑥ 鶏卵 191 億円　⑩ にら 66 億円
⑦ もやし 97 億円

消 費（1 世帯当たりの年間支出金額）

鮮 魚
3 万 5,928 円（29 位）

マグロ	8,884 円
サ ケ	5,155 円
エ ビ	2,074 円
カツオ	1,804 円
イ カ	1,526 円

飲 料
6 万 4,378 円（4 位）

茶飲料	1 万 1,139 円
果実・野菜ジュース	8,232 円
炭酸飲料	6,636 円
コーヒー	6,024 円
コーヒー飲料	4,903 円

酒 類
3 万 9,830 円（25 位）

清 酒	8,103 円
ビール	7,846 円
焼 酎	6,856 円
発泡酒等	5,080 円
カクテル等	4,261 円

菓 子
8 万 4,995 円（29 位）

アイスクリーム	1 万 304 円
せんべい	7,989 円
ケーキ	6,879 円
チョコレート	6,017 円
ビスケット	4,645 円

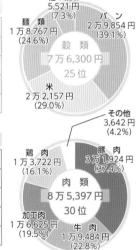

穀 類 7 万 6,300 円 25 位
麺 類 1 万 8,767 円（24.6%）
他の穀類 5,521 円（7.3%）
パン 2 万 9,854 円（39.1%）
米 2 万 2,157 円（29.0%）

肉 類 8 万 5,397 円 30 位
その他 3,642 円（4.2%）
鶏 肉 1 万 3,722 円（16.1%）
豚 肉 3 万 1,924 円（37.4%）
加工肉 1 万 6,625 円（19.5%）
牛 肉 1 万 9,484 円（22.8%）

食品産業

飲食料小売額	6,043 億円	18
百貨店・総合スーパー	24 店	20
飲食料小売店数	4,190 店	21
コンビニ数	734 店	18
ドラッグストア数	148 店	30

□は全国順位

注：従業者4人以上の事業所に関する統計表。

北海道エリア　東北エリア　関東エリア　北陸・甲信越エリア　中部エリア

Data で見る **栃木県**

※宇都宮市の1世帯当たりの年間支出金額

快適度

人口密度 /km	304 人	22
物価格差	98.2	35
県民所得 / 人	331.8 万円	3
犯罪認知件数 / 千人	5.73 件	13
旅行に行く人の割合	46.4%	25
医師数 /10 万人	226.1 人	34

■は全国順位

※グラフの外側がより高い快適度

行動ウエート

※グラフの外側がより高いウエート

趣味・娯楽の時間	183 分	16
睡眠時間	463 分	24
仕事・学業をする時間	432 分	2
学習や自己啓発をする時間	120 分	38
スポーツをする時間	128 分	6
食事をする時間	104 分	9

■は全国順位

人口

- 人口
　197 万 6,121 人（19 位）
- 人口増減数
　－ 9,617 人（28 位）
- 出生率
　7.0 人／千人（27 位）
- 死亡率 11.4 人／千人（32 位）
- 外国人の割合 2.20%（14 位）

家庭*

- 世帯主年齢 59.6 歳（21 位）
- 子ども（18 歳未満）の人員
　0.59 人（22 位）
- 高齢者（65 歳以上）の人員
　0.84 人（19 位）
- 持ち家率 83.0%（25 位）
- 平均畳数 24.2 帖（24 位）

世帯

- 世帯数
　83 万 3,629 世帯（19 位）
- 平均人員　2.37 人（12 位）
- 核家族世帯率 56.7%
　　　　　　　　（24 位）
- 単身者世帯率 28.8%
　　　　　　　　（34 位）
- 高齢者世帯率 10.6%
　　　　　　　　（43 位）

家計*

- 貯蓄額 1,969 万円（11 位）
- 負債総額 573 万円（14 位）
- 消費支出 357 万 3,727 円
　　　　　　　　（19 位）
- 家賃 6 万 9,387 円（39 位）
- 水道光熱費 28 万 898 円
　　　　　　　　（15 位）

消費*

- 衣類・履物費 11 万 4,932 円
　　　　　　　　（40 位）
- 保健医療費 16 万 9,583 円
　　　　　　　　（16 位）
- 教育費
　12 万 8,521 円（22 位）
- 自動車関連費
　46 万 3,851 円（1 位）
- 通信費 15 万 9,727 円（27 位）

外国人旅行者

宿泊者数の推移

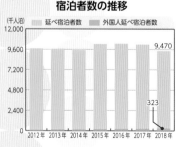

（千人泊）　延べ宿泊者数　■ 外国人延べ宿泊者数

9,470

323

2012年 2013年 2014年 2015年 2016年 2017年 2018年

宿泊者上位 5 カ国

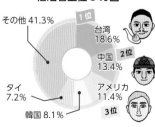

- その他 41.3%
- 台湾 18.6%【1 位】
- 中国 13.4%【2 位】
- アメリカ 11.4%【3 位】
- 韓国 8.1%
- タイ 7.2%

身長 170.4cm（29位）
体重 62.5kg（23位）
初婚年齢 31.0歳（33位）
寿命 80.10年（42位）

4.3人／千人（21位）婚姻率

1.61人／千人（26位）離婚率

身長 157.4cm（33位）
体重 53.4kg（15位）
初婚年齢 29.3歳（30位）
寿命 86.24年（46位）

気候

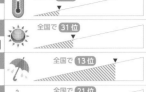

最高気温 35℃以上の日数	11日		全国で 16位
平均気温	14.9℃		全国で 37位
日照時間	1,948時間		全国で 31位
降水量	1,868mm		全国で 13位
平均相対湿度	71.0%		全国で 21位

（宇都宮管区気象台 2019年）

最低気温 -5.3℃／最高気温 36.4℃

産業

- 総事業所数 8万6,088（19位）
- 小売事業所数 1万6,633（19位）
- 卸売事業所数 5,250（20位）
- 上場企業数 17（22位）
- 代表取締役出身者数 1万8,504人（21位）

経済

- 県内総生産 8兆5,932億円（15位）
- 企業倒産数 9件（15位）
- 有効求人倍率 1.39（31位）
- 月額給与（男）32.37万円（13位）
- 月額給与（女）23.31万円（17位）

労働

- 労働時間 180時間／月（4位）
- 通勤時間 29分（19位）
- 勤続年数 13.3年（3位）
- 大卒初任給 20.25万円（16位）
- パート時給 1,091円（15位）

社会

- 中高年の就職率 27.96%（32位）
- 失業率 2.18%（19位）
- 自殺者数 18.6人／10万人（8位）
- 生活保護世帯数 9,951世帯（18位）
- 少年犯罪数 1.69人／千人（36位）

福祉

- 病院数 5.4施設／10万人（38位）
- 一般診療所数 74.9人／10万人（32位）
- 児童福祉施設数 31.1施設／10万人（36位）
- 老人福祉センター数 3.1施設／10万人（41位）
- 図書館数 2.8施設／10万人（30位）

教育

- 大学進学率 52.3%（18位）
- 高卒の割合 22.9%（19位）
- 学校のIT化 5.7人／台（38位）
- 教科書・参考書費* 3,545円（10位）
- 補習教育費* 2万6,725円（28位）

交通・通信

- 自動車保有台数 1,893台／千世帯（11位）
- ガソリン代* 7万4,671円（22位）
- 交通費* 4万8,047円（28位）
- 電話代* 14万9,430円（24位）
- 交通事故死亡者数 4.21人／10万人（5位）

学校

- 保育所数 420カ所（26位）
- 幼稚園数 87カ所（37位）
- 小学校数 360校（22位）
- 高校数 75校（26位）
- 大学数 9校（24位）

スポーツ

- 野球をする人の割合 6.9%（25位）
- ゴルフをする人の割合 8.7%（9位）
- サッカーをする人の割合 6.2%（10位）
- ラグビー部のある高校 10.7%（40位）
- 高校陸上部員数の割合 3.2%（35位）

娯楽

- 博物館数 1.2施設／10万人（16位）
- 映画館数 3.3施設／10万人（13位）
- 月謝類* 3万4,930円（28位）
- 書籍雑誌費* 3万7,782円（31位）
- 海外旅行に行く人の割合 5.4%（17位）

群馬県

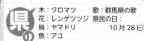

木：クロマツ
花：レンゲツツジ
鳥：ヤマドリ
魚：アユ

歌：群馬県の歌
県民の日：
10月28日

群馬県民

気前がいい

強気で短気

上州名物かかあ
天下にからっ風
→女性は働き者で
しっかり者

磯部せんべい / 安中市
磯部温泉の鉱泉水を使用。
炭酸分を含むためサクサク
の食感に仕上がる。

群馬県の NO.1 ▶

キャベツ
出荷量[1]

コンニャクイモ
出荷量[1]

豆腐・油揚げ類
出荷額[1]

コーヒー飲料
出荷額[1]

ふとん
出荷額[1]

[1] 2018年

高山社跡 / 藤岡市
世界遺産の構成資産の一つ
で、「養蚕改良高山社」の創
始者・高山長五郎の生家。

碓氷第三橋梁 / 安中市
明治時代に作られた煉瓦橋。
まるいアーチの形から「め
がね橋」と親しまれる。

火とぼし / 南牧村
戦国時代・武田軍と共に戦っ
た歴史を伝え、燃えるわら
束をふり回す勇壮な祭り。

草津町
中之条町 **C**
嬬恋村
長野原町
東吾妻町
高崎市 **G**
榛東村
安中市 **H** **K**
富岡市
下仁田町
南牧村 **J**
神流町
上野村

凡 例
------ 新幹線
JR
国 道
県道・府県道

とうもろこし街道 / 片品村→
国道約4kmにわたり、焼きとうもろこしのほか地元の野菜を売る店が軒を連ねる。

バンジージャンプ
/ みなかみ町
日本一歴史が長いといわれる諏訪峡大橋からのダイブ。

←芳ヶ平湿原 / 中之条町
ラムサール条約に登録された湿原は、多様な高山植物が自生する穏やかな風景。

ロックハート城 / 高山村
スコットランドの古城を移築・復元。アンティークファンにはたまらない空間。

ブリックスナイン
/ 東部地域
ブリックス（糖度）9度以上、果物のような甘いフルーツトマト。

赤城神社 / 前橋市
赤城山と湖を御神体とする。古くから女性の願いを叶えるといわれている。

多胡碑 / 高崎市
711年に多胡郡が建郡されたことを記念して建てられた石碑。日本三古碑。

みなかみ町
片品村
川場村
沼田市
みどり市
桐生市
桐生市
昭和村
渋川市
吉岡町
前橋市
伊勢崎市
太田市
玉村町
高崎市
大泉町
邑楽町
館林市
千代田町
明和町
板倉町
藤岡市
甘楽町

69

群馬県 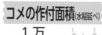 の 食

※前橋市の1世帯当たりの年間支出金額

耕地面積(田畑計)
6万
7,600ha
(第19位)

コメの作付面積(水稲延べ)
1万
5,500ha
(第33位)

コメの収穫量(水稲)
7万
5,300 t
(第31位)

肉用牛(飼育頭数)
5万
5,000頭
(第10位)

養豚(飼育頭数)
62万
9,600頭
(第4位)

ブロイラー(飼育頭数)
146万羽
(第18位)

漁獲量・天然(海面漁業)
0 t
(第一位)

漁獲量・養殖(海面養殖)
0 t
(第一位)

食料自給率
(カロリーベース)
33%
(第30位)

エンゲル係数*
27.1
(第8位)

食費*(年間支出)
93万
235円
(第31位)

牛乳・乳製品*(年間支出)
3万
6,138円
(第23位)

調味料*(年間支出)
3万
6,863円
(第36位)
●ドレッシング
2,509円 (第4位)

生鮮野菜*(年間支出)
6万
6,568円
(第25位)
●きゅうり
4,003円 (第5位)

果　物*(年間支出)
4万
2,664円
(第12位)
●オレンジ
950円 (第4位)
●バナナ
5,634円 (第4位)

外　食*(年間支出)
14万
5,306円
(第33位)

調理食品*(年間支出)
13万
176円
(第16位)
●弁当
22,250円 (第4位)
●しゅうまい
1,304円 (第5位)

生 産

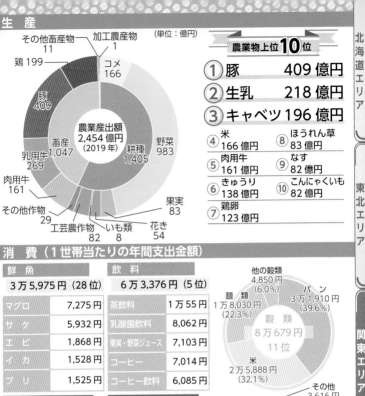

その他畜産物 11
加工農産物 1
鶏 199
コメ 166
豚 409
畜産 1,047
乳用牛 269
肉用牛 161
その他作物 29
工芸農作物 82
いも類 8
花き 54
果実 83
野菜 983
耕種 1,405

農業産出額 2,454 億円 （2019 年）

（単位：億円）

農業物上位 10 位

① 豚 409 億円
② 生乳 218 億円
③ キャベツ 196 億円

④ 米 166 億円
⑤ 肉用牛 161 億円
⑥ きゅうり 138 億円
⑦ 鶏卵 123 億円
⑧ ほうれん草 83 億円
⑨ なす 82 億円
⑩ こんにゃくいも 82 億円

消 費（1世帯当たりの年間支出金額）

鮮 魚

3 万 5,975 円（28 位）

マグロ	7,275 円
サ　ケ	5,932 円
エ　ビ	1,868 円
イ　カ	1,528 円
ブ　リ	1,525 円

飲 料

6 万 3,376 円（5 位）

茶飲料	1 万 55 円
乳酸菌飲料	8,062 円
果実・野菜ジュース	7,103 円
コーヒー	7,014 円
コーヒー飲料	6,085 円

酒 類

3 万 6,402 円（33 位）

ビール	9,314 円
焼　酎	7,166 円
発泡酒等	5,749 円
清　酒	5,646 円
カクテル等	2,706 円

菓 子

8 万 7,352 円（23 位）

アイスクリーム	8,466 円
せんべい	6,992 円
チョコレート	6,927 円
ケーキ	6,853 円
スナック菓子	3,729 円

他の穀類 4,850 円（6.0%）
麺類 1 万 8,030 円（22.3%）
パン 3 万 1,910 円（39.6%）
穀類 8 万 679 円 11 位
米 2 万 5,888 円（32.1%）

その他 3,616 円（5.1%）
鶏肉 1 万 1,396 円（16.1%）
豚肉 2 万 8,748 円（40.6%）
加工肉 1 万 6,770 円（23.7%）
肉類 7 万 775 円 46 位
牛肉 1 万 246 円（14.5%）

食品産業

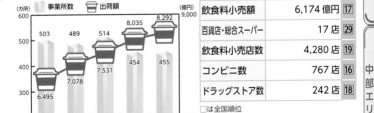

（カ所）事業所数　出荷額　（億円）

	2013年	2014年	2015年	2016年	2017年
事業所数	503	489	514	8,035	8,292
出荷額	6,495	7,078	7,531	454	455

注：従業員4人以上の事業所に関する統計表。

飲食料小売額	6,174 億円	17
百貨店・総合スーパー	17 店	29
飲食料小売店数	4,280 店	19
コンビニ数	767 店	16
ドラッグストア数	242 店	18

□は全国順位

Data で見る 群馬県

※前橋市の1世帯当たりの年間支出金額

快適度

人口密度 /km²	307 人	21
物価格差	96.3	45
県民所得 / 人	309.8 万円	11
犯罪認知件数 / 千人	5.99 件	10
旅行に行く人の割合	47.4%	20
医師数 /10 万人	228.3 人	32

■は全国順位

人口密度・物価格差・県民所得・犯罪件数・旅行・医師数

※グラフの外側がより高い快適度

行動ウエート

趣味・食べる・寝る・スポーツ・仕事・勉強・学ぶ

※グラフの外側がより高いウエート

趣味・娯楽の時間	164 分	44
睡眠時間	462 分	25
仕事・学業をする時間	431 分	4
学習や自己啓発をする時間	123 分	32
スポーツをする時間	122 分	14
食事をする時間	105 分	4

■は全国順位

人口

- 人口
  198 万 1,202 人（18 位）
- 人口増減数
  − 9,382 人（27 位）
- 出生率
  6.8 人／千人（33 位）
- 死亡率 12.1 人／千人（25 位）
- 外国人の割合 3.08%（3 位）

家庭*

- 世帯主年齢 60.3 歳（14 位）
- 子ども（18 歳未満）の人員
  0.45 人（44 位）
- 高齢者（65 歳以上）の人員
  0.85 人（16 位）
- 持ち家率 86.5%（14 位）
- 平均畳数 19.7 帖（47 位）

世帯

- 世帯数
  84 万 8,111 世帯（17 位）
- 平均人員 2.34 人（18 位）
- 核家族世帯率 59.2%
  （6 位）
- 単身者世帯率 28.6%
  （35 位）
- 高齢者世帯率 12.2%
  （24 位）

家計*

- 貯蓄額 1,715 万円（23 位）
- 負債総額 537 万円（20 位）
- 消費支出 321 万 1,491 円
  （39 位）
- 家賃 5 万 6,866 円（45 位）
- 水道光熱費 23 万 1,958 円
  （41 位）

消費*

- 衣類・履物費 11 万 9,504 円
  （36 位）
- 保健医療費 16 万 6,741 円
  （20 位）
- 教育費
  7 万 7,992 円（40 位）
- 自動車関連費
  32 万 9,844 円（16 位）
- 通信費 13 万 4,665 円（46 位）

外国人旅行者

宿泊者数の推移

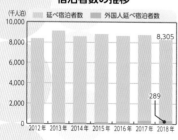

（千人泊）

延べ宿泊者数　外国人延べ宿泊者数

8,305

289

2012年 2013年 2014年 2015年 2016年 2017年 2018年

宿泊者上位 5 カ国

その他 20.6%

1位 台湾 46.1%

韓国 5.0%

タイ 6.8%

3位 香港 9.8%

2位 中国 11.8%

気候

身長 170.6cm（18位）
体重 62.7kg（20位）
初婚年齢 30.9歳
（28位）
寿命 80.61年（27位）

4.3人／千人（21位）婚姻率

1.56人／千人（34位）離婚率

身長 157.6cm（28位）
体重 52.9kg（25位）
初婚年齢 29.1歳
（17位）
寿命 86.84年（33位）

気候		
最高気温 35℃以上の日数		全国で 8位
17日		
平均気温		全国で 33位
15.7℃		
日照時間		全国で 4位
2,191時間		
降水量		全国で 30位
1,448mm		
平均相対湿度		全国で 42位
63.8%		

（前橋管区気象台 2019年）

最低気温 -2.7℃／最高気温 38.9℃

産業
・総事業所数 9万231（18位）
・小売事業所数
　1万6,567（20位）
・卸売事業所数
　5,279（19位）
・上場企業数 21（18位）
・代表取締役出身者数
　2万2,519人（16位）

経済
・県内総生産
　8兆1,229億円（17位）
・企業倒産数 5件（28位）
・有効求人倍率 1.57（20位）
・月額給与（男）31.18万円
　（19位）
・月額給与（女）22.69万円
　（24位）

労働
・労働時間 181時間／月
　（1位）
・通勤時間 30分（14位）
・勤続年数 12.3年
　（23位）
・大卒初任給 18.89万円
　（42位）
・パート時給 1,044円
　（28位）

社会
・中高年の就職率 28.06%
　（31位）
・失業率 2.29%（16位）
・自殺者数 19.2人/10万人
　（5位）
・生活保護世帯数
　6,209世帯（33位）
・少年犯罪数 1.83人／千人
　（33位）

福祉
・病院数6.7施設／10万人（27位）
・一般診療所数
　79.4人／10万人（27位）
・児童福祉施設数
　28.1施設／10万人（42位）
・老人福祉センター数
　6.3施設／10万人（20位）
・図書館数 2.9施設／10万人
　（25位）

教育
・大学進学率 51.2%（24位）
・高卒の割合 20.4%（29位）
・学校のIT化
　5.9人／台（39位）
・教科書・参考書費*
　1,861円（35位）
・補習教育費*2万87円（36位）

交通・通信
・自動車保有台数
　1,903台／千世帯（10位）
・ガソリン代* 8万8,717円（8位）
・交通費* 3万5,517（44位）
・電話代* 12万2,255円（46位）
・交通事故死亡者数
　3.13人／10万人（26位）

学校
・保育所数 443カ所
　（22位）
・幼稚園数 139カ所
　（24位）
・小学校数 312校
　（25位）
・高校数 79校
　（23位）
・大学数 14校（14位）

スポーツ
・野球をする人の割合 7.2%（20位）
・ゴルフをする人の割合 9.0%
　（7位）
・サッカーをする人の割合 5.1%
　（28位）
・ラグビー部のある高校
　26.6%（11位）
・高校陸上部員数の割合
　3.1%（38位）

娯楽
・博物館数 0.8施設／10万人
　（33位）
・映画館数 2.7施設／10万人
　（27位）
・月謝類* 3万3,879円（30位）
・書籍雑誌費*3万8,384円
　（26位）
・海外旅行に行く人の割合
　4.9%（21位）

埼玉県

埼玉県民

埼玉都民
→東京コンプレックス

派手さは
ないけど温和

郷土愛が
弱めとも

埼玉県の NO.1 ▶

バター
支出金額※1

チーズ
支出金額※1

ユリ
出荷量※2

パンジー
出荷量※2

アイスクリーム
出荷額※2

※1 さいたま市、※2 2018 年

山吹の里歴史公園 / 越生町
水車小屋が佇む風情ある公
園。4～5 月には約 3000 株
の山吹が花を咲かせる。

時の鐘 / 川越市
江戸時代の初めから川越藩
の城下町に時を告げ、庶民
に親しまれた鐘つき堂。

飯能鳥居観音
／飯能市
旧埼玉銀行初代頭取平沼弥
太郎氏により建立され、紅
葉の名所としても知られる。

本庄市
土里町
神川町
美里町
深谷市
A 熊谷市
長瀞町 寄居町
滑川町
E 嵐山町
皆野町
小川町
東秩父村
ときがわ町
鳩山町
J 小鹿野町
横瀬町
越生町
H 毛呂山町
秩父市 F
G
J 飯能市
日高市
入間市

うちわ祭 / 熊谷市
八坂神社祭礼で振舞っていた赤飯の代わりに渋うちわを出すようになったという。

さきたま古墳群 / 行田市
9基の大型古墳が群集。博物館もある周囲は公園として整備されている。

浮野の里 / 加須市
昔ながらの田園環境が保全され、あやめ祭りでは女船頭の操る田舟に乗船できる。

久喜提燈祭り / 久喜市
1783年の浅間山大噴火による社会不安を取り除くために祈願したのが始まり。

天空のポピー / 皆野町
高原に1500万本のポピーが咲き誇る。青い空と真っ赤な大地の対比が見事。

龍勢祭 / 秩父市
椋神社例大祭。農民の間で代々伝えられた手作りロケット30数本が打ちあがる。

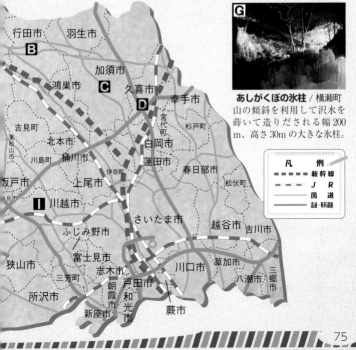

あしがくぼの氷柱 / 横瀬町
山の傾斜を利用して沢水を蒔いて造りだされる幅200m、高さ30mの大きな氷柱。

凡　　例
━━━ 新幹線
━ ━ ━ JR
━━━ 国　道
━━━ 高速・有料道路

埼玉県 の 食

※さいたま市の1世帯あたりの年間支出金額

耕地面積(田畑計)
7万 4,500ha
(第16位)

コメの作付面積(水稲延べ)
3万 2,000ha
(第16位)

コメの収穫量(水稲)
15万 4,200t
(第19位)

肉用牛(飼育頭数)
1万 6,600頭
(第33位)

養豚(飼育頭数)
9万 4,900頭
(第25位)

ブロイラー(飼育頭数)
―
(第 一 位)

漁獲量・天然(海面漁業)
0t
(第 一 位)

漁獲量・養殖(海面養殖)
0t
(第 一 位)

食料自給率(カロリーベース)
10%
(第44位)

エンゲル係数*
25.3
(第25位)

食費*(年間支出)
107万 7,429円
(第3位)

牛乳・乳製品*(年間支出)
4万 1,590円
(第3位)
- バター 1,750円 (第1位)
- チーズ 8,093円 (第1位)

調味料*(年間支出)
3万 9,751円
(第16位)
- ドレッシング 2,637円 (第2位)
- 乾燥スープ 3,894円 (第5位)

生鮮野菜*(年間支出)
7万 6,774円
(第8位)
- だいこん 1,927円 (第3位)
- ピーマン 2,657円 (第4位)
- レタス 2,874円 (第5位)

果物*(年間支出)
4万 3,119円
(第10位)
- いちご 4,135円 (第3位)
- キウイフルーツ 2,891円 (第4位)
- 果物加工品 4,226円 (第4位)

外食*(年間支出)
22万 5,385円
(第2位)
- 日本そば・うどん 9,027円 (第4位)
- 飲酒代 3万839円 (第4位)
- 洋食 1万8,306円 (第5位)

調理食品*(年間支出)
15万 79円
(第3位)
- カツレツ 2,944円 (第2位)
- サラダ 7,377円 (第4位)
- しゅうまい 1,470円 (第4位)

生産

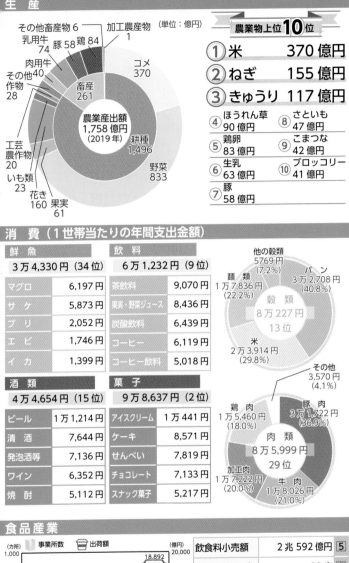

その他畜産物 6 ／ 加工農産物 1 （単位：億円）
乳用牛 74 ／ 豚 58 ／ 鶏 84
肉用牛 40
その他作物 28
工芸農作物 20
いも類 23
花き 61
果実 160
畜産 261
コメ 370
耕種 1,496
野菜 833
農業産出額 1,758 億円（2019 年）

農業物上位 10 位

① 米　　　　370 億円
② ねぎ　　　155 億円
③ きゅうり　117 億円

④ ほうれん草 90 億円
⑤ 鶏卵 83 億円
⑥ 生乳 63 億円
⑦ 豚 58 億円
⑧ さといも 47 億円
⑨ こまつな 42 億円
⑩ ブロッコリー 41 億円

消費（1世帯当たりの年間支出金額）

鮮魚　3 万 4,330 円（34 位）

マグロ	6,197 円
サケ	5,873 円
ブリ	2,052 円
エビ	1,746 円
イカ	1,399 円

飲料　6 万 1,232 円（9 位）

茶飲料	9,070 円
果実・野菜ジュース	8,436 円
炭酸飲料	6,439 円
コーヒー	6,119 円
コーヒー飲料	5,018 円

酒類　4 万 4,654 円（15 位）

ビール	1 万 1,214 円
清酒	7,644 円
発泡酒等	7,136 円
ワイン	6,352 円
焼酎	5,112 円

菓子　9 万 8,637 円（2 位）

アイスクリーム	1 万 441 円
ケーキ	8,571 円
せんべい	7,819 円
チョコレート	7,133 円
スナック菓子	5,217 円

穀類 8 万 227 円 13 位
他の穀類 5769 円（7.2%）
パン 3 万 2,708 円（40.8%）
麺類 1 万 7,836 円（22.2%）
米 2 万 3,914 円（29.8%）

肉類 8 万 5,999 円 29 位
その他 3,570 円（4.1%）
鶏肉 1 万 5,460 円（18.0%）
豚肉 3 万 1,722 円（36.9%）
加工肉 1 万 7,222 円（20.0%）
牛肉 1 万 8,026 円（21.0%）

食品産業

（カ所）事業所数　（億円）出荷額
905（2013年）15,078
893（2014年）16,014
905（2015年）17,334
849（2016年）17,826
860（2017年）18,892

飲食料小売額	2 兆 592 億円	5
百貨店・総合スーパー	83 店	5
飲食料小売店数	1 万 762 店	5
コンビニ数	2,068 店	6
ドラッグストア数	985 店	4

□は全国順位

注：従業者4人以上の事業所に関する統計表。

Data で見る **埼玉県**

※さいたま市の1世帯当たりの年間支出金額

快適度

人口密度 /㎢	193 人	4
物価格差	101.1	3
県民所得 / 人	295.8 万円	18
犯罪認知件数 / 千人	7.57 件	3
旅行に行く人の割合	55.2%	2
医師数 /10 万人	169.8 人	47

■は全国順位

※グラフの外側が
より高い快適度

行動ウエート

趣味・娯楽の時間	172 分	38
睡眠時間	452 分	47
仕事・学業をする時間	417 分	17
学習や自己啓発をする時間	135 分	13
スポーツをする時間	124 分	9
食事をする時間	106 分	1

※グラフの外側が
より高いウエート

■は全国順位

人口

・人口
　737 万 7,288 人（5 位）
・人口増減数
　1 万 4,277 人（3 位）
・出生率
　7.1 人／千人（23 位）
・死亡率 9.4 人／千人（43 位）
・外国人の割合 2.58%（9 位）

家庭*

・世帯主年齢 57.8 歳（33 位）
・子ども（18 歳未満）の人員
　0.62 人（17 位）
・高齢者（65 歳以上）の人員
　0.71 人（41 位）
・持ち家率 92.7%（2 位）
・平均畳数 28.4 帖（6 位）

世帯

・世帯数
　330 万 6,139 世帯（4 位）
・平均人員　2.23 人（29 位）
・核家族世帯率 61.3%
　　　　　　　　（2 位）
・単身者世帯率 30.5%
　　　　　　　　（26 位）
・高齢者世帯率 11.6%
　　　　　　　　（30 位）

家計*

・貯蓄額 1,967 万円（12 位）
・負債総額 734 万円　（6 位）
・消費支出 404 万 7,366 円
　　　　　　　　（2 位）
・家賃 7 万 3,485 円（37 位）
・水道光熱費 28 万 2,775 円
　　　　　　　　（13 位）

消費*

・衣類・履物費 17 万 6,673 円
　　　　　　　　（2 位）
・保健医療費 21 万 76 円
　　　　　　　　（2 位）
・教育費
　24 万 4,576 円（1 位）
・自動車関連費
　23 万 6,297 円（39 位）
・通信費 16 万 7,180 円（20 位）

外国人旅行者

宿泊者数の推移

（千人泊）　□延べ宿泊者数　■外国人延べ宿泊者数

4,913
230

2012年 2013年 2014年 2015年 2016年 2017年 2018年

宿泊者上位 5 カ国

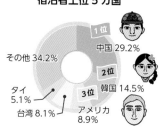

その他 34.2%

1位 中国 29.2%

2位 韓国 14.5%

3位 アメリカ 8.9%

台湾 8.1%

タイ 5.1%

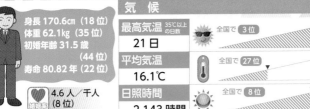

身長 170.6cm（18位）
体重 62.1kg（35位）
初婚年齢 31.5歳（44位）
寿命 80.82年（22位）

💗 4.6人／千人（8位）　婚姻率

1.63人／千人（25位）💔 離婚率

身長 158.2cm（7位）
体重 53.5kg（11位）
初婚年齢 29.6歳（43位）
寿命 86.66年（39位）

気 候

最高気温 35℃以上の日数	全国で 3位
21日	

平均気温	全国で 27位
16.1℃	

日照時間	全国で 8位
2,143時間	

降水量	全国で 29位
1,461mm	

平均相対湿度	全国で 39位
65.9%	

（熊谷管区気象台 2019年）

最低気温 -4.3℃／最高気温 38.4℃

産 業

- 総事業所数 24万542（5位）
- 小売事業所数
　　4万2,365（5位）
- 卸売事業所数
　　1万4,486（7位）
- 上場企業数 72（7位）
- 代表取締役出身者数
　　3万1,319人（9位）

経 済

- 県内総生産
　　22兆994億円（5位）
- 企業倒産数 26件（7位）
- 有効求人倍率 1.20（39位）
- 月額給与（男）33.15万円
　　　　　　　　（5位）
- 月額給与（女）24.93万円
　　　　　　　　（9位）

労 働

- 労働時間 179時間／月
　　　　　　　（14位）
- 通勤時間 41分（4位）
- 勤続年数 12.1年
　　　　　　　（31位）
- 大卒初任給 20.99万円
　　　　　　　（3位）
- パート時給 1,122円
　　　　　　　（12位）

社 会

- 中高年の就職率 19.99%
　　　　　　　（46位）
- 失業率 2.26%（18位）
- 自殺者数 15.0人/10万人
　　　　　　　（41位）
- 生活保護世帯数
　　5万1,498世帯（3位）
- 少年犯罪数 2.45人／千人
　　　　　　　（20位）

福 祉

- 病院数4.7施設／10万人(42位)
- 一般診療所数
　　59.0人／10万人（47位）
- 児童福祉施設数
　　28.6施設／10万人（41位）
- 老人福祉センター数
　　2.6施設／10万人（45位）
- 図書館数 2.3施設／10万人
　　　　　　　（39位）

教 育

- 大学進学率 57.4%（9位）
- 高卒の割合 13.5%（41位）
- 学校のIT化
　　7.4人／台（45位）
- 教科書・参考書費*
　　5,178円（2位）
- 補習教育費*5万3,028円（3位）

交通・通信

- 自動車保有台数
　　1,190台／千世帯（41位）
- ガソリン代* 4万4,075円(41位)
- 交通費* 13万3,653円（1位）
- 電話代*14万9,666円（23位）
- 交通事故死亡者数
　　1.76人／10万人（44位）

学 校

- 保育所数 1,305カ所
　　　　　　　（5位）
- 幼稚園数 530カ所
　　　　　　　（4位）
- 小学校数 814校
　　　　　　　（6位）
- 高校数 194校
　　　　　　　（7位）
- 大学数 28校（9位）

スポーツ

- 野球をする人の割合 7.3%（19位）
- ゴルフをする人の割合 9.1%
　　　　　　　（6位）
- サッカーをする人の割合 6.7%
　　　　　　　（4位）
- ラグビー部のある高校
　　　　　　　26.8%（10位）
- 高校陸上部員数の割合
　　　　　　　3.2%（33位）

娯 楽

- 博物館数 0.3施設／10万人
　　　　　　　（46位）
- 映画館数 2.9施設／10万人
　　　　　　　（20位）
- 月謝類* 5万2,119円（2位）
- 書籍雑誌費* 4万8,387円
　　　　　　　（1位）
- 海外旅行に行く人の割合
　　　　　　　8.1%（5位）

千葉県

県の
木：マキ
花：菜の花
鳥：ホオジロ
魚：タイ

歌：千葉県民歌
県民の日：　　6月15日

千葉県民

陽気で
サバサバ

マナーに
難あり!?

社交上手

野田市

A 我孫子市
印西
流山市
柏市
白井市
松戸市
鎌ケ谷市
八千代市
市川市
船橋市
D
千葉市
習志野市
浦安市
四街道市

千葉県の NO.1 ▶

果物加工品支出金額※1	ほうれん草出荷量※2	ネギ出荷量※2

日本ナシ出荷量※2	化学工業製品出荷額※2

※1 千葉市、※2 2018年

F 袖ケ浦市
市原市

木更津市

H 君津市

富津市
鴨川

鋸南町
I 南房総市

J 館山市

I

高家神社包丁式 / 南房総市
高家神社は日本で唯一、料理の祖神を祀る。日本料理の伝統を今に伝える儀式。

K

月の沙漠記念公園 / 御宿町
童謡「月の砂漠」のモデルとなった海岸。美しい砂浜が砂漠を思わせる。

J

洲崎はば海苔 / 館山市
房総の雑煮に欠かせない食材。生産量が少なく市場にはあまり出回らない。

我孫子市鳥の博物館 / 我孫子市
日本初、鳥だけを扱う博物館。世界の鳥の標本も展示。

樋橋の落水 / 香取市
樋橋の両側からあふれた水が川に落ちる。残したい日本の音風景 100 選の一つ。

屏風ヶ浦 / 銚子市
10km にわたり海岸の断崖が続き、「東洋のドーバー」とも呼ばれる。

ふなばしアンデルセン公園 / 船橋市
デンマークの田園風景を再現した、緑豊かな公園。

東京ドイツ村 / 袖ケ浦市
250 万球の光を放つウインターイルミネーションの景色は、おとぎ話の世界。

卯の花漬け / 九十九里町
冬に獲れる新鮮なイワシを、甘酢とおからで漬け込んだ郷土料理で保存食。

上総十二社祭り / 一宮町
807 年創始ともいわれる。神輿を担いだ男たちが波打ち際を駆け上がり集結する。

清水渓流広場 / 君津市
濃溝の滝・亀岩の洞窟に差し込む朝日が水面に反射し、幻想的な光景。

地図上の地名：
栄町、神崎町、東庄町、成田市、香取市 **B**、多古町、旭市、芝山町、富里市、酒々井町、山武市、匝瑳市 **C** 銚子市、佐倉市、八街市、九十九里町、横芝光町 **E**、東金市、大網白里市、自子町、茂原市、長柄町、長生村、長南町、一宮町 **G**、睦沢町、いすみ市、大多喜町、勝浦市、御宿町 **K**

凡例
- ---- 新幹線
- ━━━ JR
- ━━━ 国道
- ━━━ 県道・郡道

千葉県 の 食

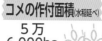

耕地面積(田畑計)
12万
4,600ha
(第 9 位)

コメの作付面積(水稲延べ)
5万
6,000ha
(第 9 位)

コメの収穫量(水稲)
28万
9,000 t
(第 9 位)

肉用牛(飼育頭数)
3万
8,600 頭
(第 18 位)

養豚(飼育頭数)
60万
3,800 頭
(第 5 位)

ブロイラー(飼育頭数)
195万
7,000 羽
(第 16 位)

漁獲量・天然(海面漁業)
13万
2,726 t
(第 6 位)

漁獲量・養殖(海面養殖)
7,261 t
(第 23 位)

食料自給率(カロリーベース)
26%
(第 34 位)

エンゲル係数*
25.4
(第 24 位)

食費*(年間支出)
98万
8,383 円
(第 11 位)

牛乳・乳製品*(年間支出)
4万
543 円
(第 7 位)

調味料*(年間支出)
3万
7,989 円
(第 25 位)

生鮮野菜*(年間支出)
7万
4,264 円
(第 14 位)

果物*(年間支出)
3万
9,681 円
(第 19 位)

●果物加工品
4,555 円 (第1位)

外食*(年間支出)
17万
9,209 円
(第 7 位)

調理食品*(年間支出)
12万
8,823 円
(第 19 位)

●おにぎり等
6,111 円 (第3位)
●やきとり
3,321 円 (第4位)

生 産

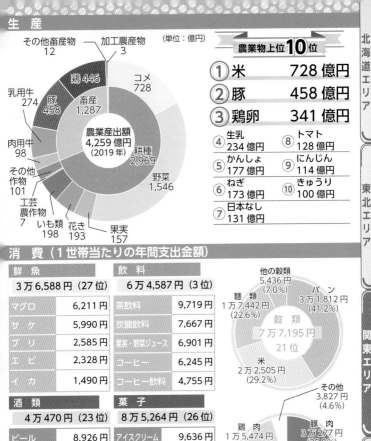

（単位：億円）

その他畜産物 12
加工農産物 3
鶏 446
コメ 728
乳用牛 274
豚 458
畜産 1,287
肉用牛 98
その他作物 101
農業産出額 4,259億円（2019年）
耕種 2,969
工芸農作物 7
いも類 198
花き 193
果実 157
野菜 1,546

農業物上位10位

①	米	728億円
②	豚	458億円
③	鶏卵	341億円

④	生乳 234億円	⑧	トマト 128億円
⑤	かんしょ 177億円	⑨	にんじん 114億円
⑥	ねぎ 173億円	⑩	きゅうり 100億円
⑦	日本なし 131億円		

消 費（1世帯当たりの年間支出金額）

鮮 魚
3万6,588円（27位）

マグロ	6,211円
サケ	5,990円
ブリ	2,585円
エビ	2,328円
イカ	1,490円

飲 料
6万4,587円（3位）

茶飲料	9,719円
炭酸飲料	7,667円
果実・野菜ジュース	6,901円
コーヒー	6,245円
コーヒー飲料	4,755円

酒 類
4万470円（23位）

ビール	8,926円
発泡酒等	7,499円
焼酎	5,046円
ウイスキー	4,924円
清酒	4,702円

菓 子
8万5,264円（26位）

アイスクリーム	9,636円
ケーキ	7,466円
せんべい	7,048円
チョコレート	6,074円
スナック菓子	4,107円

他の穀類 5,436円（7.0%）
麺類 1万7,442円（22.6%）
パン 3万1,812円（41.2%）
穀類 7万7,195円 21位
米 2万2,505円（29.2%）

その他 3,827円（4.6%）
鶏肉 1万5,474円（18.3%）
豚肉 3万277円（35.9%）
肉類 8万4,338円 33位
加工肉 1万7,103円（20.3%）
牛肉 1万7,657円（20.9%）

食品産業

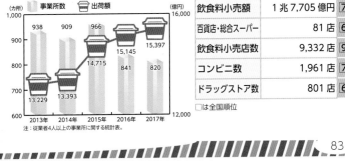

（カ所）	事業所数	出荷額	（億円）

	2013年	2014年	2015年	2016年	2017年
事業所数	938	909	966		
出荷額	13,229	13,393	14,715	15,145	15,397
				841	820

注：従業者4人以上の事業所に関する統計表。

飲食料小売額	1兆7,705億円	7
百貨店・総合スーパー	81店	6
飲食料小売店数	9,332店	9
コンビニ数	1,961店	7
ドラッグストア数	801店	6

□は全国順位

83

Data で見る　**千葉県**

※千葉市の1世帯当たりの年間支出金額

快適度

人口密度 /㎢	1,213 人	6
物価格差	100.5	5
県民所得 / 人	302.0 万円	15
犯罪認知件数 / 千人	6.68 件	7
旅行に行く人の割合	53.1%	7
医師数 /10 万人	194.1 人	45

■は全国順位

※グラフの外側がより高い快適度

行動ウエート

趣味・娯楽の時間	186 分	9
睡眠時間	453 分	46
仕事・学業をする時間	419 分	13
学習や自己啓発をする時間	138 分	10
スポーツをする時間	117 分	25
食事をする時間	105 分	4

※グラフの外側がより高いウエート　　■は全国順位

人口

- 人口
　　631 万 1,190 人（6 位）
- 人口増減数
　　1 万 2,198 人（5 位）
- 出生率
　　7.1 人／千人（23 位）
- 死亡率 9.7 人／千人（41 位）
- 外国人の割合 2.60%（8 位）

家庭*

- 世帯主年齢 58.5 歳（28 位）
- 子ども（18 歳未満）の人員
　　0.59 人（22 位）
- 高齢者（65 歳以上）の人員
　　0.74 人（37 位）
- 持ち家率 87.7%（11 位）
- 平均畳数 25.0 帖（20 位）

世帯

- 世帯数
　　289 万 519 世帯（6 位）
- 平均人員　2.18 人（32 位）
- 核家族世帯率 59.0%
　　　　　　　　　（7 位）
- 単身者世帯率 32.4%
　　　　　　　　　（16 位）
- 高齢者世帯率 11.9%
　　　　　　　　　（26 位）

家計*

- 貯蓄額 2,146 万円（5 位）
- 負債総額 517 万円（24 位）
- 消費支出 368 万 840 円
　　　　　　　　　（11 位）
- 家賃 10 万 4,306 円（23 位）
- 水道光熱費 25 万 5,446 円
　　　　　　　　　（27 位）

消費*

- 衣類・履物費 14 万 7,274 円
　　　　　　　　　（7 位）
- 保健医療費 18 万 101 円
　　　　　　　　　（9 位）
- 教育費
　　17 万 6,425 円（7 位）
- 自動車関連費
　　29 万 4,790 円（24 位）
- 通信費 17 万 517 円（15 位）

外国人旅行者

宿泊者数の推移

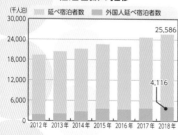

（千人泊）　　延べ宿泊者数　　外国人延べ宿泊者数
30,000
25,586
24,000
18,000
12,000
6,000
4,116
2012年　2013年　2014年　2015年　2016年　2017年　2018年

宿泊者上位 5 カ国

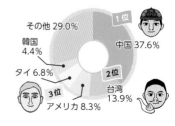

その他 29.0%
韓国 4.4%
タイ 6.8%
アメリカ 8.3%（3位）
中国 37.6%（1位）
台湾 13.9%（2位）

身長 170.9cm （12位）
体重 63.3kg （13位）
初婚年齢 31.4歳 （43位）
寿命 80.96年 （16位）

婚姻率 4.6人／千人 （8位）

離婚率 1.67人／千人 （15位）

身長 158.6cm （2位）
体重 53.9kg （6位）
初婚年齢 29.6歳 （43位）
寿命 86.91年 （30位）

気　候

最高気温 35℃以上の日数	**0日**	全国で 45位
平均気温	**16.8℃**	全国で 22位
日照時間	**1,913時間**	全国で 33位
降水量	**1,697mm**	全国で 18位
平均相対湿度	**64.4%**	全国で 41位

（千葉管区気象台 2019年）

最低気温 -0.5℃／最高気温 34.7℃

産　業
・総事業所数 18万8,740 （9位）
・小売事業所数
　　　3万6,296 （9位）
・卸売事業所数
　1万721 （10位）
・上場企業数 52 （9位）
・代表取締役出身者数
　2万8,610人 （12位）

経　済
・県内総生産
　　　19兆5,392億円 （7位）
・企業倒産数 24件 （8位）
・有効求人倍率 1.19倍 （41位）
・月額給与（男）32.79万円
　　　　　　　　　　（8位）
・月額給与（女）25.74万円
　　　　　　　　　　（5位）

労　働
・労働時間 181時間／月
　　　　　　　　（1位）
・通勤時間 43分 （2位）
・勤続年数 11.7年
　　　　　　　（39位）
・大卒初任給 20.53万円
　　　　　　　　（8位）
・パート時給 1,156円
　　　　　　　（4位）

社　会
・中高年の就職率 23.47%
　　　　　　　　（43位）
・失業率 2.13% （21位）
・自殺者数 15.6人／10万人
　　　　　　　　（33位）
・生活保護世帯数
　　3万8,737世帯 （5位）
・少年犯罪数 2.23人／千人
　　　　　　　　（25位）

福　祉
・病院数 4.6施設／10万人（44位）
・一般診療所数
　　60.6人／10万人 （45位）
・児童福祉施設数
　31.6施設／10万人 （33位）
・老人福祉センター数
　3.1施設／10万人 （40位）
・図書館数 2.3施設／10万人
　　　　　　　　（40位）

教　育
・大学進学率 55.1% （13位）
・高卒の割合 13.5% （42位）
・学校のIT化
　　　7.4人／台 （45位）
・教科書・参考書費*
　　　4,431円 （5位）
・補習教育費* 4万1,197円 （8位）

交通・通信
・自動車保有台数
　　1,188台／千世帯 （42位）
・ガソリン代* 5万566円（38位）
・交通費* 9万8,796円 （6位）
・電話代* 14万4,966円（28位）
・交通事故死亡者数
　2.75人／10万人 （34位）

学　校
・保育所数 1,101カ所
　　　　　　　（6位）
・幼稚園数 488カ所
　　　　　　　（6位）
・小学校数 790校
　　　　　　　（7位）
・高校数 182校
　　　　　　　（8位）
・大学数 27校 （10位）

スポーツ
・野球をする人の割合 7.7% （9位）
・ゴルフをする人の割合 10.1%
　　　　　　　　（1位）
・サッカーをする人の割合 7.4%
　　　　　　　　（2位）
・ラグビー部のある高校
　　　　　21.4% （21位）
・高校陸上部員数の割合
　　　4.1% （19位）

娯　楽
・博物館数 0.6施設／10万人
　　　　　　　　（38位）
・映画館数 3.5施設／10万人
　　　　　　　　（7位）
・月謝類* 4万2,659円（14位）
・書籍雑誌費* 4万3,763円
　　　　　　　　（9位）
・海外旅行に行く人の割合
　　　　　　9.4% （3位）

東京都

都の
木：イチョウ
花：ソメイヨシノ
鳥：ユリカモメ
歌：東京都歌
　：東京市歌
都民の日：
　10月1日

東京都民

個性的
キャラも多い

ほとんど
よそ者

オシャレで
情報通

伊豆岬灯台 / 三宅島
明治42年建造のランプ式無
人灯台。純白の四角い石造
りが伊豆岬のシンボル。

東京都の NO.1 ▶

| 食料費※1 | 切り葉出荷量※2 | 月の労働時間(少)※2 | 婚姻率※2 | 旅行に行く人の割合※3 |

※1東京都区部、※2 2018年、※3 2016年

N

凡　例
―――――　新幹線
- - - - - 　ＪＲ
―――――　国　道
━━━━━　高速・有料道路

奥多摩町

G 青梅市

日の出町

羽村市　瑞穂町　東大和市　東村山市

武蔵村山市

檜原村　あきる野市　福生市　立川市　昭島市　国分寺市

F 八王子市

国立市　府中市

日野市

多摩市

町田市

利島村

H 大島
大島町

新島

御蔵島
御蔵島村

新島村

神津島
神津島村

三宅島　三宅村 **I**

都営大江戸線 /23 区
リニアモーター式で 2000 年
に前線開通。各駅にパブリッ
クアートを設置。

歌舞伎町ゴールデン街
/ 新宿区
風情ある大人の酒場。近年
は訪日観光客で大人気。

お会式 / 大田区
日蓮聖人御入滅の霊跡であ
る池上本門寺のお会式では、
全国から参拝者が訪れる。

国会議事堂 / 千代田区
1936 年に建設された。衆議
院は毎日、参議院は平日に
予約なしで見学できる。

深大寺 / 調布市
733 年に開創されたとされ、
後に天台宗に改宗。参道で
名物の深大寺そばを賞味。

薬王院 / 八王子市
高尾山にあり 744 年に開山。
現在は真言宗智山派の大本
山として知られる。

清瀬市
東久留米市
西東京市
武蔵野市
東京特別区
三鷹市
調布市
狛江市
稲城市

八丈島
八丈町
青ケ島
青ケ島村

父島
小笠原村
母島
硫黄島
沖鳥島　鳥島　南鳥島

御岳山 / 青梅市
奥多摩にあり古くから霊峰
と崇められる。登山コース
が充実し、初心者にも最適。

ツバキ油 / 大島町
伊豆大島特産のやぶ椿の実
から抽出。食用やヘアオイ
ルに利用される。

※東京都区部の1世帯
たりの年間支出金額

耕地面積（田畑計）

6,720ha
（第**47**位）

コメの作付面積（水稲延べ）
129ha
（第**47**位）

コメの収穫量（水稲）
519 t
（第**47**位）

肉用牛（飼育頭数）
610頭
（第**47**位）

養豚（飼育頭数）
2,720頭
（第**45**位）

ブロイラー（飼育頭数）
－
（第 **一** 位）

漁獲量・天然（海面漁業）
4万
6,849 t
（第**19**位）

漁獲量・養殖（海面養殖）
－
（第 **一** 位）

食料自給率（カロリーベース）
1%
（第**46**位）

エンゲル係数*
26.8
（第**11**位）

食費*（年間支出）
113万
7,145円
（第 **1** 位）

牛乳・乳製品*（年間支出）
4万
1,248円
（第 **6** 位）
●バター　　1,529円（第3位）
●チーズ　　7,680円（第3位）

調味料*（年間支出）
3万
9,431円
（第**18**位）

生鮮野菜*（年間支出）
8万
3,515円
（第 **3** 位）
●ねぎ　　3,828円（第2位）
●なす　　2,708円（第2位）
●トマト　　1万365円（第2位）

果物*（年間支出）
4万
3,780円
（第 **7** 位）
●みかん　　5,003円（第3位）
●果物加工品　　4,368円（第3位）
●いちご　　3,885円（第4位）

外食*（年間支出）
25万
4,258円
（第 **1** 位）
●喫茶代　　1万4,566円（第1位）
●飲酒代　　3万3,932円（第2位）
●中華食　　6,974円（第4位）

調理食品*（年間支出）
15万
4,073円
（第 **2** 位）
●おにぎり等　　6,286円（第2位）
●調理パン　　8,588円（第2位）
●サラダ　　7,812円（第2位）

生産

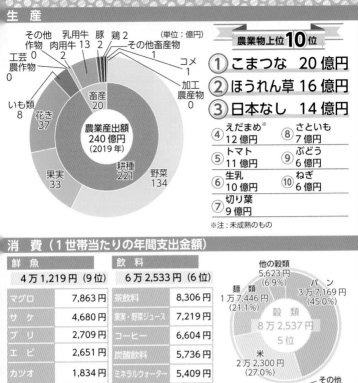

（単位：億円）

その他作物 0
乳用牛 0
肉用牛 13
豚 2
鶏 2
工芸農作物 0
その他畜産物 1
コメ 1
加工農産物 0
いも類 8
花き 37
果実 33
畜産 20
耕種 221
野菜 134

農業産出額
240 億円
（2019 年）

農業物上位 10 位

① こまつな　20 億円
② ほうれん草　16 億円
③ 日本なし　14 億円

④ えだまめ※ 12 億円	⑧ さといも 7 億円
⑤ トマト 11 億円	⑨ ぶどう 6 億円
⑥ 生乳 10 億円	⑩ ねぎ 6 億円
⑦ 切り葉 9 億円	

※注：未成熟のもの

消費（1 世帯当たりの年間支出金額）

鮮魚
4 万 1,219 円（9 位）

マグロ	7,863 円
サ ケ	4,680 円
ブ リ	2,709 円
エ ビ	2,651 円
カツオ	1,834 円

飲料
6 万 2,533 円（6 位）

茶飲料	8,306 円
果実・野菜ジュース	7,219 円
コーヒー	6,604 円
炭酸飲料	5,736 円
ミネラルウォーター	5,409 円

酒類
4 万 6,254 円（11 位）

ビール	1 万 1,808 円
発泡酒等	7,845 円
ワイン	7,424 円
清 酒	5,658 円
焼 酎	5,174 円

菓子
9 万 6,966 円（3 位）

アイスクリーム	1 万 331 円
ケーキ	8,269 円
チョコレート	7,382 円
せんべい	7,180 円
ビスケット	5,316 円

他の穀類
5,623 円
（6.9%）
麺類
1 万 7,446 円
（21.1%）
パン
3 万 7,169 円
（45.0%）
穀類
8 万 2,537 円
5 位
米
2 万 2,300 円
（27.0%）

その他
4,794 円
（5.1%）
鶏肉
1 万 5,629 円
（16.9%）
豚肉
3 万 869 円
（33.3%）
肉類
9 万 2,686 円
19 位
加工肉
1 万 8,031 円
（19.5%）
牛肉
2 万 3,362 円
（25.2%）

食品産業

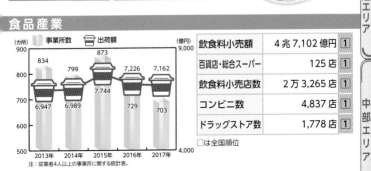

注：従業者4人以上の事業所に関する統計表。

（カ所）　事業所数　　出荷額　　（億円）

2013年	834	6,947
2014年	799	6,989
2015年	873	7,744
2016年	7,226	729
2017年	7,162	703

飲食料小売額	4 兆 7,102 億円	1
百貨店・総合スーパー	125 店	1
飲食料小売店数	2 万 3,265 店	1
コンビニ数	4,837 店	1
ドラッグストア数	1,778 店	1

□は全国順位

Data で見る 東京都

※東京都区部の1世帯当たりの年間支出金額

快適度

人口密度 /㎢	6,300 人	1
物価格差	104.4	1
都民所得 / 人	534.8 万円	1
犯罪認知件数 / 千人	7.57 件	2
旅行に行く人の割合	56.8%	1
医師数 /10 万人	307.5 人	5

■は全国順位

※グラフの外側がより高い快適度

行動ウエート

趣味・娯楽の時間	184 分	12
睡眠時間	456 分	41
仕事・学業をする時間	413 分	26
学習や自己啓発をする時間	143 分	6
スポーツをする時間	116 分	36
食事をする時間	106 分	1

※グラフの外側がより高いウエート

■は全国順位

人 口

- 人口
　　1,374 万 732 人（1位）
- 人口増減数
　　10 万 3,386 人（1位）
- 出生率
　　8.0 人／千人（7位）
- 死亡率 8.9 人／千人（46位）
- 外国人の割合 4.21%（1位）

家 庭*

- 世帯主年齢 61.0 歳（9位）
- 子ども（18 歳未満）の人員
　　0.51 人（37位）
- 高齢者（65 歳以上）の人員
　　0.83 人（23位）
- 持ち家率 77.8%（36位）
- 平均畳数 22.5 帖（38位）

世 帯

- 世帯数
　　719 万 8,348 世帯（1位）
- 平均人員 1.91 人（46位）
- 核家族世帯率 47.8%
　　（47位）
- 単身世帯率 47.3%（1位）
- 高齢者世帯率 8.1%
　　（46位）

家 計*

- 貯蓄額 2,433 万円（3位）
- 負債総額 844 万円（2位）
- 消費支出 399 万 206 円
　　（3位）
- 家賃 18 万 8,527 円（2位）
- 水道光熱費 25 万 7,033 円
　　（25位）

消 費*

- 衣類・履物費 17 万 8,981 円
　　（1位）
- 保健医療費 19 万 5,410 円
　　（6位）
- 教育費
　　23 万 9,239 円（2位）
- 自動車関連費
　　17 万 1,376 円（44位）
- 通信費 14 万 8,702 円（40位）

外国人旅行者

宿泊者数の推移

（千人泊）

延べ宿泊者数　外国人延べ宿泊者数

70,000	
56,000	
42,000	66,109
28,000	
14,000	23,195
0	

2012年 2013年 2014年 2015年 2016年 2017年 2018年

宿泊者上位 5 カ国

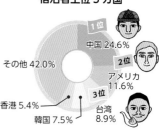

その他 42.0%

中国 24.6%（1位）

アメリカ 11.6%（2位）

台湾 8.9%（3位）

韓国 7.5%

香港 5.4%

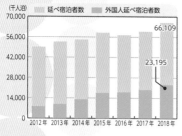

身長 171.6cm （2 位）
体重 62.4kg （26 位）
初婚年齢 32.3 歳
（47 位）
寿命 81.07 年 （11 位）

6.2 人／千人 （1 位）〔婚姻率〕

1.70 人／千人 （13 位）〔離婚率〕

身長 158.6cm （2 位）
体重 52.8kg （28 位）
初婚年齢 30.4 歳 （47 位）
寿命 87.26 年 （15 位）

気候

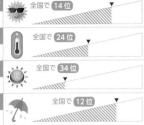

最高気温 35℃以上の日数	12 日	全国で 14 位
平均気温	16.5℃	全国で 24 位
日照時間	1,909 時間	全国で 34 位
降水量	1,874 mm	全国で 12 位
平均相対湿度	70.2%	全国で 27 位

（東京管区気象台 2019 年）

最低気温 -1.2℃／最高気温 36.2℃

産業
- 総事業所数 62 万 1,671 （1 位）
- 小売事業所数
 9 万 6,671 （1 位）
- 卸売事業所数
 5 万 4,057 （1 位）
- 上場企業数 1997 （1 位）
- 代表取締役出身者数
 8 万 8,162 人 （1 位）

経済
- 都内総生産
 103 兆 7,525 億円 （1 位）
- 企業倒産数 149 件 （1 位）
- 有効求人倍率 1.90 （4 位）
- 月額給与（男）42.03 万円
 （1 位）
- 月額給与（女）30.06 万円
 （1 位）

労働
- 労働時間 172 時間／月
 （47 位）
- 通勤時間 42 分 （3 位）
- 勤続年数 12.6 年
 （14 位）
- 大卒初任給 21.55 万円
 （1 位）
- パート時給 1,328 円
 （1 位）

社会
- 中高年の就職率 21.32%
 （45 位）
- 失業率 2.34% （15 位）
- 自殺者数 15.2 人／10 万人
 （39 位）
- 生活保護世帯数
 22 万 2,754 世帯 （1 位）
- 少年犯罪数 3.16 人／千人
 （10 位）

福祉
- 病院数 4.7 施設／10 万人（42 位）
- 一般診療所数
 97.2 人／10 万人 （5 位）
- 児童福祉施設数
 34.0 施設／10 万人 （29 位）
- 老人福祉センター数
 2.6 施設／10 万人 （46 位）
- 図書館数 2.9 施設／10 万人
 （27 位）

教育
- 大学進学率 65.1% （2 位）
- 高卒の割合 6.3% （47 位）
- 学校の IT 化
 5.2 人／台 （27 位）
- 教科書・参考書費*
 2,360 円 （27 位）
- 補習教育費 6 万 6,692 円（1 位）

交通・通信
- 自動車保有台数
 665 台／千世帯 （47 位）
- ガソリン代* 2 万 632 円（47 位）
- 交通費* 12 万 4,008 円 （2 位）
- 電話代* 13 万 782 円 （40 位）
- 交通事故死亡者数
 0.96 人／10 万人 （47 位）

学校
- 保育所数 2,856 カ所
 （1 位）
- 幼稚園数 985 カ所
 （1 位）
- 小学校数 1,331 校
 （1 位）
- 高校数 429 校 （1 位）
- 大学数 140 校 （1 位）

スポーツ
- 野球をする人の割合 6.8% （28 位）
- ゴルフをする人の割合 9.4%
 （4 位）
- サッカーをする人の割合 6.7%
 （4 位）
- ラグビー部のある高校
 17.7% （28 位）
- 高校陸上部員数の割合
 1.9% （46 位）

娯楽
- 博物館数 0.6 施設／10 万人
 （36 位）
- 映画館数 2.8 施設／10 万人
 （21 位）
- 月謝類* 4 万 9,521 円 （5 位）
- 書籍雑誌費* 4 万 7,780 円
 （2 位）
- 海外旅行に行く人の割合
 13.8% （1 位）

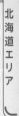

神奈川県

県の
木：イチョウ　色：かながわブルー
花：ヤマユリ　県民歌：
鳥：カモメ　　　　　　　光あらたに

神奈川県民

人付き合い
が上手

個人主義

キザで
ハイカラ

曽我梅林 / 小田原市
仇討の物語でも知られる
我兄弟の故郷。約3万5
本の梅が植えられている。

神奈川県の NO.1 ▶

カボチャ
支出金額[1]

生鮮野菜
支出金額[1]

トマト
支出金額[1]

情報通信機械
器具出荷額[2]

自殺者数
（少）[3]

[1]横浜市、[2]2018年、[3]人口当たり

**星の王子さまミュージアム
/ 箱根町**
サン゠テグジュペリ生誕100
年を祝して創設された。

猿　島 / 横須賀市
東京湾に浮かぶ無人島。か
つて要塞だった島には希少
なレンガの建造物が残る。

相模原市

愛川

清川村

厚木市

伊勢原

山北町

秦野市　**C**

松田町

大井町

中井町　平塚

開成町

南足柄市

二宮町

一宮町

大磯町

小田原市

H

箱根町

芦ノ湖

湯河原町

真鶴町

N

瀋秀園 / 川崎市
瀋陽市姉妹都市提携5周年で寄贈された。同市の素晴らしい景色を集めた庭園。

蛇も蚊も祭り / 横浜市
かや草で作られた巨大な蛇を担いで町内を練り歩き、悪疫を払う伝統行事。

大　山 / 伊勢原市
古くから霊山として信仰を集める。江戸時代には大山参詣がブームにもなった。

片瀬海岸 / 藤沢市
年間を通してマリンスポーツを楽しむ人で賑う、日本屈指のリゾート海岸。

八氣の泉 / 寒川町
1600年の歴史をもつとされる全国唯一の八方除の守護神、寒川神社境内の泉。

Ａ 川崎市

川崎市飛地

座間市

大和市

綾瀬市

横浜市 Ｂ

藤沢市 Ｄ

 寒川町

海老名市

茅ヶ崎市

鎌倉市 Ｆ

逗子市 Ｇ

葉山町

横須賀市 Ｊ

三浦市

鎌倉石の参道 / 鎌倉市
鎌倉はあじさいの名所として知られるが、なかでも明月院の参道はテッパン。

流鏑馬 / 逗子市
逗子海岸で源頼家が笠懸を行ったともいわれており、武田流流鏑馬が奉納される。

凡　例
- ━━ 新幹線
- ━━ JR
- ━━ 国道
- ━━ 高速・有料道

93

神奈川県 の 食

※横浜市の1世帯当たりの年間支出金額

耕地面積(田畑計)
1万 8,800ha
(第45位)

コメの作付面積(水稲延べ)
3,040ha
(第45位)

コメの収穫量(水稲)
1万 4,300 t
(第45位)

肉用牛(飼育頭数)
4,820 頭
(第40位)

養豚(飼育頭数)
6万 8,700 頭
(第28位)

ブロイラー(飼育頭数)
ー
(第 一 位)

漁獲量・天然(海面漁業)
3万 2,606 t
(第22位)

漁獲量・養殖(海面養殖)
1,049 t
(第29位)

食料自給率(カロリーベース)
2%
(第45位)

エンゲル係数*
27.0
(第 9 位)

食費*(年間支出)
105万 9,763 円
(第 4 位)

牛乳・乳製品*(年間支出)
3万 6,643 円
(第21位)
●チーズ 7,500 円 (第5位)

調味料*(年間支出)
4万 272 円
(第13位)
●ドレッシング 2,522 円 (第3位)
●乾燥スープ 3,984 円 (第3位)
●ケチャップ 753 円 (第4位)

生鮮野菜*(年間支出)
8万 5,409 円
(第 1 位)
●かぼちゃ 2,112 円 (第1位)
●きゅうり 4,399 円 (第1位)
●トマト 1万 1,236 円 (第1位)

果物*(年間支出)
4万 6,806 円
(第 4 位)
●いちご 4,315 円 (第2位)
●柿 1,442 円 (第3位)
●キウイフルーツ 2,928 円 (第3位)

外食*(年間支出)
19万 9,140 円
(第 5 位)
●中華食 8,652 円 (第2位)
●洋食 2万 656 円 (第2位)
●喫茶代 1万 228 円 (第4位)

調理食品*(年間支出)
14万 8,129 円
(第 5 位)
●しゅうまい 2,440 円 (第1位)
●やきとり 3,447 円 (第3位)
●調理パン 7,801 円 (第4位)

生 産

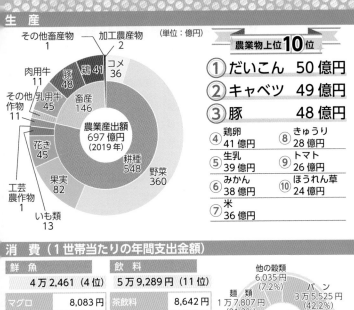

（単位：億円）

その他畜産物 1
加工農産物 2
コメ 36
鶏 41
豚 48
肉用牛 11
畜産 146
その他畜産物
乳用牛 45
その他作物 11
花き 45
農業産出額 697 億円（2019年）
耕種 548
果実 82
いも類 13
工芸農作物 1
野菜 360

農業物上位10位

① だいこん　50 億円
② キャベツ　49 億円
③ 豚　　　　48 億円

④	鶏卵 41 億円	⑧	きゅうり 28 億円
⑤	生乳 39 億円	⑨	トマト 26 億円
⑥	みかん 38 億円	⑩	ほうれん草 24 億円
⑦	米 36 億円		

消 費（1世帯当たりの年間支出金額）

鮮 魚
4万2,461円（4位）

マグロ	8,083 円
サ ケ	5,613 円
ブ リ	3,140 円
エ ビ	3,015 円
カ ニ	1,632 円

飲 料
5万9,289円（11位）

茶飲料	8,642 円
果実・野菜ジュース	7,045 円
コーヒー	6,815 円
炭酸飲料	5,632 円
緑茶	5,413 円

酒 類
3万6,997円（31位）

ビール	9,795 円
発泡酒等	6,002 円
清 酒	5,924 円
ワイン	4,616 円
焼 酎	4,374 円

菓 子
8万7,715円（19位）

アイスクリーム	9,589 円
ケーキ	7,106 円
せんべい	6,569 円
チョコレート	6,350 円
ビスケット	4,374 円

穀 類 8万4,121円 3位
他の穀類 6,035円（7.2%）
パ ン 3万5,525円（42.2%）
麺 類 1万7,807円（21.2%）
米 2万4,755円（29.4%）

肉 類 9万6,815円 9位
その他 4,003円（4.2%）
鶏 肉 1万6,456円（17.0%）
豚 肉 3万2,634円（33.7%）
加工肉 1万9,604円（20.2%）
牛 肉 2万4,118円（24.9%）

食品産業

（カ所） 事業所数　出荷額 （億円）

2013年	2014年	2015年	2016年	2017年
692	680	665	637	636
13,709	14,040	14,646	14,934	16,053

飲食料小売額	2兆8,324 億円	②
百貨店・総合スーパー	84 店	④
飲食料小売店数	1万3,240 店	③
コンビニ数	2,754 店	②
ドラッグストア数	993 店	③

□は全国順位

注：従業者4人以上の事業所に関する統計値。

Data で見る **神奈川県**

※横浜市の1世帯当たりの年間支出金額

快適度

人口密度 /km	3,798 人	3
物価格差	104.3	2
県民所得 / 人	318.0 万円	7
犯罪認知件数 / 千人	4.55 件	27
旅行に行く人の割合	54.3%	5
医師数 /10 万人	212.4 人	39

■は全国順位

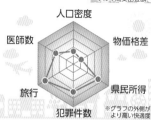

※グラフの外側がより高い快適度

行動ウエート

趣味・娯楽の時間	184 分	12
睡眠時間	454 分	45
仕事・学業をする時間	414 分	23
学習や自己啓発をする時間	144 分	4
スポーツをする時間	124 分	9
食事をする時間	102 分	15

※グラフの外側がより高いウエート　■は全国順位

人口

・人口
　918 万 9,521 人（2 位）
・人口増減数
　1 万 8,247 人（2 位）
・出生率
　7.4 人／千人（16 位）
・死亡率 9.2 人／千人（45 位）
・外国人の割合 2.48%（10 位）

家庭*

・世帯主年齢 61.1 歳（7 位）
・子ども（18 歳未満）の人員
　0.41 人（45 位）
・高齢者（65 歳以上）の人員
　0.87 人（14 位）
・持ち家率 83.1%（23 位）
・平均畳数 24.5 帖（23 位）

世帯

・世帯数
　432 万 8,814 世帯（2 位）
・平均人員　2.12 人（37 位）
・核家族世帯率 58.4%
　　　　　　　（12 位）
・単身者世帯率 35.5%（8 位）
・高齢者世帯率 10.8%
　　　　　　　（39 位）

家計*

・貯蓄額 2,716 万円（2 位）
・負債総額 496 万円（26 位）
・消費支出 369 万 1,126 円
　　　　　　　（10 位）
・家賃 14 万 7,391 円（8 位）
・水道光熱費 24 万 4,859 円
　　　　　　　（34 位）

消費*

・衣類・履物費 16 万 2,885 円
　　　　　　　（4 位）
・保健医療費 19 万 5,645 円
　　　　　　　（5 位）
・教育費
　17 万 3,357 円（10 位）
・自動車関連費
　24 万 7,562 円（37 位）
・通信費 15 万 3,607 円（37 位）

外国人旅行者

宿泊者数の推移

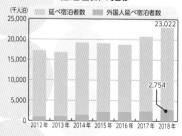

宿泊者上位 5 カ国

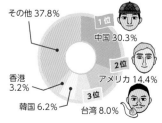

その他 37.8%
香港 3.2%
韓国 6.2%
台湾 8.0%

1位 中国 30.3%
2位 アメリカ 14.4%
3位

身長 170.8cm（14位）
体重 61.9kg（42位）
初婚年齢 31.8歳
　　　　　　（46位）
寿命 81.32年（5位）

婚姻率 5.0人／千人
（5位）

離婚率 1.66人／千人
（18位）

身長 158.0cm（12位）
体重 53.3kg（19位）
初婚年齢 29.9歳
　　　　　　（45位）
寿命 87.24年（17位）

気候

最高気温 35℃以上の日数
1日　全国で 40位

平均気温
16.9℃　全国で 21位

日照時間
2,021時間　全国で 22位

降水量
1,937mm　全国で 11位

平均相対湿度
67.7%　全国で 35位

（横浜管区気象台 2019年）

最低気温 -0.2℃／最高気温 35.6℃

産業
- 総事業所数 28万7,942（4位）
- 小売事業所数
　　　　5万962（4位）
- 卸売事業所数
　　1万5,312（5位）
- 上場企業数 176（4位）
- 代表取締役出身者数
　　3万7,754人（6位）

経済

- 県内総生産
　　33兆6,785億円（4位）
- 企業倒産数 36件（6位）
- 有効求人倍率 1.11（47位）
- 月額給与（男）36.63万円
　　　　　　　　　　（2位）
- 月額給与（女）27.74万円
　　　　　　　　　　（2位）

労働
- 労働時間 176時間／月
　　　　　　　　　　（41位）
- 通勤時間 46分（1位）
- 勤続年数 12.5年
　　　　　　　　　　（16位）
- 大卒初任給 21.04万円
　　　　　　　　　　（2位）
- パート時給 1,229円
　　　　　　　　　　（2位）

社会
- 中高年の就職率 18.21%
　　　　　　　　　　（47位）
- 失業率 2.12%（22位）
- 自殺者数 11.5人／10万人
　　　　　　　　　　（47位）
- 生活保護世帯数
　　2万6,198世帯（7位）
- 少年犯罪数 2.64人／千人
　　　　　　　　　　（16位）

福祉
- 病院数 3.7施設／10万人（47位）
- 一般診療所数
　73.4施設／10万人（36位）
- 児童福祉施設数
　27.8施設／10万人（43位）
- 老人福祉センター数
　1.4施設／10万人（47位）
- 図書館数 0.9施設／10万人
　　　　　　　　　　（47位）

教育
- 大学進学率 60.7%（4位）
- 高卒の割合 8.5%（45位）
- 学校のIT化
　　6.9人／台（43位）
- 教科書・参考書費*
　　　　1,282円（43位）
- 補習教育費*3万9,135円（11位）

交通・通信

- 自動車保有台数
　　917台／千世帯（45位）
- ガソリン代*2万8,871円（45位）
- 交通費*11万1,068円（3位）
- 電話代*13万6,188円（39位）
- 交通事故死亡者数
　　1.44人／10万人（46位）

学校
- 保育所数 1,761カ所
　　　　　　　　　　（2位）
- 幼稚園数 645カ所
　　　　　　　　　　（2位）
- 小学校数 889校
　　　　　　　　　　（5位）
- 高校数 235校（4位）
- 大学数 30校（8位）

スポーツ
- 野球をする人の割合 8.3%（3位）
- ゴルフをする人の割合 8.1%
　　　　　　　　　　（14位）
- サッカーをする人の割合 8.0%
　　　　　　　　　　（1位）
- ラグビー部のある高校
　　　　　　20.0%（24位）
- 高校陸上部員数の割合
　　　　　　2.7%（44位）

娯楽
- 博物館数 0.6施設／10万人
　　　　　　　　　　（39位）
- 映画館数 2.1施設／10万人
　　　　　　　　　　（37位）
- 月謝類*3万4,801円（29位）
- 書籍雑誌費*4万1,864円
　　　　　　　　　　（14位）
- 海外旅行に行く人の割合
　　　　　　10.6%（2位）

スポーツ関連への支出

平成 28 年は 4 年に 1 度の夏季オリンピック開催、スポーツに関心が集まりそうですね。

物（財）からサービスへ移り変わるスポーツ関連の支出

1 世帯当たりのスポーツ関連の年間支出金額について、平成 14 年と 24 年を比較すると 10 年間に 3.3％増加している。内訳は、スポーツ施設使用料、スポーツ月謝やスポーツ観覧料は増加、最も支出割合の高い運動用具類が大きく減少し、物（財）の購入からサービスの購入へと変化してきています。

プロチームが活躍している都市で支出が多いスポーツ観覧料

1 世帯当たりのスポーツ観覧料への支出金額を見てみると、さいたま市が最も多く、次い

で広島市、札幌市となっています。上位の市にはサッカーや野球のプロチームの本拠地があり、さいたま市はサッカーＪ１のチームが 2 つもあります。また、最近、活躍しているチームのある市が上位にきています。

※例えば広島市ではサッカーＪ１の「サンフレッチェ広島」が、札幌市ではプロ野球の「北海道日本ハムファイターズ」が平成 24 年にリーグ優勝している。

スポーツ観戦料への支出
（1 世帯当たり年間支出金額：円／ H22 ～ 24 年平均）

	No.1						
723	3,322	2,074	1,529	1,280	1,235	1,192	1,047
全国	さいたま市	広島市	札幌市	佐賀市	仙台市	福岡市	山形市

出典：「家計調査結果」（総務省統計局）
家計ミニトピックス平成 26 年 2 月 15 日発行
http://www.stat.go.jp/data/kakei/tsushin/index.htm より作成

ワインへの支出

近年増加傾向に転じたワインへの支出

初めに、ワインへの支出の推移を見てみましょう。平成 12 年以降、ワインへの支出は酒類全体への支出と同様に減少傾向にありましたが、平成 23 年以降では、ワインに含まれるポリフェノールなどの健康への効果が注目されていることもあって増加、近年、減少傾向が続く酒類全体とは異なる動きを示しています。

> 10 年前と比べて中高年層では酒類に占めるワインの割合が上昇

新ワインの解禁日に急増するワインへの支出

ワインの日別の支出金額の動きを見ると、11 月の第 3 木曜日のボジョレーヌーボーの解禁に合わせて、支出金額が年平均 1 日当たりに比べ 4 倍以上になります。

ワイン・酒類への支出推移
（実質金額指数／ H12 ～ 25 年）

平成 12 年＝100

- ○ 酒類全体
- ● ワイン

出典：「家計調査結果」（総務省統計局）
家計ミニトピックス平成 26 年 11 月 15 日発行
http://www.stat.go.jp/data/kakei/tsushin/index.htm より作成

早わかり

2020

都道府県
Data Book

話のネタ帳

北陸・
甲信越

新潟県

県の
木：ユキツバキ　　草花：雪割草
花：チューリップ　歌：新潟県民歌
鳥：トキ

新潟県民

女房にするなら越後女
→従順で倹約家

杉の木と男の子
は育たない
→越後女の魅力
に骨抜き

内気で愚直

いごねり / 佐渡市
海藻「いご草」を煮溶かし
かためたもの。磯の香りが
広がるダイエット食品。

新潟県の NO.1 ▶

コメの 収穫量	ブロッコリー 支出金額※1	ミカン 支出金額※1

さや豆 支出金額※1	離婚率 (低)※2

※1 新潟市、※2 2018 年

佐渡
市

凡　　例
- ━ ━ ━　新幹線
- ━━━　J R
- ━━━　国　道
- ━ ━ ━　県道・有料道路

出雲崎町

E 柏崎市

刈羽村

柏崎市

高田公園雪行燈 / 上越市
冬のイベント。高田城周辺
を 2000 個以上の雪あんどん
がやさしく灯る。

天狗の庭 / 妙高市
日本最北の雷鳥生息地とし
て知られる火打山を池塘に
映す絶景の地とされる。

H
上越市

竹のからかい / 糸魚川市
隈取りをした若衆が東西に
分かれて竹を引きあい、五
穀豊穣や家内安全を願う。

J
糸魚川市　　妙高市

I

粟島浦村

村上市

N

胎内市

聖籠町

新潟市 **C**

関川村

新発田市 **B**

阿賀野市

阿賀町

田上町

五泉市

加茂市

燕市

三条市

見附市

長岡市

魚沼市

小千谷市

G

十日町市

南魚沼市 **F**

津南町

湯沢町

彦村

A

笹川流れ / 村上市
日本屈指の透明度。巨大な
奇岩群の間を盛り上がるよ
うに流れる荒波は迫力満点。

B

月岡温泉「田」/ 新発田市
工場直送の割れせんべいな
どを販売。大せんべいの絵
付け・手焼きができる。

C

北方文化博物館 / 新潟市
越後の豪農の旧大邸宅。広
大で美しい館に歴代当主の
コレクションを展示。

E

尺玉100発一斉打ち
/ 柏崎市
「ぎおん柏崎まつり海の大花
火大会」にて、ほかでは見
られない最大の見どころ。

F

八海山雪室 / 南魚沼市
1,000ｔの雪を収容する雪室
で長期熟成させた日本酒は、
まろやかな味わい。

G

むこ投げ / 十日町市
前年に結婚した初婚を、薬
師堂の境内から高さ５ｍの
崖へ投げ落とす行事。

新潟県 の 食

※新潟市の1世帯当たりの年間支出金額

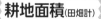

耕地面積 (田畑計)
16万9,600ha
(第 2 位)

コメの作付面積 (水稲延べ)
11万9,200ha
(第 1 位)

コメの収穫量 (水稲)
64万6,100 t
(第 1 位)

肉用牛 (飼育頭数)
1万2,600頭
(第 35 位)

養豚 (飼育頭数)
18万600頭
(第 17 位)

ブロイラー (飼育頭数)
90万1,000羽
(第 25 位)

漁獲量・天然 (海面漁業)
2万9,323 t
(第 24 位)

漁獲量・養殖 (海面養殖)
1,024 t
(第 30 位)

食料自給率 (カロリーベース)
103%
(第 5 位)

エンゲル係数*
25.7
(第 19 位)

食費* (年間支出)
96万5,384 円
(第 17 位)

牛乳・乳製品* (年間支出)
4万1,552 円
(第 4 位)

調味料* (年間支出)
4万1,135 円
(第 9 位)
- マヨネーズ類 1,492 円 (第 2 位)
- カレールウ 1,838 円 (第 2 位)
- ふりかけ 2,073 円 (第 5 位)

生鮮野菜* (年間支出)
8万3,717 円
(第 2 位)
- ブロッコリー 3,190 円 (第 1 位)
- さやまめ 5,688 円 (第 1 位)
- れんこん 1,693 円 (第 2 位)

生鮮果物* (年間支出)
4万1,048 円
(第 16 位)
- みかん 5,322 円 (第 1 位)
- グレープフルーツ 370 円 (第 2 位)
- すいか 1,723 円 (第 5 位)

外 食* (年間支出)
13万6,774 円
(第 37 位)
- 中華そば 1万2,948 円 (第 2 位)

調理食品* (年間支出)
13万208 円
(第 15 位)
- 冷凍調理食品 1万1,030 円 (第 2 位)
- 天ぷら・フライ 1万4,196 円 (第 3 位)

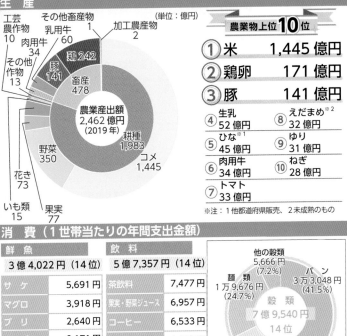

生産

（単位：億円）

工芸農作物 10
乳牛 60
肉用牛 34
その他畜産物 1
加工農産物 2
鶏 242
その他作物 13
豚 141
畜産 478

農業産出額
2,462 億円
（2019年）

耕種 1,983
コメ 1,445
野菜 350
花き 73
いも類 15
果実 77

農業物上位 10 位

① 米	1,445 億円
② 鶏卵	171 億円
③ 豚	141 億円

④ 生乳	52 億円	⑧ えだまめ※2	32 億円
⑤ ひな※1	45 億円	⑨ ゆり	31 億円
⑥ 肉用牛	34 億円	⑩ ねぎ	28 億円
⑦ トマト	33 億円		

※注：1 他都道府県販売、2 未成熟のもの

消費（1世帯当たりの年間支出金額）

鮮魚
3億 4,022 円（14位）

サケ	5,691 円
マグロ	3,918 円
ブリ	2,640 円
エビ	2,171 円
カニ	1,635 円

飲料
5億 7,357 円（14位）

茶飲料	7,477 円
果実・野菜ジュース	6,957 円
コーヒー	6,533 円
炭酸飲料	6,128 円
乳酸菌飲料	4,574 円

酒類
4億 9,617 円（14位）

発泡酒等	1億 3,645 円
ビール	1億 50 円
清酒	7,285 円
焼酎	6,310 円
カクテル等	5,110 円

菓子
8億 4,280 円（14位）

アイスクリーム	9,886 円
チョコレート	6万 7,512 円
ケーキ	6,559 円
せんべい	5,991 円
スナック菓子	5,754 円

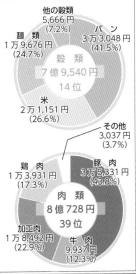

他の穀類 5,666 円（7.2%）
パン 3万 3,048 円（41.5%）
麺類 1万 9,676 円（24.7%）

穀類
7億 9,540 円
14位

米 2万 1,151 円（26.6%）

その他 3,037 円（3.7%）
豚肉 3万 5,331 円（43.8%）
鶏肉 1万 3,931 円（17.3%）

肉類
8億 728 円
39位

加工肉 1万 8,492 円（22.9%）
牛肉 9,937 円（12.3%）

食品産業

事業所数 / 出荷額

年	事業所数	出荷額
2013年	781	7,031
2014年	759	7,284
2015年	756	7,389
2016年	706	7,656
2017年	702	7,312

注：従業者4人以上の事業所に関する統計表。

飲食料小売額	7,477 億円	14
百貨店・総合スーパー	28 店	16
飲食料小売店数	6,116 店	11
コンビニ数	800 店	14
ドラッグストア数	277 店	16

□は全国順位

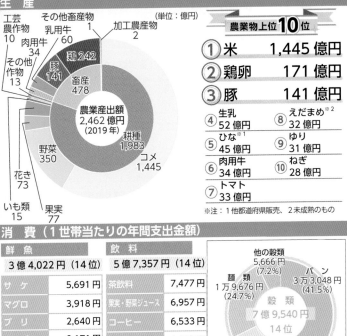

Data で見る　新潟県

※新潟市の1世帯当たりの年間支出金額

快適度

項目	値	順位
人口密度 /km²	178 人	34
物価格差	98.7	24
県民所得 / 人	282.6 万円	27
犯罪認知件数 / 千人	4.78 件	25
旅行に行く人の割合	48.2%	15
医師数 /10 万人	197.9 人	44

■は全国順位

（レーダーチャート：人口密度／物価格差／県民所得／犯罪件数／旅行／医師数）

※グラフの外側がより高い快適度

行動ウエート

（レーダーチャート：趣味／寝る／仕事・勉強／学ぶ／スポーツ／食べる）

※グラフの外側がより高いウエート

項目	値	順位
趣味・娯楽の時間	174 分	33
睡眠時間	468 分	10
仕事・学業をする時間	421 分	10
学習や自己啓発をする時間	108 分	46
スポーツをする時間	110 分	43
食事をする時間	100 分	27

■は全国順位

人口

- 人口
  225 万 9,309 人（15 位）
- 人口増減数
  − 2 万 1,982 人（46 位）
- 出生率
  6.5 人／千人（40 位）
- 死亡率 13.5 人／千人（12 位）
- 外国人の割合 0.79%（37 位）

家庭※

- 世帯主年齢 56.9 歳（41 位）
- 子ども（18 歳未満）の人員
  0.82 人（3 位）
- 高齢者（65 歳以上）の人員
  0.77 人（31 位）
- 持ち家率 92.6%（3 位）
- 平均畳数 26.1 帖（12 位）

世帯

- 世帯数
  89 万 9,853 世帯（15 位）
- 平均人員　2.51 人（4 位）
- 核家族世帯率 53.0%
  （39 位）
- 単身者世帯率 27.6%
  （41 位）
- 高齢者世帯率 11.2%
  （35 位）

家計※

- 貯蓄額 1,676 万円（25 位）
- 負債総額 537 万円（20 位）
- 消費支出 353 万 354 円
  （23 位）
- 家賃 3 万 7,889 円（46 位）
- 水道光熱費 31 万 1,898 円
  （7 位）

消費※

- 衣類・履物費 13 万 8,964 円
  （12 位）
- 保健医療費 14 万 3,899 円
  （41 位）
- 教育費
  13 万 5,733 円（19 位）
- 自動車関連費
  41 万 4,597 円（6 位）
- 通信費 17 万 6,485 円（8 位）

外国人旅行者

宿泊者数の推移

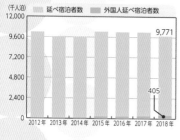

（千人泊）　延べ宿泊者数　外国人延べ宿泊者数

12,000 / 9,600 / 7,200 / 4,800 / 2,400 / 0

9,771
405
2012年　2013年　2014年　2015年　2016年　2017年　2018年

宿泊者上位 5 カ国

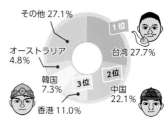

- その他 27.1%
- オーストラリア 4.8%
- 韓国 7.3%
- 香港 11.0%
- 1 位　台湾 27.7%
- 2 位　中国 22.1%
- 3 位

気候

項目	値	全国順位
最高気温 35℃以上の日数	6 日	全国で 28 位
平均気温	14.6℃	全国で 38 位
日照時間	1,833 時間	全国で 40 位
降水量	1,352 ㎜	全国で 36 位
平均相対湿度	73.0%	全国で 13 位

身長 171.2㎝（7 位）
体重 62.4kg（26 位）
初婚年齢 30.9 歳（28 位）
寿命 80.69 年（24 位）

婚姻率 3.9 人／千人（40 位）
離婚率 1.26 人／千人（47 位）

身長 157.9㎝（19 位）
体重 53.2kg（20 位）
初婚年齢 29.2 歳（25 位）
寿命 87.32 年（11 位）

（新潟管区気象台 2019 年）

最低気温 -1.8℃／最高気温 39.2℃

産業

- 総事業所数 11 万 2,948（14 位）
- 小売事業所数 2 万 1,808（14 位）
- 卸売事業所数 7,198（13 位）
- 上場企業数 35（13 位）
- 代表取締役出身者数 2 万 9,618 人（10 位）

経済

- 県内総生産 8 兆 4,799 億円（16 位）
- 企業倒産数 3 件（36 位）
- 有効求人倍率 1.70（14 位）
- 月額給与（男）29.08 万円（32 位）
- 月額給与（女）22.23 万円（31 位）

労働

- 労働時間 178 時間／月（30 位）
- 通勤時間 28 分（23 位）
- 勤続年数 13.0 年（6 位）
- 大卒初任給 19.39 万円（32 位）
- パート時給 1,041 円（29 位）

社会

- 中高年の就職率 31.60%（20 位）
- 失業率 1.98%（28 位）
- 自殺者数 19.8 人／10 万人（4 位）
- 生活保護世帯数 6,955 世帯（29 位）
- 少年犯罪数 1.96 人／千人（27 位）

福祉

- 病院数 5.7 施設／10 万人（37 位）
- 一般診療所数 74.4 施設／10 万人（33 位）
- 児童福祉施設数 44.5 施設／10 万人（13 位）
- 老人福祉センター数 5.8 施設／10 万人（22 位）
- 図書館数 3.5 施設／10 万人（18 位）

教育

- 大学進学率 46.9%（32 位）
- 高卒の割合 19.6%（31 位）
- 学校の IT 化 5.1 人／台（26 位）
- 教科書・参考書費* 3,648 円（8 位）
- 補習教育費*3 万 4,288 円（16 位）

交通・通信

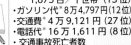

- 自動車保有台数 1,875 台／千世帯（13 位）
- ガソリン代* 8 万 4,797 円（12 位）
- 交通費* 4 万 9,121 円（27 位）
- 電話代* 16 万 1,611 円（8 位）
- 交通事故死亡者数 4.14 人／10 万人（9 位）

学校

- 保育所数 722 カ所（10 位）
- 幼稚園数 89 カ所（35 位）
- 小学校数 456 校（14 位）
- 高校数 102 校（15 位）
- 大学数 20 校（11 位）

スポーツ

- 野球をする人の割合 6.4%（34 位）
- ゴルフをする人の割合 8.1%（14 位）
- サッカーをする人の割合 4.5%（38 位）
- ラグビー部のある高校 16.7%（30 位）
- 高校陸上部員数の割合 4.3%（10 位）

娯楽

- 博物館数 1.6 施設／10 万人（8 位）
- 映画館数 2.8 施設／10 万人（24 位）
- 月謝類* 4 万 9,330 円（6 位）
- 書籍雑誌費* 4 万 2,283 円（12 位）
- 海外旅行に行く人の割合 6.9%（11 位）

富山県

県の
木：タテヤマスギ　魚：ブリ、
花：チューリップ　　　シロエビ、
鳥：ライチョウ　　　　ホタルイカ
獣：　　　　　　　歌：富山県民の歌
　　ニホンカモシカ

富山県民

越中強盗
→抜け目なく勤勉

合理的で
ムダがない

よく働き
よく貯める

富山県の NO.1

生シイタケ
支出金額※1

オレンジ
支出金額※1

食塩
支出金額※1

六条大麦
出荷量※2

生活保護世帯
(少)※3

※1 富山市、※2 2018 年、※3 2017 年

新湊漁港の昼競り / 射水市
活気のある競りを見学でき
る。漁期に見られる、床一
面のズワイガニは壮麗。

雨晴海岸 / 高岡市
海の向こうに 3000 m 級の山
を望む世界でも珍しい海岸。
冠雪の立山連峰は必見。

五箇山こきりこまつり
／ 南砺市
こきりこは田楽の流れをく
む日本最古の民謡とされる。

ゲンゲ / 沿岸部
富山湾に生息する体長約 20
cm の深海魚。コラーゲン豊
富で、とろける口当たり。

氷見市

高岡市

小矢部市

射水市

砺波市

南砺市

凡 例
--- 新幹線
--- J R
―― 国 道
―― 県・有料道

H
I
J
K

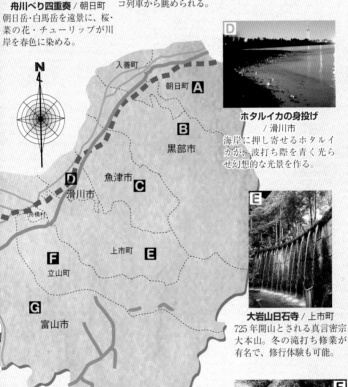

C

蜃気楼 / 魚津市
蜃気楼の名所として知られる。自然条件により形を変え、毎度違う姿を見せる。

B

サル専用橋 / 黒部市
うなづき湖上にある野生のサルのための吊り橋。トロッコ列車から眺められる。

A

舟川べり四重奏 / 朝日町
朝日岳・白馬岳を遠景に、桜・菜の花・チューリップが川岸を春色に染める。

N

入善町

朝日町 **A**

B

黒部市

D

魚津市 **C**

滑川市

舟橋村

上市町 **E**

F

立山町

G

富山市

D

ホタルイカの身投げ
/ 滑川市
海岸に押し寄せるホタルイカが、波打ち際を青く光らせ幻想的な光景を作る。

E

大岩山日石寺 / 上市町
725年開山とされる真言密宗大本山。冬の滝打ち修業が有名で、修行体験も可能。

F

雷 鳥 / 立山町
立山で雷鳥は昔から神の使いとされた。運が良ければ見られるかも。

←薬 / 富山市
富山といえば薬！ 池田屋安兵衛商店では、昔ながらの丸薬製造体験もできる。

G

富山県 の 食

※富山市の1世帯当たりの年間支出金額

耕地面積（田畑計）
5万8,300ha
（第24位）

コメの作付面積（水稲延べ）
3万7,200ha
（第12位）

コメの収穫量（水稲）
20万5,700t
（第12位）

肉用牛（飼育頭数）
3,460頭
（第42位）

養豚（飼育頭数）
3万1,200頭
（第35位）

ブロイラー（飼育頭数）
ー
（第 一 位）

漁獲量・天然（海面漁業）
4万1,575t
（第20位）

漁獲量・養殖（海面養殖）
20t
（第37位）

食料自給率（カロリーベース）
76%
（第9位）

エンゲル係数*
25.5
（第22位）

食費*（年間支出）
100万3,790円
（第6位）

牛乳・乳製品*（年間支出）
3万9,414円
（第13位）
●ヨーグルト 1万5,333円（第5位）

調味料*（年間支出）
3万7,136円
（第34位）
●食塩 634円（第1位）

生鮮野菜*（年間支出）
7万3,667円
（第15位）
●生しいたけ 2,335円（第1位）
●えのきたけ 1,606円（第2位）
●ブロッコリー 3,085円（第3位）

生鮮果物*（年間支出）
4万7,378円
（第2位）
●オレンジ 1,265円（第1位）
●バナナ 6,227円（第2位）
●梨 4,227円（第3位）

外 食*（年間支出）
17万2,994円
（第12位）

調理食品*（年間支出）
12万9,399円
（第17位）
●すし（弁当） 1万5,492円（第2位）
●天ぷら・フライ 1万4,126円（第4位）
●冷凍調理食品 1万266円（第4位）

生 産

その他作物 13
工芸農作物 0
肉用牛 11
乳用牛 15
その他畜産物 0
加工農産物 5
（単位：億円）

豚 23
鶏 39
畜産 89
野菜 58
花き 11
いも類 3
果実 21

農業産出額 651 億円 （2019 年）

耕種 558
コメ 451

農業物上位 10 位

①	米	451 億円
②	鶏卵	38 億円
③	豚	23 億円

④	生乳 13 億円	⑧	大豆 8 億円
⑤	日本なし 13 億円	⑨	トマト 7 億円
⑥	肉用牛 11 億円	⑩	なす 6 億円
⑦	ねぎ 9 億円		

消 費（1 世帯当たりの年間支出金額）

鮮 魚
4 万 665 円（12 位）

サ ケ	5,377 円
ブ リ	4,643 円
マグロ	4,180 円
エ ビ	3,362 円
イ カ	2,509 円

飲 料
5 万 5,611 円（23 位）

茶飲料	7,686 円
果実・野菜ジュース	7,609 円
コーヒー	6,501 円
コーヒー飲料	6,457 円
炭酸飲料	5,083 円

酒 類
4 万 4,043 円（18 位）

ビール	1 万 3,091 円
発泡酒等	9,508 円
清 酒	7,430 円
焼 酎	4,795 円
カクテル等	3,942 円

菓 子
9 万 5,619 円（4 位）

アイスクリーム	1 万 67 円
ケーキ	8,677 円
せんべい	7,764 円
チョコレート	7,444 円
ビスケット	5,116 円

他の穀類 6,290 円（8.0%）
麺 類 1 万 8,050 円（23.1%）
パ ン 3 万 1,735 円（40.5%）
穀 類 7 万 8,277 円 17 位
米 2 万 2,202 円（28.4%）

その他 5,261 円（6.2%）
鶏 肉 1 万 1,576 円（13.7%）
豚 肉 2 万 8,215 円（33.5%）
肉 類 8 万 4,254 円 34 位
加工肉 1 万 9,525 円（23.2%）
牛 肉 1 万 9,678 円（23.4%）

食品産業

（カ所） 事業所数　出荷額 （億円）

	2013年	2014年	2015年	2016年	2017年
事業所数	363	353	377	334	326
出荷額	1,374	1,466	1,582	1,556	1,594

注：従業者4人以上の事業所に関する統計表。

飲食料小売額	3,262 億円	40
百貨店・総合スーパー	14 店	34
飲食料小売店数	2,608 店	37
コンビニ数	400 店	31
ドラッグストア数	166 店	26

□は全国順位

Data で見る　富山県

※富山市の1世帯当たりの年間支出金額

快適度

人口密度 /km	247 人	25
物価格差	99.1	19
県民所得 / 人	329.5 万円	5
犯罪認知件数 / 千人	4.29 件	30
旅行に行く人の割合	46.8%	22
医師数 /10 万人	254.4 人	21

■は全国順位

※グラフの外側がより高い快適度

行動ウエート

趣味・娯楽の時間	175 分	31
睡眠時間	464 分	20
仕事・学業をする時間	421 分	10
学習や自己啓発をする時間	124 分	31
スポーツをする時間	122 分	14
食事をする時間	100 分	27

※グラフの外側がより高いウエート

■は全国順位

人口

- 人口
  106 万 3,293 人（37 位）
- 人口増減数
  － 6,219 人（16 位）
- 出生率
  6.6 人／千人（38 位）
- 死亡率 12.6 人／千人（19 位）
- 外国人の割合 1.84%（19 位）

家庭※

- 世帯主年齢 56.4 歳（44 位）
- 子ども（18 歳未満）の人員
  0.71 人（7 位）
- 高齢者（65 歳以上）の人員
  0.77 人（31 位）
- 持ち家率 89.0%（8 位）
- 平均畳数 23.2 帖（33 位）

世帯

- 世帯数
  42 万 2,090 世帯（39 位）
- 平均人員　2.52 人（3 位）
- 核家族世帯率 54.9%
  （31 位）
- 単身者世帯率 26.1%
  （44 位）
- 高齢者世帯率 12.2%
  （23 位）

家計※

- 貯蓄額 1,421 万円（37 位）
- 負債総額 372 万円（44 位）
- 消費支出 369 万 1,678 円
  （9 位）
- 家賃 6 万 2,974 円（41 位）
- 水道光熱費 30 万 8,143 円
  （8 位）

消費※

- 衣類・履物費 12 万 9,291 円
  （24 位）
- 保健医療費 15 万 680 円
  （35 位）
- 教育費
  9 万 8,089 円（37 位）
- 自動車関連費
  40 万 3,528 円（8 位）
- 通信費 17 万 1,088 円（13 位）

外国人旅行者

宿泊者数の推移

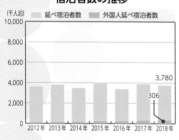

（千人泊）
延べ宿泊者数　外国人延べ宿泊者数
10,000
8,000
6,000
4,000　3,780
2,000　306
0
2012年 2013年 2014年 2015年 2016年 2017年 2018年

宿泊者上位 5 カ国

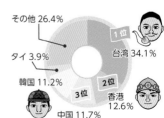

その他 26.4%
タイ 3.9%
韓国 11.2%
中国 11.7%
香港 12.6%（3 位）
台湾 34.1%（1 位）
香港 12.6%（2 位）

身長 171.3cm （5位）
体重 62.0kg （39位）
初婚年齢 31.0歳 （33位）
寿命 80.61年 （27位）

4.1人／千人（33位）婚姻率

1.28人／千人（45位）離婚率

身長 158.0cm （12位）
体重 52.6kg （33位）
初婚年齢 29.3歳 （30位）
寿命 87.42年 （8位）

気　候

最高気温 35℃以上の日数	9日	全国で 22位
平均気温	15.2℃	全国で 35位
日照時間	1,738時間	全国で 45位
降水量	2,098mm	全国で 6位
平均相対湿度	77.5%	全国で 1位

（富山管区気象台 2019年）
最低気温 -2.9℃／最高気温 37.2℃

産　業

- 総事業所数 5万1,785（35位）
- 小売事業所数 1万570（35位）
- 卸売事業所数 3,288（32位）
- 上場企業数 23（17位）
- 代表取締役出身者数 1万4,685人（30位）

経　済

- 県内総生産 4兆4,089億円（31位）
- 企業倒産数 9件（15位）
- 有効求人倍率 1.87（6位）
- 月額給与（男）30.76万円（23位）
- 月額給与（女）23.18万円（20位）

労　働

- 労働時間 180時間／月（4位）
- 通勤時間 29分（19位）
- 勤続年数 13.0年（6位）
- 大卒初任給 20.18万円（18位）
- パート時給 1,082円（18位）

社　会

- 中高年の就職率 36.56%（4位）
- 失業率 1.75%（41位）
- 自殺者数 17.5人／10万人（18位）
- 生活保護世帯数 1,457世帯（47位）
- 少年犯罪率 2.78人／千人（13位）

福　祉

- 病院数 10.2施設／10万人（12位）
- 一般診療所数 72.8施設／10万人（37位）
- 児童福祉施設数 37.0施設／10万人（24位）
- 老人福祉センター数 4.9施設／10万人（29位）
- 図書館数 5.3施設／10万人（5位）

教　育

- 大学進学率 52.7%（17位）
- 高卒の割合 21.2%（27位）
- 学校のIT化 5.3人／台（31位）
- 教科書・参考書費* 2,283円（29位）
- 補習教育費* 1万8,745円（41位）

交通・通信

- 自動車保有台数 2,057台／千世帯（3位）
- ガソリン代* 8万4,895円（11位）
- 交通費* 4万3,513円（33位）
- 電話代* 15万8,333円（11位）
- 交通事故死亡者数 3.24人／10万人（24位）

学　校

- 保育所数 303カ所（35位）
- 幼稚園数 47カ所（44位）
- 小学校数 188校（43位）
- 高校数 53校（37位）
- 大学数 5校（38位）

スポーツ

- 野球をする人の割合 7.7%（9位）
- ゴルフをする人の割合 6.7%（27位）
- サッカーをする人の割合 6.8%（3位）
- ラグビー部のある高校 18.9%（27位）
- 高校陸上部員数の割合 4.3%（11位）

娯　楽

- 博物館数 2.8施設／10万人（2位）
- 映画館数 2.5施設／10万人（32位）
- 月謝類* 4万9,714円（4位）
- 書籍雑誌費* 3万8,643円（24位）
- 海外旅行に行く人の割合 5.6%（16位）

石川県

石川県民

センスがあって
教養好き

プライドが高め

この商品売れるかな…。

どうしよう…。

加賀乞食
→決断や行動力が弱い

石川県の NO.1

| 身長（女） | すし（外食）支出金額※1 | 鮮魚支出金額※1 |

| 消費支出※1 | 1世帯中の子ども人員※1 |

※1 金沢市

苔の里 / 小松市
多種多様な苔が鑑賞できる
コケの名所。穏やかな自然
の中で心安らぐ。

山代温泉 古総湯 / 加賀市
ステンドグラスや壁の九谷
焼のタイルなど内装から入
浴法まで明治の総湯を復元。

うきうき弁天 / 加賀市
温泉街の発展を祝って建て
られた御堂。霊峰白山を背
に柴山潟に浮かぶ。

ルビーロマン / 県全域
石川県が開発した、巨峰の
約2倍の大きさの粒をもつ
「夢のぶどう」。

志賀町

H

かほく市

J

内灘町

津幡町

野々市市

川北町

金沢市

F

能美市

H

小松市

G

白山市

加賀市

I　K

珠洲市

A

B

C
輪島市　能登町

穴水町

D
七尾市

中能登町

羽咋 E

宝達志水町

N

舳倉島

七ツ島

輪島市

揚げ浜塩田 / 珠洲市
塩田に海水を撒き、窯で煮詰めて作る製塩法を日本で唯一受け継ぐ。

B

あえのこと / 奥能登地方
冬に田の神を家に迎え、春先には元の田へ送り出して収穫を祈るという農耕儀礼。

C

御陣乗太鼓 / 輪島市
戦国時代の伝説に起源をもつ名舟町の伝統芸能。鬼や亡霊の面で太鼓を乱れ打つ。

D
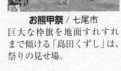

お熊甲祭 / 七尾市
巨大な枠旗を地面すれすれまで傾ける「島田くずし」は、祭りの見せ場。

E

千里浜なぎさドライブウェイ / 羽咋市
日本で唯一、砂浜を自動車で走行できる。

F

主計町茶屋街 / 金沢市
かつて旦那衆が人目を避けて通った、昔ながらの風情ある料理屋や茶屋が並ぶ。

G

栃もち / 白山市
とちの実をもち米と蒸して作る郷土食。粘りが少なく、木の実のやさしい甘さ。

石川県 の 食

※金沢市の1世帯当たりの年間支出金額

耕地面積 (田畑計)
4万1,000ha
(第33位)

コメの作付面積 (水稲延べ)
2万5,000ha
(第23位)

コメの収穫量 (水稲)
13万3,000t
(第21位)

肉用牛 (飼育頭数)
3,030頭
(第43位)

養豚 (飼育頭数)
2万1,300頭
(第39位)

ブロイラー (飼育頭数)
—
(第 一 位)

漁獲量・天然 (海面漁業)
6万2,071t
(第16位)

漁獲量・養殖 (海面養殖)
1,620t
(第27位)

食料自給率 (カロリーベース)
47%
(第22位)

エンゲル係数*
24.5
(第36位)

食費* (年間支出)
111万2,382円
(第 2 位)

牛乳・乳製品* (年間支出)
4万375円
(第 9 位)
- 牛乳 1万7,216円 (第5位)

調味料* (年間支出)
4万1,595円
(第 7 位)
- カレールウ 1,801円 (第3位)
- ふりかけ 2,079円 (第4位)
- ケチャップ 744円 (第5位)

生鮮野菜* (年間支出)
7万8,159円
(第 5 位)
- ブロッコリー 3,125円 (第2位)
- じゃがいも 2,803円 (第2位)
- にんじん 2,729円 (第2位)

生鮮果物* (年間支出)
3万8,836円
(第22位)
- オレンジ 1,066円 (第2位)
- すいか 1,742円 (第3位)
- ぶどう 3,641円 (第5位)

外 食* (年間支出)
21万2,273円
(第 3 位)
- すし (外食) 2万4,428円 (第1位)
- 中華そば 1万1,724円 (第3位)
- 和食 3万3,270円 (第4位)

調理食品* (年間支出)
14万623円
(第 6 位)
- 調理パン 8,497円 (第3位)
- すし (弁当) 1万5,361円 (第5位)
- うなぎのかば焼き 3,186円 (第5位)

生 産

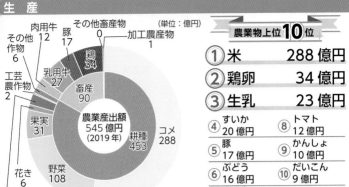

農業物上位 **10** 位	
① 米	288 億円
② 鶏卵	34 億円
③ 生乳	23 億円
④ すいか 20 億円	⑧ トマト 12 億円
⑤ 豚 17 億円	⑨ かんしょ 10 億円
⑥ ぶどう 16 億円	⑩ だいこん 9 億円
⑦ 肉用牛 12 億円	

農業産出額 545 億円（2019年）

耕種 453 / コメ 288 / 野菜 108 / 果実 31 / 花き 6 / いも類 13 / 工芸農作物 2 / その他作物 6 / 畜産 90 / 乳用牛 27 / 肉用牛 12 / 豚 17 / 鶏 34 / その他畜産物 0 / 加工農産物 1

（単位：億円）

消 費（1世帯当たりの年間支出金額）

鮮 魚 4万7,318円（1位）

ブリ	6,001 円
サケ	5,081 円
エビ	3,665 円
カニ	3,516 円
マグロ	3,390 円

飲 料 6万2,024円（7位）

果実・野菜ジュース	9,724 円
茶飲料	7,997 円
コーヒー	7,645 円
炭酸飲料	6,418 円
コーヒー飲料	5,727 円

酒 類 4万8,006円（8位）

発泡酒等	1万690 円
ビール	1万326 円
清酒	8,738 円
焼酎	6,248 円
カクテル等	5,928 円

菓 子 10万7,657円（1位）

アイスクリーム	1万1,887 円
ケーキ	9,516 円
チョコレート	8,319 円
せんべい	7,257 円
スナック菓子	6,669 円

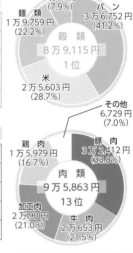

穀類 8万9,115円 1位：他の穀類 7,001円（7.9%）/ パン 3万6,752円（41.2%）/ 麺類 1万9,759円（22.2%）/ 米 2万5,603円（28.7%）

肉類 9万5,863円 13位：その他 6,729円（7.0%）/ 鶏肉 1万5,979円（16.7%）/ 豚肉 3万2,412円（33.8%）/ 加工肉 2万90円（21.0%）/ 牛肉 2万653円（21.5%）

食品産業

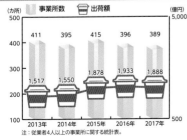

注：従業者4人以上の事業所に関する統計表。

事業所数：411（2013年）395（2014年）415（2015年）396（2016年）389（2017年）
出荷額：1,517 / 1,550 / 1,878 / 1,933 / 1,888

飲食料小売額	3,490 億円	35
百貨店・総合スーパー	19 店	25
飲食料小売店数	2,839 店	35
コンビニ数	423 店	30
ドラッグストア数	171 店	25

□は全国順位

Data で見る 石川県

※金沢市の1世帯当たりの年間支出金額

快適度

人口密度 /km²	273 人	23
物価格差	100.3	6
県民所得 / 人	290.8 万円	23
犯罪認知件数 / 千人	3.94 件	35
旅行に行く人の割合	55.0%	3
医師数 /10 万人	284.1 人	12

■は全国順位

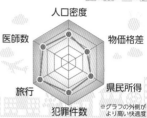

※グラフの外側がより高い快適度

行動ウエート

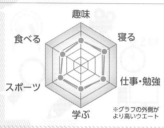

※グラフの外側がより高いウエート

趣味・娯楽の時間	178 分	23
睡眠時間	462 分	25
仕事・学業をする時間	414 分	24
学習や自己啓発をする時間	122 分	13
スポーツをする時間	117 分	13
食事をする時間	99 分	8

■は全国順位

人口

・人口
　114 万 5,948 人 (34 位)
・人口増減数
　− 4,450 人 (10 位)
・出生率
　7.4 人／千人 (16 位)
・死亡率 11.3 人／千人 (33 位)
・外国人の割合 1.40% (24 位)

家庭*

・世帯主年齢 55.9 歳 (45 位)
・子ども (18 歳未満) の人員
　0.85 人 (1 位)
・高齢者 (65 歳以上) の人員
　0.69 人 (43 位)
・持ち家率 83.5% (22 位)
・平均畳数 26.2 帖 (11 位)

世帯

・世帯数
　48 万 6,199 世帯 (35 位)
・平均人員 2.36 人 (13 位)
・核家族世帯率 54.9%
　(34 位)
・単身者世帯率 31.5%
　(23 位)
・高齢者世帯率 11.9%
　(25 位)

家計*

・貯蓄額 2,013 万円 (9 位)
・負債総額 645 万円 (9 位)
・消費支出 426 万 781 円
　(1 位)
・家賃 11 万 5,655 円 (15 位)
・水道光熱費 31 万 5,726 円
　(5 位)

消費*

・衣類・履物費 16 万 115 円
　(5 位)
・保健医療費 16 万 8,724 円
　(17 位)
・教育費
　21 万 1,401 円 (3 位)
・自動車関連費
　43 万 706 円 (4 位)
・通信費 19 万 2,370 円 (2 位)

外国人旅行者

宿泊者数の推移

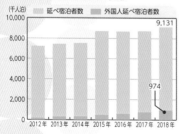

（千人泊）
延べ宿泊者数　外国人延べ宿泊者数
9,131
974
2012年 2013年 2014年 2015年 2016年 2017年 2018年

宿泊者上位 5 カ国

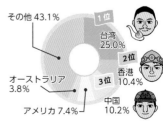

その他 43.1%
1位 台湾 25.0%
2位 香港 10.4%
3位 中国 10.2%
アメリカ 7.4%
オーストラリア 3.8%

身長 171.5cm（4 位）
体重 64.5kg（3 位）
初婚年齢 30.5 歳（13 位）
寿命 81.04 年（12 位）

4.4 人／千人（15 位）婚姻率

1.30 人／千人（44 位）離婚率

身長 158.8cm（1 位）
体重 53.8kg（7 位）
初婚年齢 29.2 歳（25 位）
寿命 87.28 年（13 位）

気 候

最高気温 35℃以上の日数	6 日	全国で 28 位 ▼
平均気温	15.8℃	全国で 32 位 ▼
日照時間	1,896 時間	全国で 35 位 ▼
降水量	2,010 mm	全国で 9 位 ▼
平均相対湿度	67.3%	全国で 36 位 ▼

（金沢管区気象台 2019 年）

最低気温 -1.5℃／最高気温 37.7℃

産 業

- 総事業所数 5 万 9,770（29 位）
- 小売事業所数 1 万 1,062（32 位）
- 卸売事業所数 4,026（26 位）
- 上場企業数 27（16 位）
- 代表取締役出身者数 1 万 3,795 人（34 位）

経 済

- 県内総生産 4 兆 4,750 億円（28 位）
- 企業倒産数 3 件（36 位）
- 有効求人倍率 1.83（8 位）
- 月額給与（男）30.26 万円（25 位）
- 月額給与（女）23.50 万円（14 位）

労 働

- 労働時間 179 時間／月（14 位）
- 通勤時間 27 分（26 位）
- 勤続年数 12.7 年（12 位）
- 大卒初任給 19.63 万円（29 位）
- パート時給 1,065 円（22 位）

社 会

- 中高年の就職率 33.74%（10 位）
- 失業率 1.78%（39 位）
- 自殺者数 15.0 人／ 10 万人（40 位）
- 生活保護世帯数 2,635 世帯（46 位）
- 少年犯罪率 1.32 人／千人（43 位）

福 祉

- 病院数 8.2 施設／ 10 万人（19 位）
- 一般診療所数 76.4 施設／ 10 万人（30 位）
- 児童福祉施設数 43.1 施設／ 10 万人（16 位）
- 老人福祉センター数 6.3 施設／ 10 万人（21 位）
- 図書館数 3.4 施設／ 10 万人（20 位）

教 育

- 大学進学率 54.9%（14 位）
- 高卒の割合 21.6%（26 位）
- 学校の I T化 5.2 人／台（27 位）
- 教科書・参考書費＊ 8,143 円（1 位）
- 補習教育費＊5 万 8,026円（2位）

交通・通信

- 自動車保有台数 1,860 台／千世帯（15 位）
- ガソリン代＊ 10 万 3,138 円（2位）
- 交通費＊ 7 万 2,900 円（11 位）
- 電話代＊ 17 万 2,643 円（3 位）
- 交通事故死亡者数 2.71 人／ 10 万人（35 位）

学 校

- 保育所数 353 カ所（30 位）
- 幼稚園数 52 カ所（43 位）
- 小学校数 204 校（38 位）
- 高校数 56 校（32 位）
- 大学数 13 校（16 位）

スポーツ

- 野球をする人の割合 7.2%（20 位）
- ゴルフをする人の割合 9.0%（7 位）
- サッカーをする人の割合 6.7%（4 位）
- ラグビー部のある高校 16.1%（32 位）
- 高校陸上部員数の割合 4.0%（22 位）

娯 楽

- 博物館数 2.2 施設／ 10 万人（5 位）
- 映画館数 5.3 施設／ 10 万人（1 位）
- 月謝類＊ 5 万 3,785 円（1 位）
- 書籍雑誌費＊ 4 万 5,153 円（5 位）
- 海外旅行に行く人の割合 8.0%（8 位）

117

福井県

福井県民

越前詐欺
→したたかで
知恵が回る

実利実益、
商売上手

幸福度が高い

凡例
- 新幹線
- JR
- 国道
- 鉄道・有料道路

福井県の NO.1 ▶

| 身長（男） |
| 焼肉 支出金額※1 |
| コロッケ 支出金額※1 |

| 1世帯中の 平均人員※1 |
| 有効求人 倍率※2 |

※1 福井市、※2 2018年

A あわら市
坂井市

B 福井市 ◎

越前町

鯖江市

G 越前市

南越前町

敦賀市 H

美浜町

高浜町

I 小浜市 J

若狭町

おおい町

←ウナギ / 若狭町
三方湖産のウナギは別名クチボソアオウナギといわれ、口がとがってお尻が丸い。

お水送り / 小浜市
鵜の瀬で注がれたお香水は10日後、東大寺二月堂の若狭井に届くと伝えられる。

←みくに龍翔館 / 坂井市
港町として栄えた三国の歴史を伝える博物館。ベランダからは街が一望できる。

波の花 / 福井市
波が岸に当たってできた気泡の蓄積されたもので、冬の越前海岸で見られる。

かつやま恐竜の森 / 勝山市
実物大の恐竜像が立ち並ぶテーマパークや発掘体験など、恐竜の世界を体験。

永平寺大燈籠ながし
/ 永平寺町
永平寺の迫力ある読経後、1万基の灯籠が流される。

D 永平寺町

C 勝山市

E 大野市

F 池田町

N

Tree Picnic Adventure IKEDA / 池田町
鳥の視点で上空を移動するなど日本最大級の冒険の森。

すこ / 大野市
赤ずいき（八ツ頭イモ）の茎を甘酢に漬けた保存食。鮮やかな赤色が特徴。

たけふ菊人形 / 越前市
昭和27年より開催されている歴史ある菊人形展。2万株以上の菊花で彩られる。

常宮神社 / 敦賀市
神功皇后がこの地で腹帯をつけたため安産したという伝説から、安産の神様。

福井県 の 食

耕地面積(田畑計)
4万100ha
(第34位)

コメの作付面積(水稲延べ)
2万5,100ha
(第22位)

コメの収穫量(水稲)
13万500t
(第22位)

肉用牛(飼育頭数)
2,310頭
(第45位)

養豚(飼育頭数)
2,440頭
(第46位)

ブロイラー(飼育頭数)
7万6,000羽
(第36位)

漁獲量・天然(海面漁業)
1万1,317t
(第32位)

漁獲量・養殖(海面養殖)
263t
(第33位)

食料自給率(カロリーベース)
66%
(第15位)

エンゲル係数*
26.7
(第12位)

食費*(年間支出)
99万85円
(第10位)

牛乳・乳製品*(年間支出)
3万4,576円
(第30位)
- 粉ミルク 1,502円 (第3位)

調味料*(年間支出)
3万7,172円
(第33位)
- ケチャップ 778円 (第2位)
- ふりかけ 2,172円 (第3位)

生鮮野菜*(年間支出)
7万844円
(第18位)
- じゃがいも 3,005円 (第1位)
- さといも 2,111円 (第2位)
- トマト 9,579円 (第5位)

生鮮果物*(年間支出)
3万7,815円
(第26位)
- メロン 1,977円 (第4位)

外食*(年間支出)
16万2,206円
(第20位)
- 焼肉 1万2,851円 (第1位)
- すし(外食) 2万3,537円 (第2位)
- 日本そば・うどん 9,611円 (第3位)

調理食品*(年間支出)
14万8,351円
(第4位)
- コロッケ 3,210円 (第1位)
- カツレツ 4,890円 (第1位)
- 天ぷら・フライ 1万7,743円 (第1位)

生産

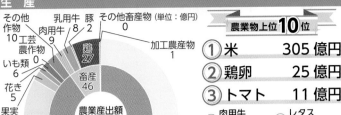

その他作物 10
工芸農作物 0
いも類 6
花き 5
果実 10
野菜 87
乳用牛 9
肉用牛 9
豚 8
その他畜産物 0 （単位：億円）
鶏 27
畜産 46
コメ 305
耕種 423
加工農産物 1

農業産出額 470 億円（2019 年）

農業物上位 **10** 位		
① 米	305 億円	
② 鶏卵	25 億円	
③ トマト	11 億円	
④ 肉用牛	9 億円	⑧ レタス 6 億円
⑤ さといも	8 億円	⑨ なす 5 億円
⑥ ねぎ	7 億円	⑩ すいか 5 億円
⑦ 生乳	7 億円	

消費（1世帯当たりの年間支出金額）

鮮魚
3 万 7,387 円（24 位）

ブリ	4,565 円
サケ	4,433 円
カニ	3,273 円
エビ	2,352 円
イカ	2,265 円

飲料
5 万 567 円（40 位）

果実・野菜ジュース	7,892 円
茶飲料	7,109 円
コーヒー飲料	5,909 円
コーヒー	5,685 円
炭酸飲料	5,000 円

酒類
3 万 6,478 円（32 位）

ビール	1 万 730 円
発泡酒等	6,892 円
清酒	6,214 円
焼酎	4,359 円
カクテル等	4,118 円

菓子
8 万 7,429 円（22 位）

アイスクリーム	9,355 円
せんべい	8,095 円
チョコレート	6,805 円
ケーキ	6,164 円
スナック菓子	4,647 円

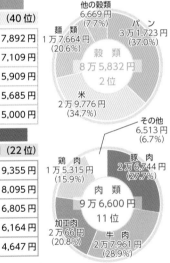

他の穀類 6,669 円（7.7%）
麺類 1 万 7,664 円（20.6%）
パン 3 万 1,723 円（37.0%）
米 2 万 9,776 円（34.7%）

穀類 8 万 5,832 円 2 位

その他 6,513 円（6.7%）
鶏肉 1 万 5,315 円（15.9%）
豚肉 2 万 6,744 円（27.7%）
加工肉 2 万 66 円（20.8%）
牛肉 2 万 7,961 円（28.9%）

肉類 9 万 6,600 円 11 位

食品産業

（カ所）事業所数　（億円）出荷額

	2013年	2014年	2015年	2016年	2017年
事業所数	229	221	237	211	198
出荷額	574	566	606	615	623

注：従業者4人以上の事業所に関する統計表。

飲食料小売額	2,388 億円	45
百貨店・総合スーパー	13 店	35
飲食料小売店数	2,102 店	41
コンビニ数	301 店	42
ドラッグストア数	86 店	42

□は全国順位

121

Data で見る 福井県

※福井市の1世帯当たりの年間支出金額

快適度

人口密度 /km²	185 人	31
物価格差	99.4	14
県民所得 / 人	315.7 万円	8
犯罪認知件数 / 千人	4.05 件	34
旅行に行く人の割合	51.3%	9
医師数 /10 万人	252.6 人	23

■は全国順位

人口密度 / 物価格差 / 県民所得 / 犯罪件数 / 旅行 / 医師数

※グラフの外側がより高い快適度

行動ウエート

趣味 / 寝る / 仕事・勉強 / 学ぶ / スポーツ / 食べる

※グラフの外側がより高いウエート

趣味・娯楽の時間	174 分	33
睡眠時間	468 分	10
仕事・学業をする時間	421 分	10
学習や自己啓発をする時間	128 分	21
スポーツをする時間	124 分	9
食事をする時間	100 分	27

■は全国順位

人口

- 人口
  78 万 6,503 人（43 位）
- 人口増減数
  − 4,255 人（9 位）
- 出生率
  7.6 人／千人（12 位）
- 死亡率 12.1 人／千人（25 位）
- 外国人の割合 1.96%（17 位）

家庭*

- 世帯主年齢 60.1 歳（17 位）
- 子ども（18 歳未満）の人員
  0.61 人（20 位）
- 高齢者（65 歳以上）の人員
  0.91 人（6 位）
- 持ち家率 87.0%（13 位）
- 平均畳数 26.1 帖（12 位）

世帯

- 世帯数
  29 万 5,136 世帯（45 位）
- 平均人員　2.66 人（1 位）
- 核家族世帯率 52.7%
  （40 位）
- 単身者世帯率 26.4%
  （43 位）
- 高齢者世帯率 11.4%
  （32 位）

家計*

- 貯蓄額 1,480 万円（34 位）
- 負債総額 416 万円（39 位）
- 消費支出 343 万 9,637 円
  （28 位）
- 家賃 8 万 8,888 円（28 位）
- 水道光熱費 30 万 7,672 円
  （9 位）

消費*

- 衣類・履物費 11 万 5,847 円
  （38 位）
- 保健医療費 15 万 1,309 円
  （34 位）
- 教育費
  13 万 2,472 円（20 位）
- 自動車関連費
  31 万 3,769 円（20 位）
- 通信費 17 万 251 円（16 位）

外国人旅行者

宿泊者数の推移

（千人泊）延べ宿泊者数　外国人延べ宿泊者数
10,000 / 8,000 / 6,000 / 4,000 / 2,000 / 0
4,057
76
2012 年 2013 年 2014 年 2015 年 2016 年 2017 年 2018 年

宿泊者上位 5 カ国

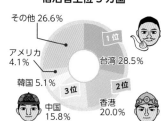

その他 26.6%
アメリカ 4.1%
韓国 5.1%
中国 15.8%
台湾 28.5% 1位
香港 20.0% 2位
3位

身長 171.7cm（1 位）
体重 64.0kg（6 位）
初婚年齢 30.5 歳（13 位）
寿命 81.27 年（6 位）

婚姻率 4.3 人／千人（21 位）

離婚率 1.42 人／千人（41 位）

身長 158.6cm（2 位）
体重 54.4kg（2 位）
初婚年齢 28.9 歳（9 位）
寿命 87.54 年（5 位）

気候

最高気温 35℃以上の日数	12 日	全国で 14 位
平均気温	15.6℃	全国で 34 位
日照時間	1,777 時間	全国で 44 位
降水量	1,852 mm	全国で 14 位
平均相対湿度	75.7%	全国で 5 位

（福井管区気象台 2019 年）

最低気温 -2.0℃／最高気温 37.3℃

産業

- 総事業所数 4 万 1,644（42 位）
- 小売事業所数 7,957（42 位）
- 卸売事業所数 2,586（40 位）
- 上場企業数 14（24 位）
- 代表取締役出身者数 1 万 2,828 人（36 位）

経済

- 県内総生産 3 兆 1,007 億円（42 位）
- 企業倒産数 2 件（40 位）
- 有効求人倍率 2.00（1 位）
- 月額給与（男）30.22 万円（26 位）
- 月額給与（女）22.35 万円（30 位）

労働

- 労働時間 180 時間／月（4 位）
- 通勤時間 26 分（29 位）
- 勤続年数 12.3 年（23 位）
- 大卒初任給 19.95 万円（22 位）
- パート時給 1,050 円（26 位）

社会

- 中高年の就職率 40.58%（1 位）
- 失業率 1.40%（46 位）
- 自殺者数 15.9 人／ 10 万人（30 位）
- 生活保護世帯数 3,313 世帯（45 位）
- 少年犯罪数 1.05 人／千人（46 位）

福祉

- 病院数 8.7 施設／ 10 万人（16 位）
- 一般診療所数 74.3 施設／ 10 万人（34 位）
- 児童福祉施設数 53.9 施設／ 10 万人（5 位）
- 老人福祉センター数 5.3 施設／ 10 万人（24 位）
- 図書館数 4.5 施設／ 10 万人（8 位）

教育

- 大学進学率 56.0%（10 位）
- 高卒の割合 22.7%（24 位）
- 学校の I T 化 4.1 人／台（7 位）
- 教科書・参考書費* 3,382 円（14 位）
- 補習教育費* 1 万 8,402円（42位）

交通・通信

- 自動車保有台数 2,101 台／千世帯（2 位）
- ガソリン代* 6 万 7,933 円（28位）
- 交通費* 3 万 2,375 円（46 位）
- 電話代* 16 万 224 円（9 位）
- 交通事故死亡者数 4.01 人／ 10 万人（12 位）

学校

- 保育所数 279 カ所（38 位）
- 幼稚園数 71 カ所（40 位）
- 小学校数 196 校（40 位）
- 高校数 35 校（46 位）
- 大学数 6 校（34 位）

スポーツ

- 野球をする人の割合 6.2%（37 位）
- ゴルフをする人の割合 8.4%（11 位）
- サッカーをする人の割合 5.4%（24 位）
- ラグビー部のある高校 8.6%（44 位）
- 高校陸上部員数の割合 3.7%（26 位）

娯楽

- 博物館数 1.8 施設／ 10 万人（6 位）
- 映画館数 3.5 施設／ 10 万人（9 位）
- 月謝類* 3 万 1,026 円（35 位）
- 書籍雑誌費* 3 万 5,634 円（38 位）
- 海外旅行に行く人の割合 6.3%（13 位）

山梨県

県の
- 木：カエデ
- 花：フジザクラ
- 鳥：ウグイス
- 獣：カモシカ
- 歌：山梨県の歌
- 県民の日：11月20日

山梨県民

忍耐強い

甲州商人
→実利主義で
お金にシビア

**親戚近所の
仲間意識が強い**

おじさん、このアイデアなら…！

…売れる！

すてきね～

凡例
- ━━━ 新幹線
- ─── ＪＲ
- ── 国道
- ── 湖沼・河川湖

山梨県の NO.1 ▶

日照時間	**モモ出荷量**※1	**ブドウ出荷量**※1

図書館数※1※2	**食事をする時間**※3

※1 2018年、※2 人口当たり、※3 2016年

甲斐市

B

北杜市

A

韮崎市

E

南アルプス市

昭和町

中央市

G

富士川町

市川三郷町

H

早川町

身延町

南部町

赤沢宿 / 早川町
日蓮宗総本山の身延山と霊場七面山とを結ぶ参道の宿場として知られる。

ダイヤモンド富士
/ 山中湖村
10月中旬～2月山頂に太陽が重なる瞬間、富士山がダイヤモンドのように輝く。

←富士山お山開き
/ 富士吉田市
7月1日に吉田口登山道入口の北口本宮富士浅間神社でお祓いの儀式が行われる。

←ハイジの村 / 北杜市
アニメ「アルプスの少女ハイジ」の世界を再現。日本一長いバラの回廊は必見。

甲州印伝 / 甲府市
鮮やかな漆で細かな模様をつけた鹿革工芸品。丈夫で使うほどに味わいが増す。

大弐学問祭 / 甲斐市
江戸時代の儒学者で郷土の偉人、山県大弐にあやかり学問成就を願う祭り。

C 甲府市

猿 橋 / 大月市
日本三奇橋の一つ。橋脚を使わず両岸から張り出した四層のはね木で橋を支える。

山梨市
甲州市
丹波山村
小菅村

D
大月市
上野原市

笛吹市
F

西桂町
富士河口湖町
都留市
道志村
鳴沢村
忍野村
J
山中湖村
富士吉田市
I

N

北 岳 / 南アルプス市
富士山に次いで高い山。南アルプス北部の5座と合わせて白峰三山と称される。

G

大塚にんじん収穫祭

大塚にんじん / 市川三郷町
鮮紅色と濃厚な甘みが特徴のニンジン。汁物の具材やジュースに使われる。

F

桃源郷 / 笛吹市
日本一の桃の里では開花時期、辺り一面がピンク色に染まり、まさに桃源郷。

山梨県 の 食

*甲府市の1世帯当たりの年間支出金額

耕地面積(田畑計)
2万3,500ha
(第43位)

コメの作付面積(水稲延べ)
4,890ha
(第43位)

コメの収穫量(水稲)
2万6,500t
(第43位)

肉用牛(飼育頭数)
5,130頭
(第39位)

養豚(飼育頭数)
1万5,800頭
(第40位)

ブロイラー(飼育頭数)
43万1,000羽
(第32位)

漁獲量・天然(海面漁業)
0t
(第一位)

漁獲量・養殖(海面養殖)
0t
(第一位)

食料自給率(カロリーベース)
19%
(第38位)

エンゲル係数*
24.2
(第39位)

食費*(年間支出)
95万1,588円
(第22位)

牛乳・乳製品*(年間支出)
3万5,084円
(第27位)

調味料*(年間支出)
3万6,375円
(第38位)
●乾燥スープ 3,910円 (第4位)

生鮮野菜*(年間支出)
6万5,815円
(第27位)
●きゅうり 4,024円 (第4位)

生鮮果物*(年間支出)
4万5,031円
(第5位)
●ぶどう 1万163円 (第1位)
●桃 3,737円 (第2位)

外食*(年間支出)
17万1,148円
(第13位)
●すし (外食) 2万340円 (第4位)

調理食品*(年間支出)
13万4,610円
(第10位)
●ハンバーグ 1,828円 (第2位)
●カツレツ 2,923円 (第3位)

生産

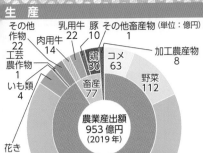

その他作物　2
肉用牛　14
工芸農作物　1
いも類　4
花き　36
乳用牛　22
豚　10
その他畜産物（単位：億円）　1
鶏　30
畜産　77
コメ　63
加工農産物　8
野菜　112
耕種　867
果実　629

農業産出額
953 億円
（2019 年）

農業物上位 **10** 位

①	ぶどう	348 億円
②	もも	198 億円
③	米	63 億円

④ すもも 34 億円	⑧ 生乳 18 億円
⑤ おうとう 24 億円	⑨ トマト 17 億円
⑥ スイートコーン 21 億円	⑩ 鶏卵 16 億円
⑦ 洋ラン類（鉢）20 億円	

消費（1世帯当たりの年間支出金額）

鮮魚
3 万 2,091 円 (41 位)

マグロ	8,656 円
サ ケ	4,505 円
エ ビ	2,390 円
イ カ	1,713 円
タ コ	1,270 円

飲料
5 万 4,253 円 (28 位)

茶飲料	7,718 円
果実・野菜ジュース	6,538 円
コーヒー	5,738 円
炭酸飲料	5,527 円
コーヒー飲料	5,291 円

酒類
4 万 4,587 円 (16 位)

発泡酒等	1 万 1,688 円
ビール	8,376 円
焼 酎	6,692 円
清 酒	5,938 円
ウイスキー	3,796 円

菓子
8 万 7,442 円 (21 位)

アイスクリーム	8,925 円
ケーキ	7,423 円
チョコレート	5,997 円
スナック菓子	5,091 円
せんべい	4,761 円

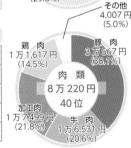

他の穀類　4,135 円（5.6%）
パン　3 万 364 円（41.6%）
麺 類　1 万 6,765 円（23.0%）
穀 類　7 万 3,009 円　31 位
米　2 万 1,745 円（29.8%）

その他　4,007 円（5.0%）
鶏 肉　1 万 1,617 円（14.5%）
豚 肉　3 万 567 円（38.1%）
肉 類　8 万 220 円　40 位
加工肉　1 万 7,499 円（21.8%）
牛 肉　1 万 6,531 円（20.6%）

食品産業

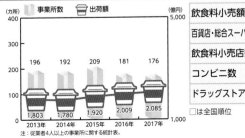

（カ所）事業所数　出荷額（億円）

196	192	209	181	176
1,803	1,780	1,920	2,009	2,085
2013年	2014年	2015年	2016年	2017年

注：従業者4人以上の事業所に関する統計表。

飲食料小売額	2,794 億円	41
百貨店・総合スーパー	10 店	40
飲食料小売店数	2,061 店	44
コンビニ数	363 店	36
ドラッグストア数	103 店	36

□は全国順位

127

Data で見る　山梨県

*甲府市の1世帯当たりの年間支出金額

快適度

人口密度 /km²	183 人	32
物価格差	98.7	24
県民所得 / 人	287.3 万円	26
犯罪認知件数 / 千人	4.88 件	23
旅行に行く人の割合	50.6%	11
医師数 /10 万人	239.2 人	28

■は全国順位

※グラフの外側がより高い快適度

行動ウエート

※グラフの外側がより高いウエート

趣味・娯楽の時間	174 分	33
睡眠時間	464 分	20
仕事・学業をする時間	408 分	34
学習や自己啓発をする時間	112 分	44
スポーツをする時間	117 分	25
食事をする時間	106 分	1

■は全国順位

人口

・人口
　　83 万 2,769 人（41 位）
・人口増減数
　　− 6,054 人（15 位）
・出生率
　　6.9 人／千人（32 位）
・死亡率 12.3 人／千人（22 位）
・外国人の割合 2.02%（16 位）

家庭*

・世帯主年齢 59.6 歳（21 位）
・子ども（18 歳未満）の人員
　　0.49 人（40 位）
・高齢者（65 歳以上）の人員
　　0.84 人（19 位）
・持ち家率 82.4%（28 位）
・平均畳数 21.4 帖（41 位）

世帯

・世帯数
　　36 万 354 世帯（41 位）
・平均人員　2.31 人（19 位）
・核家族世帯率 57.8%
　　（15 位）
・単身世帯率 29.5%
　　（30 位）
・高齢者世帯率 12.5%
　　（21 位）

家計*

・貯蓄額 1,627 万円（28 位）
・負債総額 551 万円（18 位）
・消費支出 358 万 4,465 円
　　（18 位）
・家賃 9 万 1,028 円（27 位）
・水道光熱費 25 万 7,118 円
　　（24 位）

消費*

・衣類・履物費 13 万 5,409 円
　　（13 位）
・保健医療費 15 万 2,714 円
　　（31 位）
・教育費
　　7 万 9,269 円（39 位）
・自動車関連費
　　37 万 916 円（11 位）
・通信費 15 万 5,036 円（34 位）

外国人旅行者

宿泊数数の推移

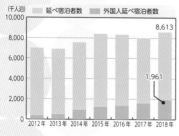

（千人泊）	延べ宿泊者数	外国人延べ宿泊者数

8,613

1,961

2012 年　2013 年　2014 年　2015 年　2016 年　2017 年　2018 年

宿泊者上位 5 カ国

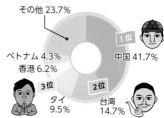

その他 23.7%

ベトナム 4.3%
香港 6.2%

1 位
中国 41.7%

3 位
タイ
9.5%

2 位
台湾
14.7%

身長 170.5cm（23 位）
体重 63.0kg（16 位）
初婚年齢 31.1 歳
　　　　　　（39 位）
寿命 80.85 年（20 位）

婚姻率 4.3 人／千人
（21 位）

1.60 人／千人
（29 位）離婚率

身長 157.8cm（22 位）
体重 53.5kg（11 位）
初婚年齢 29.3 歳
　　　　　　（30 位）
寿命 87.22 年（18 位）

気候

最高気温 35℃以上の日数	19 日	全国で 6 位
平均気温	15.9℃	全国で 30 位
日照時間	2,216 時間	全国で 1 位
降水量	1,168 mm	全国で 40 位
平均相対湿度	62.4%	全国で 46 位

（甲府管区気象台 2019 年）

最低気温 -5.9℃／最高気温 37.6℃

産業

・総事業所数 4 万 2,387（41 位）
・小売事業所数
　　　　　7,678（44 位）
・卸売事業所数
　　　　　2,321（41 位）
・上場企業数 9（31 位）
・代表取締役出身者数
　　1 万 1,897 人（40 位）

経済

・県内総生産
　　3 兆 2,645 億円（41 位）
・企業倒産数 5 件（28 位）
・有効求人倍率 1.40（30 位）
・月額給与（男）31.26 万円
　　　　　　　　　（18 位）
・月額給与（女）22.16 万円
　　　　　　　　　（32 位）

労働

・労働時間 178 時間／月
　　　　　　　　　（30 位）
・通勤時間 27 分（26 位）
・勤続年数 12.3 年
　　　　　　　　　（23 位）
・大卒初任給 20.10 万円
　　　　　　　　　（19 位）
・パート時給 1,063 円
　　　　　　　　　（23 位）

社会

・中高年の就職率 28.77%
　　　　　　　　　（28 位）
・失業率 1.97%（29 位）
・自殺者数 22.3 人／ 10 万人
　　　　　　　　　（1 位）
・生活保護世帯数
　　　5,537 世帯（37 位）
・少年犯罪数 2.19 人／千人
　　　　　　　　　（26 位）

福祉

・病院数 7.3 施設／ 10 万人（23 位）
・一般診療所数
　　85.1 施設／ 10 万人（19 位）
・児童福祉施設数
　　27.3 施設／ 10 万人（22 位）
・老人福祉センター数
　　6.6 施設／ 10 万人（14 位）
・図書館数 6.4 施設／ 10 万人
　　　　　　　　　（1 位）

教育

・大学進学率 55.5%（11 位）
・高卒の割合 16.6%（38 位）
・学校の I T 化
　　　　4.3 人／台（9 位）
・教科書・参考書費*
　　　　870 円（46 位）
・補習教育費*1 万4,604円（44位）

交通・通信

・自動車保有台数
　　1,938 台／千世帯（8 位）
・ガソリン代*7 万9,547円（17位）
・交通費* 3 万 9,529 円（38 位）
・電話代* 14 万2,508円（34 位）
・交通事故死亡者数
　　3.06 人／ 10 万人（28 位）

学校

・保育所数 231 カ所
　　　　　　　　　（42 位）
・幼稚園数 57 カ所
　　　　　　　　　（41 位）
・小学校数 178 校
　　　　　　　　　（44 位）
・高校数 42 校（43 位）
・大学数 7 校（30 位）

スポーツ

・野球をする人の割合 6.3%（36 位）
・ゴルフをする人の割合 5.5%
　　　　　　　　　（40 位）
・サッカーをする人の割合 4.4%
　　　　　　　　　（41 位）
・ラグビー部のある高校
　　　　　　26.2%（12 位）
・高校陸上部員数の割合
　　　　　　4.2%（16 位）

娯楽

・博物館数 2.6 施設／ 10 万人
　　　　　　　　　（3 位）
・映画館数 1.6 施設／ 10 万人
　　　　　　　　　（46 位）
・月謝類* 3 万6,632円（24 位）
・書籍雑誌費* 4 万1,472円
　　　　　　　　　（17 位）
・海外旅行に行く人の割合
　　　　　　3.2%（41 位）

長野県

県の
木：白樺
花：リンドウ
鳥：雷鳥
獣：ニホンカモシカ
歌：信濃の国

長野県民

君は何を言ってるんだ？

健康志向で長生き

議論が好き

冗談が通じないことも

長野県の NO.1 ▶

寿命（女）

調味料支出金額※1

調理パン支出金額※1

セルリー出荷量※2

カーネーション出荷量※2

※1 長野市、※2 2018 年

分杭峠 / 伊那市
日本最大の断層が縦貫。人が幸せになれる場所とされる「ゼロ磁場」が見つかる。

昼神温泉朝市 / 阿智村
南信州最大の温泉郷では毎日朝市が開かれ農林産物や水引細工、菓子などが並ぶ。

小谷村
長野市 B
白馬村
小川村
千曲市 C
坂城町
筑北村
大町市
池田町 生坂村
松川村
安曇野市 E
松本市 F
岡谷市
塩尻市 G
下諏訪
山形村 諏訪市
朝日村
茅野市
木祖村
辰野町 H
南箕輪村 箕輪町
木曽町
伊那市 I
王滝村
上松町 宮田村
駒ケ根市
大桑村 飯島町
中川村
松川町
南木曽町 高森町
豊丘村 大鹿村
喬木村
J 阿智村
飯田市
根羽村
下條村 泰阜村
平谷村 阿南町
売木村 天龍村

大 湯 / 野沢温泉村
13 ある外湯のなかでも野沢温泉のシンボル。薬師三尊を湯まもり仏として奉る。

戸隠神社 / 長野市
天の岩戸開き神話ゆかりの神々を祀る、創建以来 2000 年に及ぶ 5 社から成る神社。

あんずの里 / 千曲市
なだらかな傾斜地にあんず畑が広がり「日本一のあんずの里」とうたわれる。

安楽寺 / 上田市
日本でもっとも古い臨済禅宗寺院の一つで、八角形の三重塔は国内唯一。

奉射祭 / 安曇野市
穂高神社で 500 年続く神事。12 本の矢の的中率によりその年の天候や豊作を占う。

畳 平 / 松本市
標高 2702m の高地。お花畑には遊歩道が整備され、バスターミナルもある。

万治の石仏 / 下諏訪町
1660 年に造られた石仏。岡本太郎が「こんな面白いものの見たことがない」と絶賛。

高過庵・空飛ぶ泥舟 / 諏訪市
高過庵は米国 TIME 紙「世界でもっとも危険な建物 TOP10」に選出された茶室。

飯山市

野沢温泉村
栄村
木島平村
山ノ内町
小布施町
高山村
須坂市
上田市
東御市
軽井沢町
小諸市
御代田町
立科町
佐久市
佐久穂町
小海町
北相木村
茅野市
南相木村
南牧村
原村
川上村
富士見町

N

凡 例
新幹線
J R
国 道
県・府県道

長野県 の 食

※長野市の1世帯当たりの年間支出金額

耕地面積 (田畑計)
10万
6,100ha
(第 14 位)

コメの作付面積 (水稲延べ)
3万
2,000ha
(第 16 位)

コメの収穫量 (水稲)
19万
8,400 t
(第 13 位)

肉用牛 (飼育頭数)
2万
800 頭
(第 27 位)

養豚 (飼育頭数)
6万
4,600 頭
(第 30 位)

ブロイラー (飼育頭数)
68万
1,000 羽
(第 29 位)

漁獲量・天然 (海面漁業)
0 t
(第 一 位)

漁獲量・養殖 (海面養殖)
0 t
(第 一 位)

食料自給率 (カロリーベース)
54%
(第 19 位)

エンゲル係数*
23.7
(第 46 位)

食費* (年間支出)
95万
8,778 円
(第 18 位)

牛乳・乳製品* (年間支出)
3万
6,110 円
(第 24 位)

調味料* (年間支出)
4万
3,137 円
(第 1 位)
- みそ　3,471 円 (第 1 位)
- 砂糖　1,571 円 (第 2 位)
- 食塩　607 円 (第 3 位)

生鮮野菜* (年間支出)
6万
9,704 円
(第 19 位)
- えのきたけ　1,739 円 (第 1 位)
- たけのこ　1,364 円 (第 2 位)

生鮮果物* (年間支出)
4万
3,215 円
(第 9 位)
- りんご　8,000 円 (第 4 位)
- 桃　2,646 円 (第 5 位)

外 食* (年間支出)
16万
5,994 円
(第 18 位)

調理食品* (年間支出)
13万
2,547 円
(第 11 位)
- 調理パン　8,910 円 (第 1 位)

生 産

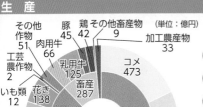

（単位：億円）

その他作物 51
工芸農作物 2
いも類 12
花き 138
肉用牛 66
乳用牛 125
豚 45
鶏 42
その他畜産物 9
加工農産物 33
コメ 473
畜産 287
果実 714
野菜 905
耕種 2,296

農業産出額 2,616 億円（2019 年）

農業物上位 **10** 位		
① 米	473 億円	
② ぶどう	287 億円	
③ りんご	286 億円	
④ レタス 260 億円	⑧ キャベツ 58 億円	
⑤ はくさい 130 億円	⑨ もも 52 億円	
⑥ 生乳 104 億円	⑩ 豚 45 億円	
⑦ 肉用牛 66 億円		

消 費（1 世帯当たりの年間支出金額）

鮮 魚
3 万 7,049 円（26 位）

サケ	5,736 円
マグロ	5,233 円
エビ	2,552 円
イカ	2,120 円
ブリ	2,000 円

飲 料
5 万 3,052 円（35 位）

茶飲料	8,100 円
果実・野菜ジュース	7,984 円
コーヒー	5,572 円
炭酸飲料	4,623 円
コーヒー飲料	4,570 円

酒 類
4 万 7,349 円（10 位）

ビール	1 万 4,648 円
発泡酒等	9,165 円
焼 酎	7,403 円
清 酒	5,546 円
カクテル等	5,068 円

菓 子
8 万 2,177 円（33 位）

アイスクリーム	9,111 円
ケーキ	6,362 円
チョコレート	6,294 円
せんべい	5,496 円
スナック菓子	3,649 円

穀 類 7 万 1,022 円 37 位
パン 2 万 5,803 円（36.3%）
他の穀類 4,892 円（6.9%）
麺 類 1 万 8,720 円（26.4%）
米 2 万 1,607 円（30.4%）
その他 3,117 円（4.2%）

肉 類 7 万 3,869 円 43 位
豚 肉 2 万 9,410 円（39.8%）
鶏 肉 1 万 2,113 円（16.4%）
牛 肉 1 万 2,479 円（16.9%）
加工肉 1 万 6,750 円（22.7%）

食品産業

（カ所）事業所数　出荷額（億円）

686	668	708	639	621
4,896	4,933	5,485	5,796	5,646
2013年	2014年	2015年	2016年	2017年

注：従業者4人以上の事業所に関する統計表。

飲食料小売額	6,007 億円	19
百貨店・総合スーパー	27 店	17
飲食料小売店数	4,523 店	17
コンビニ数	770 店	15
ドラッグストア数	248 店	17

□は全国順位

Data で見る 長野県

※長野市の1世帯当たりの年間支出金額

人口密度 /km	152 人	38
物価格差	97.1	42
県民所得 / 人	288.2 万円	25
犯罪認知件数 / 千人	4.12 件	33
旅行に行く人の割合	54.5%	4
医師数 /10 万人	233.1 人	31

■は全国順位

※グラフの外側がより高い快適度

行動ウエート

※グラフの外側がより高いウエート

趣味・娯楽の時間	162 分	38
睡眠時間	467 分	13
仕事・学業をする時間	398 分	46
学習や自己啓発をする時間	122 分	34
スポーツをする時間	120 分	25
食事をする時間	105 分	4

■は全国順位

人 口

- 人口
  210 万 1,891 人（16 位）
- 人口増減数
  − 1 万 2,249 人（34 位）
- 出生率
  7.0 人／千人（27 位）
- 死亡率 12.5 人／千人（20 位）
- 外国人の割合 1.83%（20 位）

家 庭*

- 世帯主年齢 62.3 歳（3 位）
- 子ども（18 歳未満）の人員
  0.39 人（46 位）
- 高齢者（65 歳以上）の人員
  0.95 人（4 位）
- 持ち家率 83.6%（21 位）
- 平均畳数 30.0 帖（4 位）

世 帯

- 世帯数
  87 万 2,084 世帯（16 位）
- 平均人員　2.41 人（9 位）
- 核家族世帯率 57.0%
  （21 位）
- 単身者世帯率 27.9%
  （40 位）
- 高齢者世帯率 13.2%
  （12 位）

家 計*

- 貯蓄額 1,842 万円（17 位）
- 負債総額 574 万円（13 位）
- 消費支出 378 万 208 円
  （4 位）
- 家賃 10 万 4,646 円（22 位）
- 水道光熱費 29 万 1,840 円
  （11 位）

消 費*

- 衣類・履物費 13 万 2,134 円
  （19 位）
- 保健医療費 17 万 3,376 円
  （12 位）
- 教育費
  7 万 7,946 円（41 位）
- 自動車関連費
  34 万 6,948 円（12 位）
- 通信費 15 万 9,219 円（29 位）

外国人旅行者

宿泊者数の推移

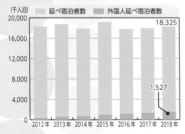

（千人泊）　延べ宿泊者数　　外国人延べ宿泊者数

18,325

1,527

2012年 2013年 2014年 2015年 2016年 2017年 2018年

宿泊者上位 5 カ国

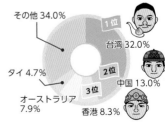

その他 34.0%

タイ 4.7%

オーストラリア 7.9%

台湾 32.0%　1位

中国 13.0%　2位

香港 8.3%　3位

身長 170.3cm （31 位）
体重 61.9kg （42 位）
初婚年齢 31.3 歳
（42 位）
寿命 81.75 年 （2 位）

気 候

最高気温 35℃以上の日数	10 日	全国で 20 位
平均気温	12.9℃	全国で 42 位
日照時間	1,977 時間	全国で 26 位
降水量	1,006 mm	全国で 44 位
平均相対湿度	73.8%	全国で 11 位

（長野管区気象台 2019 年）

最低気温 -9.5℃／最高気温 36.5℃

4.3 人／千人
（21 位）婚姻率

1.50 人／千人
（37 位）離婚率

身長 157.5cm （30 位）
体重 52.4kg （38 位）
初婚年齢 29.4 歳
（36 位）
寿命 87.675 年 （1 位）

産 業

・総事業所数 10 万 6,030（15 位）
・小売事業所数
　1 万 8,834 （15 位）
・卸売事業所数
　5,945 （17 位）
・上場企業数 34 （14 位）
・代表取締役出身者数
　2 万 3,910 人 （14 位）

経 済

・県内総生産
　8 兆 249 億円 （18 位）
・企業倒産数 10 件 （13 位）
・有効求人倍率 1.69 （15 位）
・月額給与（男）30.57 万円
　（24 位）
・月額給与（女）22.54 万円
　（27 位）

労 働

・労働時間 179 時間／月
　（14 位）
・通勤時間 26 分 （29 位）
・勤続年数 12.3 年
　（23 位）
・大卒初任給 19.82 万円
　（23 位）
・パート時給 1,055 円
　（24 位）

社 会

・中高年の就職率 30.35%
　（26 位）
・失業率 1.91% （35 位）
・自殺者数 17.3 人／ 10 万人
　（19 位）
・生活保護世帯数
　6,283 世帯 （32 位）
・少年犯罪数 1.79 人／千人
　（34 位）

福 祉

・病院数 6.2 施設／ 10 万人（31 位）
・一般診療所数
　76.3 施設／ 10 万人 （31 位）
・児童福祉施設数
　42.9 施設／ 10 万人 （17 位）
・老人福祉センター数
　6.8 施設／ 10 万人 （10 位）
・図書館数 6.1 施設／ 10 万人
　（2 位）

教 育

・大学進学率 47.6% （30 位）
・高卒の割合 19.0% （32 位）
・学校の I T 化
　5.4 人／台 （32 位）
・教科書・参考書費*
　1,610 円 （40 位）
・補習教育費 1 万 9,556 円（39位）

交通・通信

・自動車保有台数
　1,969 台／千世帯 （4 位）
・ガソリン代* 9 万 2,634 円（4位）
・交通費* 6 万 7,738 円 （12 位）
・電話代* 14 万 1,481 円（35位）
・交通事故死亡者数
　3.15 人／ 10 万人 （25 位）

学 校

・保育所数 570 カ所
　（15 位）
・幼稚園数 95 カ所
　（31 位）
・小学校数 371 校
　（20 位）
・高校数 100 校
　（16 位）
・大学数 10 校 （20 位）

スポーツ

・野球をする人の割合 6.5%（32 位）
・ゴルフをする人の割合 7.4%
　（21 位）
・サッカーをする人の割合 4.5%
　（38 位）
・ラグビー部のある高校
　9.0% （43 位）
・高校陸上部員数の割合
　3.1% （40 位）

娯 楽

・博物館数 3.9 施設／ 10 万人
　（1 位）
・映画館数 3.5 施設／ 10 万人
　（8 位）
・月謝類* 2 万 2,077 円（44位）
・書籍雑誌費* 4 万 4,865 円
　（7 位）
・海外旅行に行く人の割合
　5.0% （19 位）

早わかり

2020

都道府県 Data Book

話のネタ帳

中部

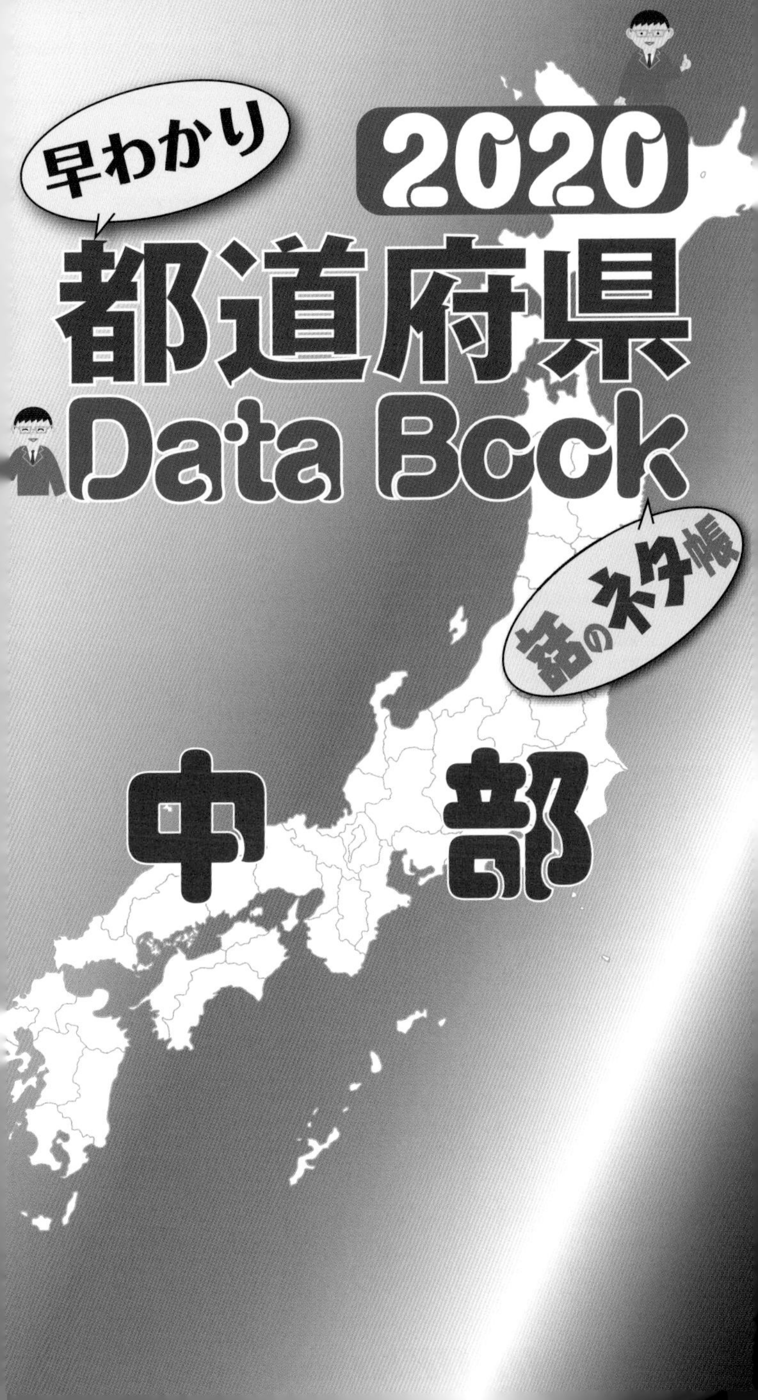

岐阜県

県の	
木：イチイ	魚：アユ
花：レンゲソウ	歌：岐阜県民の歌
鳥：ライチョウ	

岐阜県民

- 輪中根性
  →同族のつながり
  が強い
- 目立ち
  たがらない
- 素朴で温厚も
  閉鎖的

関ヶ原合戦祭り / 関ヶ原町
関ヶ原の戦いにちなみ、鉄砲隊演武や合戦を再現した劇など迫力あるイベント。

岐阜県の NO.1 ▶

- 日最高気温
  35℃以上日数
- カモミール
  生産量[1]
- 木製机・いす
  出荷額[1]
- 陶磁器製飲食
  器出荷額[1]
- モザイクタイル
  出荷額[1]

[1] 2018年

千代保稲荷神社 / 海津市
日本三大稲荷の一つ。毎月末の「月越参り」では、夜通し多くの参拝者が訪れる。

水まん氷 / 大垣市
かき氷と大垣市名物水まんじゅうのコラボ。次世代の氷菓子として話題。

白川村

郡上市

揖斐川町

本巣市

山県市

美濃市

七宗町

川辺町

関市

富加町

大野町

神戸町
池田町

岐阜市

北方町

穂積市

垂井町

大垣市

坂祝町

岐南町
美濃加茂市

関ヶ原町

羽島市

笠松町

可児市

大垣市

養老町

安八町

各務原市

海津市

輪之内町

高山陣屋 / 高山市
江戸時代の役所。今では主な建物が残る日本で最後の代官所となっている。

筋骨めぐり / 下呂市
複雑に絡み合った細い小さな路地（筋骨）を筋骨ガイドとともに探検。

上ヶ流茶園 / 揖斐川町
天空の遊歩道から見える山頂の茶畑は絶景。「岐阜のマチュピチュ」とも称される。

五平餅 / 中津川市
中部地方山間部に伝わる。つぶしたご飯を串に巻きタレをつけて焼いたもの。

飛騨市

高山市 **A**

下呂市 **B**

凡　例
――― 新幹線
――・― Ｊ　Ｒ
――― 国　道
＝＝＝ 高速道路

東白川村　中津川市 **D**
白川町
八百津町　恵那市
瑞浪市 **H**
御嵩町
土岐市

多治見市 **G**

美濃まつり / 美濃市
明治より始まる。桜色に染めた美濃和紙を取り付けた豪華な花みこしが目を引く。

関市の株杉 / 関市
複雑に分かれた幹が特徴の「株杉」が多く自生する、日本で珍しい奇妙な森。

多治見市モザイクタイルミュージアム / 多治見市
カラフルなモザイクタイルの展示や体験工房。

世界一の美濃焼こま犬 / 瑞浪市
高さ約3.3 m、総重量15 t、ギネス認定の美濃焼こま犬。

岐阜県 の 食

耕地面積(田畑計)
5万
5,700ha
(第25位)

コメの作付面積(水稲延べ)
2万
2,500ha
(第26位)

コメの収穫量(水稲)
10万
8,500 t
(第25位)

肉用牛(飼育頭数)
3万
1,300頭
(第21位)

養豚(飼育頭数)
9万
9,800頭
(第24位)

ブロイラー(飼育頭数)
99万
3,000羽
(第22位)

漁獲量・天然(海面漁業)
0 t
(第一位)

漁獲量・養殖(海面養殖)
0 t
(第一位)

食料自給率
(カロリーベース)
25%
(第35位)

エンゲル係数*
25.6
(第21位)

食費*(年間支出)
93万
3,310円
(第30位)

牛乳・乳製品*(年間支出)
3万
4,536円
(第31位)

調味料*(年間支出)
3万
8,273円
(第21位)
●酢　1,250円 (第4位)

生鮮野菜*(年間支出)
6万
2,235円
(第33位)

生鮮果物*(年間支出)
3万
4,399円
(第36位)
●柿　1,614円 (第2位)

外食*(年間支出)
18万
3,381円
(第6位)
●喫茶代
　1万3,612円 (第2位)
●焼肉
　1万1,781円 (第3位)
●ハンバーガー
　1万1,781円 (第3位)

調理食品*(年間支出)
11万
4,805円
(第37位)

生産

（単位：億円）

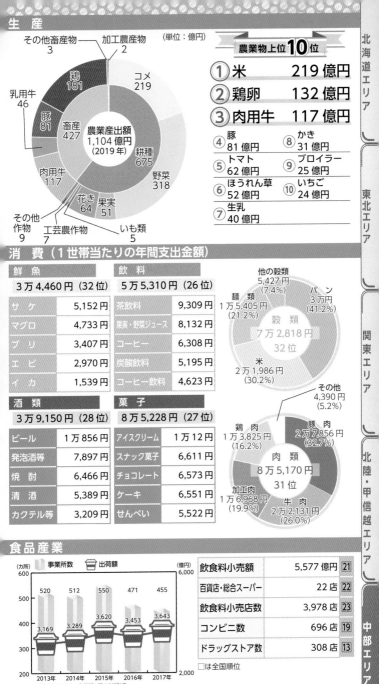

その他畜産物 3
加工農産物 2
鶏 181
乳用牛 46
豚 81
畜産 427
肉用牛 117
花き 64
その他作物 9
工芸農作物 7
いも類 5
果実 51
野菜 318
耕種 675
コメ 219

農業産出額 1,104億円（2019年）

農業物上位10位

①	米	219億円
②	鶏卵	132億円
③	肉用牛	117億円

④	豚 81億円	⑧	かき 31億円
⑤	トマト 62億円	⑨	ブロイラー 25億円
⑥	ほうれん草 52億円	⑩	いちご 24億円
⑦	生乳 40億円		

消費（1世帯当たりの年間支出金額）

鮮魚
3万4,460円（32位）

サケ	5,152円
マグロ	4,733円
ブリ	3,407円
エビ	2,970円
イカ	1,539円

飲料
5万5,310円（26位）

茶飲料	9,309円
果実・野菜ジュース	8,132円
コーヒー	6,308円
炭酸飲料	5,195円
コーヒー飲料	4,623円

酒類
3万9,150円（28位）

ビール	1万856円
発泡酒等	7,897円
焼酎	6,466円
清酒	5,389円
カクテル等	3,209円

菓子
8万5,228円（27位）

アイスクリーム	1万12円
スナック菓子	6,611円
チョコレート	6,573円
ケーキ	6,551円
せんべい	5,522円

穀類 7万2,818円 32位

- 他の穀類 5,427円（7.4%）
- パン 3万円（41.2%）
- 麺類 1万5,405円（21.2%）
- 米 2万1,986円（30.2%）

肉類 8万5,170円 31位

- その他 4,390円（5.2%）
- 豚肉 2万7,856円（32.7%）
- 鶏肉 1万3,825円（16.2%）
- 牛肉 2万2,131円（26.0%）
- 加工肉 1万6,968円（19.9%）

食品産業

	事業所数	出荷額		
2013年	3,169	520		
2014年	3,289	512		
2015年	3,620	550		
2016年	3,453	471		
2017年	3,643	455		

（カ所）事業所数／（億円）出荷額

注：従業者4人以上の事業所に関する統計表。

飲食料小売額	5,577億円	21
百貨店・総合スーパー	22店	22
飲食料小売店数	3,978店	23
コンビニ数	696店	19
ドラッグストア数	308店	13

□は全国順位

Data で見る 岐阜県

※岐阜市の1世帯当たりの年間支出金額

快適度

項目	値	全国順位
人口密度 /km	188 人	30
物価格差	97.4	39
県民所得 / 人	280.3 万円	28
犯罪認知件数 / 千人	6.44 件	9
旅行に行く人の割合	50.9%	10
医師数 /10 万人	215.1 人	37

■は全国順位

※グラフの外側がより高い快適度

行動ウエート

項目	値	全国順位
趣味・娯楽の時間	172 分	38
睡眠時間	462 分	25
仕事・学業をする時間	414 分	23
学習や自己啓発をする時間	128 分	21
スポーツをする時間	117 分	25
食事をする時間	98 分	41

※グラフの外側がより高いウエート

■は全国順位

人口

- 人口
  204 万 4,114 人 (17 位)
- 人口増減数
  -1 万 235 人 (31 位)
- 出生率
  7.0 人／千人 (27 位)
- 死亡率 11.8 人／千人 (29 位)
- 外国人の割合 2.88% (5 位)

家庭*

- 世帯主年齢 58.7 歳 (27 位)
- 子ども (18 歳未満) の人員
  0.62 人 (17 位)
- 高齢者 (65 歳以上) の人員
  0.80 人 (26 位)
- 持ち家率 87.5% (12 位)
- 平均畳数 24.8 帖 (21 位)

世帯

- 世帯数
  82 万 4,383 世帯 (20 位)
- 平均人員　2.48 人 (6 位)
- 核家族世帯率 58.1%
  (13 位)
- 単身者世帯率 25.8%
  (45 位)
- 高齢者世帯率 13.0%
  (13 位)

家計*

- 貯蓄額 1,865 万円 (16 位)
- 負債総額 422 万円 (38 位)
- 消費支出 344 万 7,158 円 (26 位)
- 家賃 6 万 3,120 円 (40 位)
- 水道光熱費 26 万 7,242 円 (19 位)

消費*

- 衣類・履物費 12 万 2,276 円 (33 位)
- 保健医療費 16 万 427 円 (24 位)
- 教育費
  17 万 5,193 円 (8 位)
- 自動車関連費
  33 万 1,810 円 (15 位)
- 通信費 16 万 6,598 円 (21 位)

外国人旅行者

宿泊者数の推移

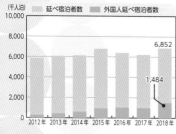

(千人泊)　延べ宿泊者数　外国人延べ宿泊者数

6,852

1,484

2012年 2013年 2014年 2015年 2016年 2017年 2018年

宿泊者上位 5 カ国

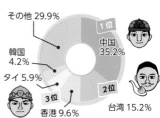

その他 29.9%
韓国 4.2%
タイ 5.9%
3位 香港 9.6%
1位 中国 35.2%
2位 台湾 15.2%

身長 170.8㎝ （14 位）
体重 62.3kg （31 位）
初婚年齢 30.9 歳 （28 位）
寿命 81.00 年 （14 位）

4.0 人／千人 （35 位） 婚姻率

1.47 人／千人 （40 位） 離婚率

身長 157.5㎝ （30 位）
体重 52.2kg （43 位）
初婚年齢 28.9 歳 （9 位）
寿命 86.82 年 （34 位）

気候

最高気温 35℃以上の日数	24 日	全国で 1 位
平均気温	12.9℃	全国で 42 位
日照時間	2,196 時間	全国で 3 位
降水量	1,798 ㎜	全国で 15 位
平均相対湿度	62.7%	全国で 45 位

（岐阜管区気象台 2019 年）

最低気温 -2.0℃／最高気温 38.5℃

産 業

- 総事業所数 9 万 8,527 （16 位）
- 小売事業所数 1 万 8,100 （17 位）
- 卸売事業所数 6,032 （16 位）
- 上場企業数 30 （15 位）
- 代表取締役出身者数 1 万 9,868 人（18 位）

経 済

- 県内総生産 7 兆 3,396 億円 （22 位）
- 企業倒産数 10 件 （13 位）
- 有効求人倍率 1.93 （2 位）
- 月額給与（男）32.29 万円 （15 位）
- 月額給与（女）22.95 万円 （23 位）

労 働

- 労働時間 180 時間／月 （4 位）
- 通勤時間 30 分 （14 位）
- 勤続年数 12.6 年 （14 位）
- 大卒初任給 20.04 万円 （19 位）
- パート時給 1,080 円 （19 位）

社 会

- 中高年の就職率 31.40% （22 位）
- 失業率 1.47% （45 位）
- 自殺者数 17.2 人／ 10 万人 （20 位）
- 生活保護世帯数 4,272 世帯 （42 位）
- 少年犯罪数 1.84 人／千人 （32 位）

福 祉

- 病院数 5.0 施設／ 10 万人（40 位）
- 一般診療所数 79.6 施設／ 10 万人（26 位）
- 児童福祉施設数 30.1 施設／ 10 万人（37 位）
- 老人福祉センター数 6.4 施設／ 10 万人（19 位）
- 図書館数 3.5 施設／ 10 万人 （17 位）

教 育

- 大学進学率 55.3% （12 位）
- 高卒の割合 23.9% （15 位）
- 学校の I T 化 4.7 人／台 （17 位）
- 教科書・参考書費* 2,818 円 （21 位）
- 補習教育費 4 万 9,993 円（5 位）

交通・通信

- 自動車保有台数 1,960 台／千世帯 （5 位）
- ガソリン代* 8 万 5,033 円（10 位）
- 交通費* 5 万 5,726 円 （20 位）
- 電話代* 15 万 3,571 円（17 位）
- 交通事故死亡者数 4.21 人／ 10 万人 （5 位）

学 校

- 保育所数 418 カ所 （27 位）
- 幼稚園数 167 カ所 （21 位）
- 小学校数 370 校 （21 位）
- 高校数 81 校 （20 位）
- 大学数 13 校 （16 位）

スポーツ

- 野球をする人の割合 8.0% （7 位）
- ゴルフをする人の割合 6.8% （26 位）
- サッカーをする人の割合 6.0% （12 位）
- ラグビー部のある高校 19.8%（25 位）
- 高校陸上部員数の割合 3.9% （24 位）

娯 楽

- 博物館数 0.8 施設／ 10 万人 （31 位）
- 映画館数 2.8 施設／ 10 万人 （23 位）
- 月謝類* 3 万 6,877 円（23 位）
- 書籍雑誌費* 4 万 1,462 円 （18 位）
- 海外旅行に行く人の割合 6.2% （14 位）

静岡県

県の

木：キンモクセイ
花：ツツジ
鳥：サンコウチョウ
歌：静岡県歌

愛唱歌：
しずおか賛歌
〜富士よ夢よ友よ
県民の日：
8月21日

見付天神裸
／磐田市
993年に始まったとさる矢奈比賣社の例祭。みの姿の男の鬼踊りが名。

静岡県民

日本の平均値

おおらかで
ほどほど

商品

やらまいか
→遠州の
チャレンジ精神

静岡県の NO.1 ▶

サラダ（惣菜）
支出金額※1

中華食
支出金額※1

おにぎり等
支出金額※1

ガーベラ
出荷量※2

加工農産物
出荷額※2

※1静岡市、※2 2018年

アカウミガメ孵化場
／御前崎市
アカウミガメ産卵指定地域。7月下旬産卵観察会を開催。

N

川根本町

静岡市
A

浜松市

島田市

藤枝市

森町

掛川市

袋井市　**H**

菊川市

牧之原市

吉田町

焼津市

湖西市

浜名湖

I 磐田市

J 御前崎市

大道芸ワールドカップ
／静岡市
アジアを代表する質の高い
パフォーミング大会。

朝霧高原／富士宮市
富士山の麓に広がり、間近
で富士山を見られる。あち
こちにのどかな牛の姿。

三島スカイウォーク
／三島市
全長400mの日本一長い歩
行者専用吊橋。富士山や駿
河湾など橋の上から一望。

かんなみ仏の里美術館
／函南町
秘蔵の仏像群が鑑賞できる
国内唯一の仏像美術館。

韮山反射炉／伊豆の国市
明治日本の産業革命遺産の
一つ。実際に稼働した反射
炉として国内で唯一現存。

イズシカ丼／伊豆市
低温熟成された鹿肉に地元
食材と合わせた丼。カツ丼
や天丼など種類も豊富。

凡　例
- - - 新幹線
- - - JR
― 国道
有料道路

松川タライ乗り競争
／伊東市
大きなタライに乗って競う
川下り。国際部門もあり、
仮装で参加する選手も登場。

掛川城／掛川市
かつては山内一豊の居城。
後に日本初の本格木造天守
閣として復元された。

地図：小山町、御殿場市、富士宮市、裾野市、富士市、三島市、熱海市、沼津市、長泉町、清水町、函南町、伊豆の国市、伊豆市、伊東市、東伊豆町、西伊豆町、河津町、松崎町、下田市、南伊豆町

145

静岡県 の 食

＊静岡市の1世帯当たりの年間支出金額

耕地面積(田畑計)
6万
4,100ha
(第 22 位)

コメの作付面積(水稲延べ)

1万
5,700ha
(第 32 位)

コメの収穫量(水稲)

8万
1,200 t
(第 30 位)

肉用牛(飼育頭数)
1万
9,300 頭
(第 30 位)

養豚(飼育頭数)

10万
9,100 頭
(第 23 位)

ブロイラー(飼育頭数)
116万
4,000 羽
(第 20 位)

漁獲量・天然(海面漁業)

19万
5,419 t
(第 4 位)

漁獲量・養殖(海面養殖)

2,440 t
(第 24 位)

食料自給率
(カロリーベース)
16%
(第 39 位)

エンゲル係数*
27.6
(第 5 位)

食費*(年間支出)
99万
8,560 円
(第 9 位)

牛乳・乳製品*(年間支出)
3万
9,432 円
(第 12 位)
●ヨーグルト 1万5,957円 (第3位)
●バター 1,520円 (第5位)

調味料*(年間支出)

3万
9,333 円
(第 19 位)

生鮮野菜*(年間支出)
7万
5,053 円
(第 12 位)
●ねぎ 3,910円 (第1位)
●レタス 3,493円 (第1位)
●れんこん 1,770円 (第1位)

生鮮果物*(年間支出)

3万
7,962 円
(第 25 位)
●みかん 5,040円 (第2位)
●いちご 3,863円 (第5位)

外 食*(年間支出)
15万
8,545 円
(第 24 位)
●中華食 9,049円 (第1位)
●日本そば・うどん 1万 805円 (第2位)

調理食品*(年間支出)
15万
4,273 円
(第 1 位)
●おにぎり等 6,583円 (第1位)
●サラダ 8,546円 (第1位)
●弁当 2万3,931円 (第2位)

生産

（単位：億円）

農業産出額
2,120 億円
（2019 年）

- その他畜産物 33
- 加工農産物 121
- コメ 194
- 鶏 177
- 豚 62
- 乳用牛 113
- 肉用牛 79
- その他作物 26
- 工芸農作物 188
- いも類 29
- 花き 157
- 果実 298
- 畜産 464
- 耕種 1,535
- 野菜 643

農業物上位10位

①	みかん	249 億円
②	米	194 億円
③	茶（生葉）	187 億円

④	鶏卵 127 億円	⑧	肉用牛 79 億円
⑤	荒茶 121 億円	⑨	メロン 68 億円
⑥	いちご 112 億円	⑩	トマト 64 億円
⑦	生乳 97 億円		

消費（1世帯当たりの年間支出金額）

鮮魚

3万9,953円（15位）

マグロ	1万1,713円
サケ	4,380円
エビ	3,066円
カニ	1,950円
イカ	1,862円

飲料

5万7,142円（18位）

緑茶	9,717円
茶飲料	7,924円
果実・野菜ジュース	6,797円
炭酸飲料	4,913円
コーヒー	4,896円

酒類

3万4,947円（37位）

ビール	1万1,413円
清酒	5,457円
発泡酒等	5,392円
焼酎	5,148円
ワイン	3,103円

菓子

9万904円（11位）

アイスクリーム	9,773円
ケーキ	7,123円
せんべい	6,387円
チョコレート	6,384円
スナック菓子	5,823円

穀類
8万3,559円
4位

- 他の穀類 5,662円（6.8%）
- 麺類 1万8,039円（21.6%）
- パン 3万1,704円（37.9%）
- 米 2万8,153円（33.7%）

肉類
8万6,353円
27位

- その他 4,910円（5.7%）
- 鶏肉 1万3,565円（15.7%）
- 豚肉 3万2,390円（37.5%）
- 加工肉 1万8,124円（21.0%）
- 牛肉 1万7,365円（20.1%）

食品産業

（カ所）	事業所数	出荷額	（億円）
1300			15,000
1200			
1100			
1000			
900			10,000

- 2013年：1,251 / 11,118
- 2014年：1,211 / 11,791
- 2015年：1,251 / 12,984
- 2016年：1,149 / 13,079
- 2017年：1,120 / 13,712

注：従業者4人以上の事業所に関する統計表。

飲食料小売額	1兆1,333億円	10
百貨店・総合スーパー	32 店	13
飲食料小売店数	8,326 店	10
コンビニ数	1,327 店	10
ドラッグストア数	408 店	10

□は全国順位

Data で見る 静岡県

※静岡市の1世帯当たりの年間支出金額

快適度

人口密度 /㎢	470 人	13
物価格差	98.5	29
県民所得 / 人	330.0 万円	4
犯罪認知件数 / 千人	4.89 件	22
旅行に行く人の割合	49.0%	14
医師数 /10 万人	210.2 人	40

■は全国順位

人口密度・物価格差・県民所得・犯罪件数・旅行・医師数

※グラフの外側がより高い快適度

行動ウエート

趣味・寝る・仕事・勉強・学ぶ・スポーツ・食べる

※グラフの外側がより高いウエート

趣味・娯楽の時間	178 分	23
睡眠時間	459 分	36
仕事・学業をする時間	411 分	29
学習や自己啓発をする時間	145 分	2
スポーツをする時間	108 分	46
食事をする時間	99 分	36

■は全国順位

人口

- 人口
  372 万 6,537 人 (10 位)
- 人口増減数
  − 1 万 6,478 人 (43 位)
- 出生率
  7.0 人／千人 (27 位)
- 死亡率 11.7 人／千人 (30 位)
- 外国人の割合 2.64% (7 位)

家庭*

- 世帯主年齢 61.0 歳 (9 位)
- 子ども (18 歳未満) の人員
  0.55 人 (29 位)
- 高齢者 (65 歳以上) の人員
  0.89 人 (9 位)
- 持ち家率 89.3% (6 位)
- 平均畳数 23.3 帖 (32 位)

世帯

- 世帯数
  158 万 5,787 世帯 (10 位)
- 平均人員 2.35 人 (16 位)
- 核家族世帯率 56.8%
  (23 位)
- 単身者世帯率 28.5%
  (36 位)
- 高齢者世帯率 11.7%
  (29 位)

家計*

- 貯蓄額 1,914 万円 (14 位)
- 負債総額 546 万円 (19 位)
- 消費支出 336 万 7,251 円
  (31 位)
- 家賃 8 万 7,666 円 (29 位)
- 水道光熱費 27 万 292 円
  (17 位)

消費*

- 衣類・履物費 13 万 1,987 円
  (20 位)
- 保健医療費 16 万 9,649 円
  (15 位)
- 教育費
  10 万 7,031 円 (32 位)
- 自動車関連費
  25 万 9,880 円 (34 位)
- 通信費 16 万 3,621 円 (25 位)

外国人旅行者

宿泊者数の推移

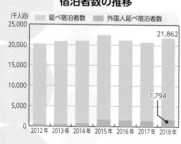

(千人泊)
延べ宿泊者数　外国人延べ宿泊者数
25,000
20,000
15,000
10,000
5,000
0
21,862
1,794
2012年 2013年 2014年 2015年 2016年 2017年 2018年

宿泊者上位 5 カ国

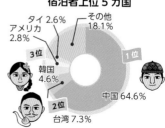

その他 18.1%
タイ 2.6%
アメリカ 2.8%
3位 韓国 4.6%
2位 台湾 7.3%
1位 中国 64.6%

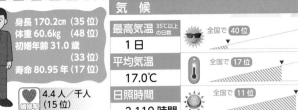

身長 170.2cm（35 位）
体重 60.6kg（48 位）
初婚年齢 31.0 歳（33 位）
寿命 80.95 年（17 位）

4.4 人／千人（15 位） 婚姻率

1.65 人／千人（21 位） 離婚率

身長 158.0cm（12 位）
体重 52.7kg（29 位）
初婚年齢 29.1 歳（17 位）
寿命 87.10 年（24 位）

気 候

最高気温 35℃以上の日数	1 日	全国で 40 位
平均気温	17.0℃	全国で 17 位
日照時間	2,119 時間	全国で 11 位
降水量	2,391 mm	全国で 5 位
平均相対湿度	69.6%	全国で 28 位

（静岡管区気象台 2019 年）

最低気温 -1.3℃／最高気温 35.4℃

産 業
・総事業所数17 万 2,031（10 位）
・小売事業所数
　　3 万 1,999（10 位）
・卸売事業所数
　　1 万 1,073（9 位）
・上場企業数 52（9 位）
・代表取締役出身者数
　　3 万 3,997 人（8 位）

経 済
・県内総生産
　　16 兆 4,217 億円（10 位）
・企業倒産数 12 件（11 位）
・有効求人倍率 1.73（11 位）
・月額給与（男）32.10 万円（16 位）
・月額給与（女）23.42 万円（16 位）

労 働
・労働時間 179 時間／月（14 位）
・通勤時間 29 分（19 位）
・勤続年数 12.7 年（12 位）
・大卒初任給 20.60 万円（7 位）
・パート時給 1,093 円（14 位）

社 会
・中高年の就職率 24.75%（42 位）
・失業率 1.97%（30 位）
・自殺者数 16.5 人／ 10 万人（25 位）
・生活保護世帯数
　　1 万 1,727 世帯（15 位）
・少年犯罪数 1.96 人／千人（28 位）

福 祉
・病院数4.9 施設／ 10 万人（41 位）
・一般診療所数
　　74.3 施設／ 10 万人（34 位）
・児童福祉施設数
　　27.3 施設／ 10 万人（44 位）
・老人福祉センター数
　　3.6 施設／ 10 万人（39 位）
・図書館数 2.6 施設／ 10 万人（34 位）

教 育
・大学進学率 52.0%（22 位）
・高卒の割合 23.0%（16 位）
・学校の I T 化
　　5.5 人／台（34 位）
・教科書・参考書費*
　　3,526 円（11 位）
・補習教育費* 2 万 7,609円（27位）

交通・通信
・自動車保有台数
　　1,762 台／千世帯（22 位）
・ガソリン代* 5 万 4,283円（36位）
・交通費* 6 万 70 円（18 位）
・電話代* 15 万 2,348円（19位）
・交通事故死亡者数
　　2.76 人／ 10 万人（33 位）

学 校
・保育所数 645 カ所（12 位）
・幼稚園数 385 カ所（10 位）
・小学校数 508 校（11 位）
・高校数 138 校（10 位）
・大学数 12 校（18 位）

スポーツ
・野球をする人の割合 6.1%（40 位）
・ゴルフをする人の割合 6.5%（28 位）
・サッカーをする人の割合 4.0%（43 位）
・ラグビー部のある高校
　　9.4%（42 位）
・高校陸上部員数の割合
　　4.5%（7 位）

娯 楽
・博物館数 1.1 施設／ 10 万人（17 位）
・映画館数 2.9 施設／ 10 万人（19 位）
・月謝類* 3 万 6,161 円（26位）
・書籍雑誌費* 4 万 1,249 円（19 位）
・海外旅行に行く人の割合
　　4.8%（22 位）

愛知県

県の 木：ハナノキ　魚：クルマエビ
花：カキツバタ　県民歌：
鳥：コノハズク　　　われらが愛知

愛知県民

名古屋の貯め倒れ
→合理的ケチ

ブランド
大好き

地元志向

抹茶工場 / 西尾市
抹茶の産地として知られ
工場では石臼で抹茶を挽く
工程の見学ができる。

手筒花火 / 豊橋市
豊橋が発祥とされる。節を
抜いた長さ約80cmの孟宗竹
から巨大な火柱を噴出。

大アサリ / 田原市
ウチムラサキのこと。「日本
一の貝の半島」とPRする渥
美半島の特産品。

扶桑町
江南市
犬山市
大口町
稲沢市
一宮市
岩倉市
A 小牧市
春日井市
瀬戸市
北名古屋市
豊山町
尾張旭市
清須市
あま市
長久手市
愛西市
津島市
大治町
B
日進市
みよし市
名古屋市
東郷町
蟹江町
豊明市
飛島村
刈谷市
弥富市
大府市
東海市
C 知立市
安城市
D 知多市
東浦町
高浜市
阿久比町
半田市
E
碧南市
常滑市
H 西尾市
幸田市
武豊町
美浜町
南知多町

愛知県の NO.1 ▶

フキ 出荷量※1	バラ 出荷量※1	観葉植物 出荷量※1

工業製品 出荷額※1	窯業・土石製 品出荷額※1

※1 2018年

間々観音 / 小牧市
間々乳観音とも呼ばれ、おっぱいに関する御利益あり。お乳の寺は日本でここだけ。

日泰寺 / 名古屋市
どの宗派にも属さないという非常に珍しい日本の全仏教徒のための寺院。

知立のからくり / 知立市
江戸時代から始まった山車文楽。山車を舞台として人形浄瑠璃を上演する。

開運大日福だるま大祭 / 知多市
福だるまに健康や家内安全を祈願。お炊き上げは必見。

亀崎潮干祭 / 半田市
神武天皇上陸伝説にちなんだ神前神社祭礼。海浜への山車曳下ろしは見もの。

家康行列 / 岡崎市
三河武士団や姫列が市内を練り歩く。クライマックスには模擬合戦が行われる。

凡例
- - - - 新幹線
———— ＪＲ
———— 国道
———— 謎・解題

豊田市
豊根村
設楽町
東栄町
新城市
岡崎市
豊川市
蒲郡市
豊橋市
田原市

鳳来寺山 / 新城市
703年に仙人により開山されたとされる。"声の仏法僧"コノハズクが棲息する。

※名古屋市の1世帯当りの年間支出金額

耕地面積 (田畑計)
7万4,200ha
（第17位）

コメの作付面積 (水稲延べ)
2万7,500ha
（第20位）

コメの収穫量 (水稲)
13万7,200t
（第20位）

肉用牛 (飼育頭数)
4万700頭
（第17位）

養豚 (飼育頭数)
35万2,700頭
（第9位）

ブロイラー (飼育頭数)
93万5,000羽
（第24位）

漁獲量・天然 (海面漁業)
6万1,727t
（第17位）

漁獲量・養殖 (海面養殖)
1万1,213t
（第21位）

食料自給率 (カロリーベース)
12%
（第42位）

エンゲル係数*
26.4
（第13位）

食費* (年間支出)
97万7,331円
（第14位）

牛乳・乳製品* (年間支出)
3万6,802円
（第19位）

調味料* (年間支出)
3万5,650円
（第41位）

生鮮野菜* (年間支出)
6万6,743円
（第24位）
●ねぎ　3,697円（第5位）

生鮮果物* (年間支出)
3万7,482円
（第28位）
●すいか　1,788円（第2位）

外食* (年間支出)
21万1,024円
（第4位）
●和食　4万358円（第2位）
●洋食　2万135円（第3位）
●喫茶代　1万2,851円（第3位）

調理食品* (年間支出)
12万2,714円
（第25位）
●すし（弁当）　1万5,407円（第4位）

生産

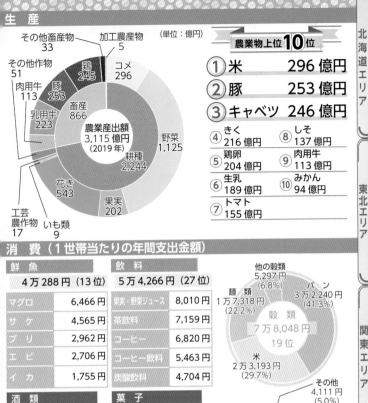

（単位：億円）

その他畜産物 33
加工農産物 5
その他作物 51
鶏 245
コメ 296
肉用牛 113
豚 253
乳用牛 223
畜産 866
農業産出額 3,115 億円（2019 年）
野菜 1,125
耕種 2,244
花き 543
果実 202
工芸農作物 17
いも類 9

農業物上位 10 位

① 米　　　　296 億円
② 豚　　　　253 億円
③ キャベツ　246 億円

④ きく 216 億円
⑤ 鶏卵 204 億円
⑥ 生乳 189 億円
⑦ トマト 155 億円
⑧ しそ 137 億円
⑨ 肉用牛 113 億円
⑩ みかん 94 億円

消費（1世帯当たりの年間支出金額）

鮮魚
4 万 288 円（13 位）

マグロ	6,466 円
サケ	4,565 円
ブリ	2,962 円
エビ	2,706 円
イカ	1,755 円

飲料
5 万 4,266 円（27 位）

果実・野菜ジュース	8,010 円
茶飲料	7,159 円
コーヒー	6,820 円
コーヒー飲料	5,463 円
炭酸飲料	4,704 円

酒類
3 万 9,801 円（26 位）

発泡酒等	1 万 1,365 円
ビール	1 万 180 円
焼酎	5,401 円
清酒	4,853 円
ワイン	3,071 円

菓子
8 万 3,039 円（31 位）

アイスクリーム	9,125 円
ケーキ	6,567 円
チョコレート	5,873 円
せんべい	5,312 円
スナック菓子	4,071 円

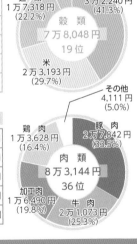

他の穀類 5,297 円（6.8%）
パン 3 万 2,240 円（41.3%）
麺類 1 万 7,318 円（22.2%）
穀類 7 万 8,048 円 19 位
米 2 万 3,193 円（29.7%）

その他 4,111 円（5.0%）
鶏肉 1 万 3,628 円（16.4%）
豚肉 2 万 7,842 円（33.5%）
肉類 8 万 3,144 円 36 位
加工肉 1 万 6,490 円（19.8%）
牛肉 2 万 1,073 円（25.3%）

食品産業

（カ所） 事業所数　出荷額　（億円）
1,290 / 15,468（2013年）
1,255 / 16,048（2014年）
1,271 / 17,001（2015年）
1,194 / 16,407（2016年）
1,160 / 16,514（2017年）

注：従業者4人以上の事業所に関する統計表。

飲食料小売額	2 兆 838 億円	4
百貨店・総合スーパー	93 店	3
飲食料小売店数	1 万 1,437 店	4
コンビニ数	2,655 店	3
ドラッグストア数	970 店	5

□は全国順位

153

Data で見る 愛知県

※名古屋市の1世帯当たりの年間支出金額

快適度

人口密度 /km²	1,457 人	5
物価格差	98.0	37
県民所得 / 人	363.3 万円	2
犯罪認知件数 / 千人	6.63 件	8
旅行に行く人の割合	47.8%	17
医師数 /10 万人	212.9 人	38

■は全国順位

※グラフの外側がより高い快適度

行動ウエート

※グラフの外側がより高いウエート

趣味・娯楽の時間	184 分	12
睡眠時間	456 分	41
仕事・学業をする時間	412 分	28
学習や自己啓発をする時間	126 分	26
スポーツをする時間	115 分	38
食事をする時間	100 分	27

■は全国順位

人口

- 人口
　756 万 5,309 人（4 位）
- 人口増減数
　1 万 3,469 人（4 位）
- 出生率
　8.4 人／千人（2 位）
- 死亡率 9.4 人／千人（43 位）
- 外国人の割合 3.62%（2 位）

家庭*

- 世帯主年齢 59.8 歳（20 位）
- 子ども（18 歳未満）の人員
　0.50 人（38 位）
- 高齢者（65 歳以上）の人員
　0.87 人（14 位）
- 持ち家率 82.5%（27 位）
- 平均畳数 25.4 帖（16 位）

世帯

- 世帯数
　330 万 66 世帯（5 位）
- 平均人員　2.29 人（23 位）
- 核家族世帯率 56.9%
　（22 位）
- 単身者世帯率 33.5%
　（12 位）
- 高齢者世帯率 10.8%
　（40 位）

家計*

- 貯蓄額 1,673 万円（26 位）
- 負債総額 928 万円　（1 位）
- 消費支出 345 万 564 円
　（25 位）
- 家賃 11 万 6,227 円
　（13 位）
- 水道光熱費 25 万 617 円
　（31 位）

消費*

- 衣類・履物費 12 万 6,857 円
　（26 位）
- 保健医療費 15 万 7,015 円
　（26 位）
- 教育費
　14 万 164 円（17 位）
- 自動車関連費
　28 万 3,185 円（27 位）
- 通信費 15 万 3,946 円（36 位）

外国人旅行者

宿泊者数の推移

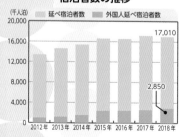

宿泊者上位 5 カ国

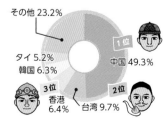

身長 170.5cm（23 位）
体重 61.5kg（47 位）
初婚年齢 30.9 歳
（28 位）
寿命 81.10 年（8 位）

5.3 人／千人（3 位）婚姻率

1.73 人／千人（8 位）離婚率

身長 157.5cm（30 位）
体重 52.3kg（41 位）
初婚年齢 28.9 歳
（9 位）
寿命 86.86 年（32 位）

気 候

最高気温 35℃以上の日数	20 日	全国で 4 位
平均気温	17.8℃	全国で 6 位
日照時間	2,209 時間	全国で 2 位
降水量	1,556 mm	全国で 23 位
平均相対湿度	63.5%	全国で 43 位

（名古屋管区気象台 2019 年）

最低気温 -2.1℃／最高気温 38.0℃

産 業

- 総事業所数 30 万 9,867（3 位）
- 小売事業所数
　5 万 2,056（3 位）
- 卸売事業所数
　2 万 5,054（3 位）
- 上場企業数 221　（3 位）
- 代表取締役出身者数
　5 万 172 人（4 位）

経 済

- 県内総生産
　37 兆 4,842 億円（3 位）
- 企業倒産数 48 件（3 位）
- 有効求人倍率 1.91（3 位）
- 月額給与（男）34.99 万円
　　　　　　　　（4 位）
- 月額給与（女）25.09 万円
　　　　　　　　（7 位）

労 働

- 労働時間 180 時間／月
　　　　　　　　（4 位）
- 通勤時間 35 分（7 位）
- 勤続年数 13.1 年（4 位）
- 大卒初任給 20.72 万円
　　　　　　　　（6 位）
- パート時給 1,148 円
　　　　　　　　（6 位）

社 会

- 中高年の就職率 22.54%
　　　　　　　　（44 位）
- 失業率 1.87%（36 位）
- 自殺者数 14.1 人／ 10 万人
　　　　　　　　（44 位）
- 生活保護世帯数
　1 万 7,285 世帯（11 位）
- 少年犯罪数 2.52 人／千人
　　　　　　　　（19 位）

福 祉

- 病院数 4.3 施設／ 10 万人（45 位）
- 一般診療所数
　71.7 施設／ 10 万人（40 位）
- 児童福祉施設数
　37.5 施設／ 10 万人（22 位）
- 老人福祉センター数
　3.0 施設／ 10 万人（42 位）
- 図書館数 1.3 施設／ 10 万人
　　　　　　　　（46 位）

教 育

- 大学進学率 58.1%（8 位）
- 高卒の割合 19.7%（30 位）
- 学校の I T 化
　7.5 人／台（47 位）
- 教科書・参考書費*
　3,202 円（16 位）
- 補習教育費 3 万 701 円（20 位）

交通・通信

- 自動車保有台数
　1,568 台／千世帯（32 位）
- ガソリン代* 4 万 2,996 円（42 位）
- 交通費* 5 万 612 円（25 位）
- 電話代* 14 万 4,422 円（30 位）
- 交通事故死亡者数
　2.07 人／ 10 万人（42 位）

学 校

- 保育所数 1,438 カ所
　　　　　　　　（4 位）
- 幼稚園数 449 カ所
　　　　　　　　（7 位）
- 小学校数 974 校
　　　　　　　　（4 位）
- 高校数 222 校（5 位）
- 大学数 50 校（3 位）

スポーツ

- 野球をする人の割合 8.1%（6 位）
- ゴルフをする人の割合 9.2%
　　　　　　　　（5 位）
- サッカーをする人の割合 5.8%
　　　　　　　　（18 位）
- ラグビー部のある高校
　25.7%（14 位）
- 高校陸上部員数の割合
　4.1%（17 位）

娯 楽

- 博物館数 0.5 施設／ 10 万人
　　　　　　　　（41 位）
- 映画館数 3.7 施設／ 10 万人
　　　　　　　　（4 位）
- 月謝類* 3 万 7,222 円（22 位）
- 書籍雑誌費* 4 万 900 円
　　　　　　　　（20 位）
- 海外旅行に行く人の割合
　6.7%（12 位）

北海道エリア

東北エリア

関東エリア

北陸・甲信越エリア

中部エリア

三重県

木：神宮杉		獣：カモシカ
花：ハナショウブ		歌：三重県民歌
鳥：シロチドリ		県民の日：
魚：伊勢えび		4月18日

三重県民

伊勢乞食
→乞食のように節倹

お人好し

もう少し値段下げてくれる？

むしろちょうだい！

争いごとが嫌い

N

亀山市 **C**

伊賀市

津市 **D**

名張市 **E**

三重県の NO.1

電子部品・デバイス・電子回路出荷額[1]

いせえび漁獲量[1]

ゴムホース出荷額[1]

錠・カギ出荷額[1]

なばな出荷額[2]

[1] 2018年、[2] 主として葉茎を食すもの

松阪市

大台町　大紀町

紀北町

尾鷲市

I

あのりふぐ / 志摩市
安漁港を中心に水揚げされる、体重700g以上の天然トラフグのブランド。

J

花の窟 / 熊野市
イザナミの葬られた御陵と伝えられ、日本書紀に記される最古の神社とされる。

J 熊野市

K

ビン玉ロード / 志摩市
漁で使われる浮きの「ビン玉」で飾られた散歩道。夜にはライトアップも。

御浜町

紀宝町

いなべ市

桑名市

木曽岬町

六華苑 / 桑名市
日本庭園を擁する洋館で、和洋の調和が魅力的。ロケ地としての出番も多い。

四日市コンビナート / 四日市市
夜の町に燦然と輝く工場群は近未来的迫力がある。

東員町

菰野町

四日市市

朝日町

川越町

鈴鹿市

関宿祇園夏祭り / 亀山市
江戸時代の文化年間から続く。そのきらびやかさは「関の山」という言葉を生んだ。

高田本山専修寺 / 津市
親鸞聖人が説いた浄土真宗十派の一つ、真宗高田派の本山。御影堂・如来堂は国宝。

明和町

多気町

玉城町

伊勢市

度会町

鳥羽市

志摩市

南伊勢町

| 凡　　例 |
| 🚃 新幹線 |
| J　R |
| 国　道 |
| 鉄・都道府県道 |

赤目四十八滝 / 名張市
約4 kmにわたる渓谷沿いの遊歩道でさまざまな滝が見られる。赤目五瀑は必見。

金剛證寺 / 伊勢市
伊勢神宮の鬼門を守る名刹。福威智満虚空蔵大菩薩は日本三大虚空蔵菩薩の第一位。

山神獅子舞神事 / 玉城町
室町時代から伝わる。見物人が魔物（天狗）に松かさを投げつける厄除け神事。

イルカ島 / 鳥羽市
イルカ形をした島内で、イルカのショーやふれあいが楽しめるスポット。

三重県 の 食

※津市の1世帯当たりの年間支出金額

耕地面積 (田畑計)
5万
8,400ha
(第23位)

コメの作付面積 (水稲延べ)
2万
7,300ha
(第21位)

コメの収穫量 (水稲)
13万
200 t
(第23位)

肉用牛 (飼育頭数)
2万
8,500 頭
(第23位)

養豚 (飼育頭数)
11万
1,000 頭
(第21位)

ブロイラー (飼育頭数)
51万
8,000 羽
(第31位)

漁獲量・天然 (海面漁業)
13万
1,881 t
(第7位)

漁獲量・養殖 (海面養殖)
2万
3,544 t
(第15位)

食料自給率 (カロリーベース)
40%
(第26位)

エンゲル係数*
23.8
(第44位)

食費* (年間支出)
95万
5,592 円
(第20位)

牛乳・乳製品* (年間支出)
3万
5,886 円
(第25位)

調味料* (年間支出)
3万
7,873 円
(第29位)

生鮮野菜* (年間支出)
6万
3,081 円
(第30位)

生鮮果物* (年間支出)
3万
9,235 円
(第21位)

●梨　3,831 円 (第4位)

外 食* (年間支出)
16万
9,253 円
(第14位)

調理食品* (年間支出)
11万
7,701 円
(第34位)

●コロッケ　2,330 円 (第5位)

生 産

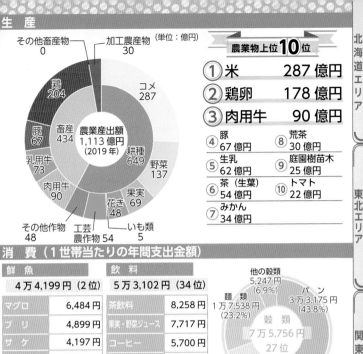

その他畜産物 0 ／ 加工農産物 30 （単位：億円）

農業産出額 1,113 億円（2019年）

- 鶏 204
- 豚 67
- 乳用牛 73
- 肉用牛 90
- その他作物 48
- 工芸農作物 54
- いも類 5
- 花き 48
- 果実 69
- 野菜 137
- 耕種 649
- 畜産 434
- コメ 287

農業物上位 10 位

①	米	287 億円	
②	鶏卵	178 億円	
③	肉用牛	90 億円	
④ 豚 67 億円		⑧ 荒茶 30 億円	
⑤ 生乳 62 億円		⑨ 庭園樹苗木 25 億円	
⑥ 茶（生葉）54 億円		⑩ トマト 22 億円	
⑦ みかん 34 億円			

消 費（1世帯当たりの年間支出金額）

鮮魚
4万4,199円（2位）

マグロ	6,484 円
ブリ	4,899 円
サケ	4,197 円
エビ	3,406 円
カニ	2,216 円

飲料
5万3,102円（34位）

茶飲料	8,258 円
果実・野菜ジュース	7,717 円
コーヒー	5,700 円
コーヒー飲料	5,435 円
炭酸飲料	4,183 円

酒類
3万7,227円（30位）

ビール	1万1,043 円
発泡酒等	7,347 円
清酒	6,581 円
焼酎	6,059 円
カクテル等	3,141 円

菓子
8万8,519円（17位）

アイスクリーム	9,563 円
チョコレート	7,301 円
せんべい	7,235 円
ケーキ	6,058 円
スナック菓子	4,205 円

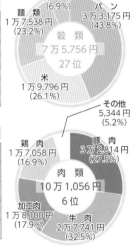

穀類 7万5,756円 27位
- 他の穀類 5,247円（6.9%）
- パン 3万3,175円（43.8%）
- 麺類 1万7,538円（23.2%）
- 米 1万9,796円（26.1%）

肉類 10万1,056円 6位
- その他 5,344円（5.2%）
- 鶏肉 1万7,058円（16.9%）
- 豚肉 3万2,814円（27.5%）
- 加工肉 1万8,100円（17.9%）
- 牛肉 2万7,741円（32.5%）

食品産業

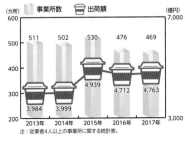

（カ所）事業所数　出荷額（億円）

年	2013年	2014年	2015年	2016年	2017年
事業所数	511	502	530	476	469
出荷額	3,984	3,999	4,939	4,712	4,763

注：従業者4人以上の事業所に関する統計表。

飲食料小売額	5,523 億円	22
百貨店・総合スーパー	24 店	20
飲食料小売店数	3,724 店	24
コンビニ数	577 店	21
ドラッグストア数	191 店	21

□は全国順位

Data で見る 三重県

快適度

人口密度 /km²	310 人	20
物価格差	98.6	26
県民所得 / 人	315.5 万円	9
犯罪認知件数 / 千人	5.76 件	12
旅行に行く人の割合	47.8%	17
医師数 /10 万人	223.4 人	36

■は全国順位

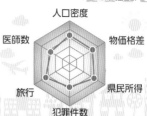

人口密度 / 物価格差 / 県民所得 / 犯罪件数 / 旅行 / 医師数

行動ウエイト

趣味 / 寝る / 仕事・勉強 / 学ぶ / スポーツ / 食べる

※グラフの外側がより高いウエート

趣味・娯楽の時間	177 分	27
睡眠時間	460 分	33
仕事・学業をする時間	400 分	44
学習や自己啓発をする時間	143 分	6
スポーツをする時間	122 分	14
食事をする時間	98 分	41

■は全国順位

人口

- 人口
  182 万 4,637 人（22 位）
- 人口増減数
  － 9,632 人（29 位）
- 出生率
  7.2 人／千人（20 位）
- 死亡率 11.9 人／千人（27 位）
- 外国人の割合 3.03%（4 位）

家庭*

- 世帯主年齢 61.1 歳 （7 位）
- 子ども（18 歳未満）の人員
  0.55 人（29 位）
- 高齢者（65 歳以上）の人員
  0.83 人（23 位）
- 持ち家率 89.1%（7 位）
- 平均畳数 27.5 帖（8 位）

世帯

- 世帯数
  79 万 5,821 世帯（22 位）
- 平均人員 2.29 人（22 位）
- 核家族世帯率 58.6%（9 位）
- 単身者世帯率 29.4%
  （32 位）
- 高齢者世帯率 13.4%
  （10 位）

家計*

- 貯蓄額 2,420 万円（4 位）
- 負債総額 509 万円（25 位）
- 消費支出 373 万 5,826 円
  （6 位）
- 家賃 6 万 2,215 円（43 位）
- 水道光熱費 24 万 7,619 円
  （32 位）

消費*

- 衣類・履物費 13 万 2,507 円
  （16 位）
- 保健医療費 17 万 4,642 円
  （11 位）
- 教育費
  12 万 7,747 円（23 位）
- 自動車関連費
  45 万 5,031 円（2 位）
- 通信費 16 万 3,804 円（24 位）

外国人旅行者

宿泊者数の推移

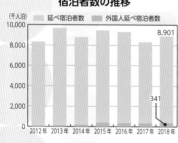

（千人泊）　■延べ宿泊者数　■外国人延べ宿泊者数

8,901 / 341

2012年 2013年 2014年 2015年 2016年 2017年 2018年

宿泊者上位 5 カ国

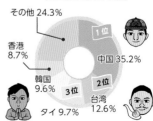

その他 24.3%
香港 8.7%
韓国 9.6%
タイ 9.7%
台湾 12.6%
中国 35.2%

1位 / 2位 / 3位

気候

最高気温 35℃以上の日数	**3 日**		全国で 33 位
平均気温	**17.0℃**		全国で 18 位
日照時間	**2,111 時間**		全国で 13 位
降水量	**1,630 ㎜**		全国で 19 位
平均相対湿度	**63.0%**		全国で 44 位

(津管区気象台 2019 年)

最低気温 -0.3℃／最高気温 37.4℃

身長 170.9㎝（12 位）
体重 62.5kg（23 位）
初婚年齢 30.7 歳
（18 位）
寿命 80.86 年（19 位）

4.3 人／千人
（21 位）婚姻率

1.67 人／千人
（15 位）離婚率

身長 157.9㎝（19 位）
体重 53.4kg（15 位）
初婚年齢 28.8 歳
（3 位）
寿命 86.99 年（27 位）

産業

- 総事業所数 7 万 7,168（22 位）
- 小売事業所数
  1 万 5,363（24 位）
- 卸売事業所数
  4,214（25 位）
- 上場企業数 21（18 位）
- 代表取締役出身者数
  1 万 7,040 人（24 位）

経済

- 県内総生産
  7 兆 9,071 億円（19 位）
- 企業倒産数 8 件（19 位）
- 有効求人倍率 1.62（16 位）
- 月額給与（男）33.05 万円
  （6 位）
- 月額給与（女）24.07 万円
  （11 位）

労働

- 労働時間 179 時間／月
  （14 位）
- 通勤時間 31 分（12 位）
- 勤続年数 13.0 年（6 位）
- 大卒初任給 20.43 万円
  （10 位）
- パート時給 1,128 円
  （9 位）

社会

- 中高年の就職率 27.64%
  （33 位）
- 失業率 1.20%（47 位）
- 自殺者数 16.7 人／10 万人
  （23 位）
- 生活保護世帯数
  1 万 2,570 世帯（13 位）
- 少年犯罪数 1.61 人／千人
  （38 位）

福祉

- 病院数 5.2 施設／10 万人（39 位）
- 一般診療所数
  85.4 施設／10 万人（17 位）
- 児童福祉施設数
  31.3 施設／10 万人（35 位）
- 老人福祉センター数
  4.9 施設／10 万人（27 位）
- 図書館数 2.6 施設／10 万人
  （36 位）

教育

- 大学進学率 49.6%（26 位）
- 高卒の割合 28.2%（10 位）
- 学校の I T 化
  5.2 人／台（27 位）
- 教科書・参考書費*
  4,264 円（6 位）
- 補習教育費* 3 万 957円（19 位）

交通・通信

- 自動車保有台数
  1,790 台／千世帯（20 位）
- ガソリン代* 9 万 1,251円（6位）
- 交通費* 6 万 5,176 円（13 位）
- 電話代* 14 万 8,123円（25 位）
- 交通事故死亡者数
  4.19 人／10 万人（7 位）

学校

- 保育所数 427 カ所
  （24 位）
- 幼稚園数 184 カ所
  （18 位）
- 小学校数 373 校
  （19 位）
- 高校数 70 校（28 位）
- 大学数 7 校（30 位）

スポーツ

- 野球をする人の割合 7.1%（22 位）
- ゴルフをする人の割合 8.3%
  （12 位）
- サッカーをする人の割合 4.7%
  （35 位）
- ラグビー部のある高校
  25.7%（13 位）
- 高校陸上部員数の割合
  4.7%（6 位）

娯楽

- 博物館数 0.9 施設／10 万人
  （27 位）
- 映画館数 3.5 施設／10 万人
  （6 位）
- 月謝類* 3 万 8,129円（19位）
- 書籍雑誌費* 4 万 1,910 円
  （13 位）
- 海外旅行に行く人の割合
  4.6%（24 位）

家計ミニトピックス 緑茶への支出

5月も半ばを過ぎると新茶が出回る時期です。新茶は茶葉の香り、色、味など五感を使って楽しみたいものです。

購入数量1位は静岡市、2位は鹿児島市

緑茶への年間支出金額を都道府県庁所在市別にみると、静岡市が最も多く、次いで鹿児島市（2位）、浜松市（3位）となっており、緑茶の産地に近い市が

上位を占めています。
（都道府県別の茶葉の生産量（平成28年）は1位が静岡県、2位が鹿児島県となっています。）

都市別・緑茶の支出金額
（1世帯当たり年間支出金額：円／H26〜28年平均）

	静岡市	鹿児島市	浜松市	相模原市	佐賀市	全国
No.1	10,436	6,823	6,725	6,269	6,220	4,142

出典：「家計調査結果」（総務省統計局）
家計ミニトピックス平成29年5月15日発行
http://www.stat.go.jp/data/kakei/tsushin/index.htm より作成

家計ミニトピックス 喫茶代への支出

喫茶代への支出は10年前に比べ17.2%増加

1世帯当たりの喫茶代への年間支出金額をみると、平成25年以降、増加傾向にあり、28年は10年前に比べ17.2%増となっています。また喫茶代への支出があった世帯の割合も29.5%と、2.7%上昇しています。

週末の喫茶代は平日の1.7倍

曜日別にみると、時間に余裕のある人が多い土曜日と日曜日注の支出金額が、平日（月〜金曜日）の約1.7倍となっています。

支出金額1位は岐阜市、2位は名古屋市

喫茶代への年間支出金額を都市別にみると、岐阜市が15,018円と最も多く、

次いで名古屋市（12,945円）となっています。岐阜県や愛知県では、人口当たりの喫茶店の数も多いことから、喫茶店を利用する習慣が根付いているためとみられます。

都市別・喫茶代の支出金額
（1世帯当たり年間支出金額：円／H26〜28年平均）

岐阜市	名古屋市	東京都区部	神戸市	大阪市	全国
15,018	12,945	9,307	8,992	8,599	6,045

出典：「家計調査結果」（総務省統計局）
家計ミニトピックス平成29年6月15日発行
http://www.stat.go.jp/data/kakei/tsushin/index.htm より作成

早わかり

2020

都道府県 Data Book

話のネタ帳

近畿

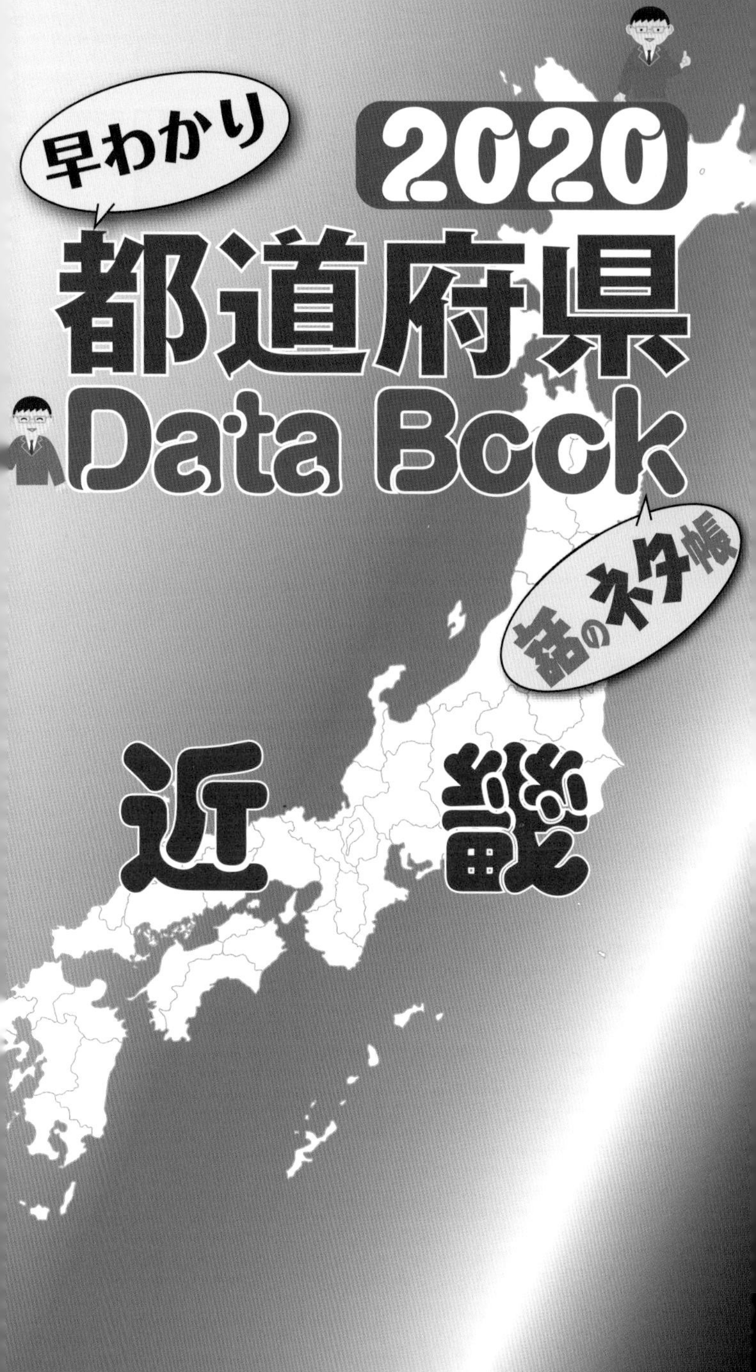

滋賀県

滋賀県民

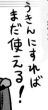

ぞうきんにすれば
まだ使える！

モッタイ
ナイ精神

近江商人
→ぬかりない

計算高く
理性的

日野祭 / 日野町
800年続く馬見
岡綿向神社春の
例祭。絢爛豪華
な16基の曳山
が練り歩く。

滋賀県の NO.1 ▶

**肉類
支出金額**[1]

**平均
畳数**[1]

**食酢
出荷額**[2]

**スポーツをする
時間**[3]

寿命(男)[4]

[1]大津市、[2]2018年、[3]2016年、[4]2015年

旧竹林院 / 大津市
かつての延暦寺僧侶の隠居
所。八王子山を借景した広
大な庭園は国の名勝地。

凡　例
ーーー　新幹線
ーー　J R
ーーー　国　道
━━　県道・有料道路

N

高島市
B

琵琶湖

近江
八幡
市

E K

F

守山市

H

野洲市

竜王町

草津市

栗東市

湖南市

大津市 J

八幡堀 / 近江八幡市
戦国時代に作られた水路。
市街地と琵琶湖を結び、近
江商業の発展に寄与した。

164

←のっぺいうどん / 長浜市
とろみのあるあんかけうどん。明治時代から食され、麸やしいたけなどが入る。

白鬚神社 / 高島市
近江最古の神社とされ、白鬚神社の総本宮。琵琶湖に浮かぶ大鳥居が目を引く。

多賀大社 / 多賀町
伊邪那岐大神と伊邪那美大神を祀り、古くから信仰を集める。縁結びの神様。

びん細工てまり / 愛荘町
江戸時代から伝わる工芸品。ガラス瓶の中に刺しゅうを施した手まりが入っている。

ヴォーリズ記念館
/ 近江八幡市
日本各地の建築物を手がけたヴォーリズゆかりの地。

すし切り祭り / 守山市
包丁と鉄製の箸を使い、ふなずしを触れずに切り分け献上する下新川神社の神事。

百済寺 / 東近江市
聖徳太子により創建されたが、織田信長の焼き討ちに遭う。湖東三山の一つ。

琵琶湖大橋 / 大津～守山市
1964年に開通した長さ1350mの橋。両側は自転車・歩行者専用道路。

長浜市 A
米原市
彦根市
豊郷町
甲良町
多賀町 C
愛荘町 D
東近江市 G
日野町 I
甲賀市

滋賀県 の 食

※大津市の1世帯当たりの年間支出金額

耕地面積 (田畑計)
5万1,500ha
(第28位)

コメの作付面積 (水稲延べ)
3万1,700ha
(第18位)

コメの収穫量 (水稲)
16万1,400t
(第15位)

肉用牛 (飼育頭数)
1万9,600頭
(第29位)

養豚 (飼育頭数)
3,980頭
(第43位)

ブロイラー (飼育頭数)
—
(第 — 位)

漁獲量・天然 (海面漁業)
0t
(第 — 位)

漁獲量・養殖 (海面養殖)
0t
(第 — 位)

食料自給率 (カロリーベース)
49%
(第20位)

エンゲル係数*
26.2
(第15位)

食費* (年間支出)
100万7,891円
(第5位)

牛乳・乳製品* (年間支出)
3万8,106円
(第16位)
●バター 1,616円 (第2位)

調味料* (年間支出)
4万3,118円
(第2位)
●食塩 596円 (第4位)
●ソース 906円 (第4位)

生鮮野菜* (年間支出)
7万5,198円
(第11位)
●じゃがいも 2,736円 (第3位)
●はくさい 1,450円 (第4位)
●たまねぎ 3,694円 (第4位)

生鮮果物* (年間支出)
3万8,798円
(第23位)

外食* (年間支出)
15万9,373円
(第22位)

調理食品* (年間支出)
11万9,860円
(第32位)
●うなぎのかば焼き 3,610円 (第1位)
●コロッケ 3,062円 (第2位)

生 産

工芸農作物 6
乳用牛 26 豚 2 その他畜産物 0 （単位：億円）
その他作物 13 加工農産物 3
鶏 18
肉用牛 66
畜産 112
農業産出額 641 億円（2019 年）
野菜 114
耕種 526
コメ 369
果実 8
花き 10
いも類 4

農業物上位 10 位

① 米 369 億円
② 肉用牛 66 億円
③ 生乳 21 億円

④ 鶏卵	17 億円	⑧ かぶ	8 億円
⑤ トマト	12 億円	⑨ なす	7 億円
⑥ きゅうり	10 億円	⑩ いちご	7 億円
⑦ ねぎ	10 億円		

消 費（1世帯当たりの年間支出金額）

鮮 魚
4 万 2,062 円（5 位）

サケ	5,128 円
ブリ	3,862 円
エビ	3,655 円
マグロ	3,068 円
イカ	2,108 円

飲 料
5 万 5,323 円（25 位）

果実・野菜ジュース	8,707 円
茶飲料	5,628 円
コーヒー	8,079 円
炭酸飲料	4,688 円
コーヒー飲料	4,958 円

酒 類
3 万 9,156 円（27 位）

ビール	1 万 1,970 円
発泡酒等	7,094 円
清酒	7,082 円
焼酎	3,503 円
ワイン	3,210 円

菓 子
9 万 5,578 円（5 位）

アイスクリーム	9,901 円
チョコレート	7,896 円
ケーキ	7,151 円
せんべい	6,511 円
スナック菓子	4,821 円

他の穀類 6,005 円（7.3%）
麺類 1 万 6,575 円（20.4%）
パン 3 万 6,743 円（45.2%）
穀類 8 万 1,328 円 8 位
米 2 万 2,005 円（27.1%）

その他 7,661 円（6.5%）
鶏肉 2 万 790 円（17.6%）
豚肉 3 万 2,197 円（27.3%）
肉類 11 万 8,101 円 1 位
加工肉 1 万 8,106 円（15.3%）
牛肉 3 万 9,347 円（33.3%）

食品産業

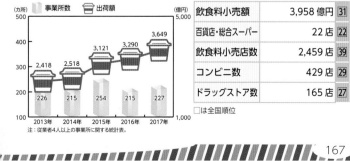

| （カ所） | 事業所数 | 出荷額 | （億円） |

5,000
4,000
3,000
2,000
1,000

500
400
300
200
100

2,418 2,518 3,121 3,290 3,649
226 215 254 215 227

2013年 2014年 2015年 2016年 2017年

注：従業者4人以上の事業所に関する統計表。

飲食料小売額	3,958 億円	31
百貨店・総合スーパー	22 店	22
飲食料小売店数	2,459 店	39
コンビニ数	429 店	29
ドラッグストア数	165 店	27

□は全国順位

Data で見る 滋賀県

※大津市の1世帯当たりの年間支出金額

快適度

人口密度 /km	351 人	15
物価格差	99.4	14
県民所得 / 人	318.1 万円	6
犯罪認知件数 / 千人	4.80 件	24
旅行に行く人の割合	54.2%	6
医師数 /10 万人	227.6 人	33

■は全国順位

※グラフの外側がより高い快適度

行動ウエート

趣味・娯楽の時間	183 分	16
睡眠時間	464 分	20
仕事・学業をする時間	401 分	43
学習や自己啓発をする時間	135 分	13
スポーツをする時間	131 分	1
食事をする時間	101 分	23

※グラフの外側がより高いウエート

■は全国順位

人口

・人口
　　　142 万 80 人（26 位）
・人口増減数 445 人　（8 位）
・出生率 8.2 人／千人（4 位）
・死亡率 9.5 人／千人（42 位）
・外国人の割合 2.30%（13 位）

家庭*

・世帯主年齢 59.9 歳（19 位）
・子ども（18 歳未満）の人員
　　　　　　　　　0.58 人（25 位）
・高齢者（65 歳以上）の人員
　　　　　　　　　0.84 人（19 位）
・持ち家率 92.2%（4 位）
・平均畳数 34.2 帖（1 位）

世帯

・世帯数
　　　58 万 681 世帯（31 位）
・平均人員　2.45 人（7 位）
・核家族世帯率 58.8%（8 位）
・単身者世帯率 28.5%
　　　　　　　　　　（37 位）
・高齢者世帯率 11.4%
　　　　　　　　　　（31 位）

家計*

・貯蓄額 1,914 万円（14 位）
・負債総額 485 万円（29 位）
・消費支出 364 万 1,891 円
　　　　　　　　　　（15 位）
・家賃 6 万 2,258 円（42 位）
・水道光熱費 27 万 3,430 円
　　　　　　　　　　（16 位）

消費*

・衣類・履物費 13 万 2,370 円
　　　　　　　　　　（17 位）
・保健医療費 19 万 6,194 円
　　　　　　　　　　（4 位）
・教育費
　　　　16 万 3,570 円（13 位）
・自動車関連費
　　　25 万 6,697 円（35 位）
・通信費 15 万 2,415 円（39 位）

外国人旅行者

宿泊者数の推移

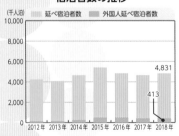

（千人泊）　□ 延べ宿泊者数　■ 外国人延べ宿泊者数
10,000
8,000
6,000
4,831
4,000
413
2,000
0
2012 年　2013 年　2014 年　2015 年　2016 年　2017 年　2018 年

宿泊者上位 5 カ国

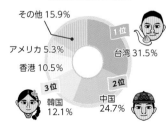

その他 15.9%
アメリカ 5.3%
香港 10.5%
1 位 台湾 31.5%
2 位 中国 24.7%
3 位 韓国 12.1%

気候

身長 170.8cm （14 位）
体重 62.4kg （26 位）
初婚年齢 30.8 歳 （20 位）
寿命 81.78 年 （1 位）

婚姻率 4.7 人／千人 （7 位）

離婚率 1.48 人／千人 （39 位）

身長 158.1cm （10 位）
体重 52.7kg （29 位）
初婚年齢 29.2 歳 （25 位）
寿命 87.57 年 （4 位）

最高気温 35℃以上の日数	11 日	全国で 16 位
平均気温	16.9℃	全国で 19 位
日照時間	1,961 時間	全国で 28 位
降水量	1,399 mm	全国で 32 位
平均相対湿度	74.8%	全国で 8 位

（彦根管区気象台 2019 年）

最低気温 -1.9℃／最高気温 36.9℃

産業

- 総事業所数 5 万 5,262 （33 位）
- 小売事業所数 1 万 482 （36 位）
- 卸売事業所数 2,696 （39 位）
- 上場企業数 10 （28 位）
- 代表取締役出身者数 1 万 182 人 （43 位）

経済

- 県内総生産 6 兆 1,560 億円 （23 位）
- 企業倒産数 3 件 （36 位）
- 有効求人倍率 1.26 （38 位）
- 月額給与（男）32.36 万円 （14 位）
- 月額給与（女）23.07 万円 （21 位）

労働

- 労働時間 180 時間／月 （4 位）
- 通勤時間 33 分 （9 位）
- 勤続年数 12.3 年 （23 位）
- 大卒初任給 20.08 万円 （20 位）
- パート時給 1,086 円 （16 位）

社会

- 中高年の就職率 30.60% （25 位）
- 失業率 1.93% （31 位）
- 自殺者数 17.8 人／10 万人 （14 位）
- 生活保護世帯数 5,090 世帯 （38 位）
- 少年犯罪数 4.10 人／千人 （2 位）

福祉

- 病院数 4.0 施設／10 万人（46 位）
- 一般診療所数 77.1 施設／10 万人 （29 位）
- 児童福祉施設数 34.4 施設／10 万人 （28 位）
- 老人福祉センター数 3.7 施設／10 万人 （38 位）
- 図書館数 3.5 施設／10 万人 （19 位）

教育

- 大学進学率 54.7% （15 位）
- 高卒の割合 18.4% （34 位）
- 学校のＩＴ化 5.2 人／台 （27 位）
- 教科書・参考書費* 2,195 円 （30 位）
- 補習教育費* 3 万 3,686 円（17 位）

交通・通信

- 自動車保有台数 1,750 台／千世帯 （23 位）
- ガソリン代* 5 万 4,871 円（35 位）
- 交通費* 9 万 2,026 円 （8 位）
- 電話代* 13 万 7,165 円（38 位）
- 交通事故死亡者数 4.04 人／10 万人 （11 位）

学校

- 保育所数 305 カ所 （34 位）
- 幼稚園数 138 カ所 （25 位）
- 小学校数 223 校 （36 位）
- 高校数 56 校 （32 位）
- 大学数 8 校 （26 位）

スポーツ

- 野球をする人の割合 9.1% （2 位）
- ゴルフをする人の割合 7.7% （17 位）
- サッカーをする人の割合 6.7% （4 位）
- ラグビー部のある高校 16.1% （33 位）
- 高校陸上部員数の割合 4.3% （12 位）

娯楽

- 博物館数 1.0 施設／10 万人 （22 位）
- 映画館数 2.7 施設／10 万人 （26 位）
- 月謝類* 4 万 3,193 円（12 位）
- 書籍雑誌費* 4 万 6,742 円 （3 位）
- 海外旅行に行く人の割合 7.4% （10 位）

京都府

京都府民

周りに気を使う

都人 (みやこびと)
→気位が高い

京の着倒れ
→芸術的センスがある

京都府の NO.1

| 大学進学率 | 日最高気温35℃以上日数 | ピーマン支出金額[1] |

| バナナ支出金額[1] | キウイフルーツ支出金額[1] |

[1] 京都市

E 伊根
宮津市
京丹後市
与謝野町
B 宮津市
C 舞鶴市
福知山市
D

H 永谷宗円生家 / 宇治田原町
日本緑茶の祖とされる永谷宗円の生家。製茶道具や焙炉跡が保存されている。

←大御堂観音寺
/ 京田辺市
天武天皇の勅願により創建。十一面観音立像は奈良時代の天平仏を代表する仏像。

N

J 浄瑠璃寺 / 木津川市
平安時代の貴重な仏像が現存。薬師仏と阿弥陀仏を配した庭園は極楽世界を現す。

K すぐき漬け / 京都市
カブ葉の一種スグキ菜を塩だけを使い乳酸発酵させた漬けもので、深い酸味。

もんどり漁 / 伊根町
畳の軒先に仕掛ける伝統的
漁。独特の建造物である舟
は見学も可能。

傘松公園 / 宮津市
天橋立が天に架かる橋のよ
うに見える「股のぞき」発
祥の地。天橋立が一望でき
る。

赤れんが博物館 / 舞鶴市
歴史的遺産でもある赤レン
ガ建造物内にある、れんが
専門のミュージアム。

福知山城 / 福知山市
明智光秀が丹波の拠点とし
て築いた城。石垣は自然石
をそのまま用いている。

犬矢来 / 京都市
カーブを描いた竹の垣根。
雨水などから家を守り、京
都らしい町並みを作る。

綾部市

京丹波町

南丹市

E K
京都市

亀岡市　向日市

長岡京市

大山崎町

久御山町

宇治市

八幡市　宇治田原町

城陽市

京田辺市　和束町

井手町

精華町

南山城村

木津川市

笠置町

凡　例
= = = = 新幹線
J R
国　道
府道・県道

市営茶室 対鳳庵 / 宇治市
宇治茶の振興と茶道の普及
を目的に建てられた本格的
な茶室。お点前体験も実施。

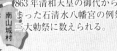

石清水祭 / 八幡市
863年清和天皇の御代から始
まった石清水八幡宮の例祭。
三大勅祭に数えられる。

京都府 の 食

※京都市の1世帯当たりの年間支出金額

耕地面積(田畑計)
2万9,900ha
(第39位)

コメの作付面積(水稲延べ)
1万4,400ha
(第34位)

コメの収穫量(水稲)
7万2,700t
(第33位)

肉用牛(飼育頭数)
5,700頭
(第37位)

養豚(飼育頭数)
9,880頭
(第41位)

ブロイラー(飼育頭数)
32万8,000羽
(第35位)

漁獲量・天然(海面漁業)
1万1,049t
(第33位)

漁獲量・養殖(海面養殖)
759t
(第30位)

食料自給率(カロリーベース)
12%
(第42位)

エンゲル係数*
28.7
(第2位)

食費*(年間支出)
95万451円
(第24位)

牛乳・乳製品*(年間支出)
3万9,012円
(第14位)
●牛乳 1万8,969円 (第2位)

調味料*(年間支出)
3万6,685円
(第37位)
●酢 1,250円 (第4位)

生鮮野菜*(年間支出)
7万6,052円
(第9位)
●ピーマン 2,795円 (第1位)
●たまねぎ 3,830円 (第2位)
●はくさい 1,523円 (第2位)

生鮮果物*(年間支出)
3万8,751円
(第24位)
●バナナ 6,372円 (第1位)
●キウイフルーツ 2,991円 (第1位)
●グレープフルーツ 357円 (第3位)

外　食*(年間支出)
16万4,501円
(第19位)

調理食品*(年間支出)
11万5,285円
(第36位)
●うなぎのかば焼き 3,593円 (第2位)
●ぎょうざ 2,787円 (第2位)
●コロッケ 2,560円 (第3位)

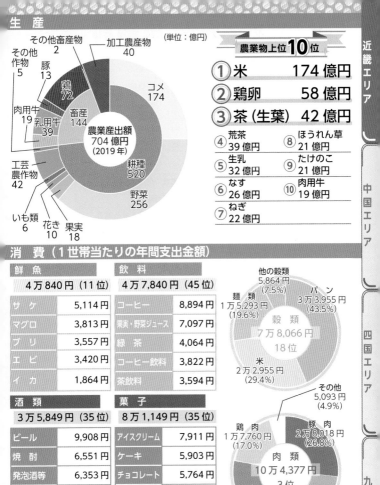

生 産

その他畜産物 2 / 加工農産物 40

（単位：億円）

- その他作物 5
- 豚 13
- 鶏 72
- 肉用牛 19
- 乳用牛 39
- 工芸農作物 42
- いも類 6
- 花き 10
- 果実 18

畜産 144

農業産出額 704 億円（2019 年）

耕種 520

野菜 256

コメ 174

農業物上位 10 位

①	米	174 億円
②	鶏卵	58 億円
③	茶（生葉）	42 億円

④ 荒茶 39 億円	⑧ ほうれん草 21 億円
⑤ 生乳 32 億円	⑨ たけのこ 21 億円
⑥ なす 26 億円	⑩ 肉用牛 19 億円
⑦ ねぎ 22 億円	

消 費（1 世帯当たりの年間支出金額）

鮮 魚
4 万 840 円（11 位）

サケ	5,114 円
マグロ	3,813 円
ブリ	3,557 円
エビ	3,420 円
イカ	1,864 円

飲 料
4 万 7,840 円（45 位）

コーヒー	8,894 円
果実・野菜ジュース	7,097 円
緑茶	4,064 円
コーヒー飲料	3,822 円
茶飲料	3,594 円

酒 類
3 万 5,849 円（35 位）

ビール	9,908 円
焼酎	6,551 円
発泡酒等	6,353 円
清酒	5,543 円
ワイン	3,223 円

菓 子
8 万 1,149 円（35 位）

アイスクリーム	7,911 円
ケーキ	5,903 円
チョコレート	5,764 円
せんべい	5,135 円
スナック菓子	3,767 円

穀類
7 万 8,066 円
18 位

- 他の穀類 5,864 円（7.5%）
- パン 3 万 3,955 円（43.5%）
- 麺類 1 万 5,293 円（19.6%）
- 米 2 万 2,955 円（29.4%）

肉類
10 万 4,377 円
3 位

- その他 5,093 円（4.9%）
- 豚肉 2 万 8,018 円（26.8%）
- 鶏肉 1 万 7,760 円（17.0%）
- 牛肉 3 万 7,257 円（35.7%）
- 加工肉 1 万 6,250 円（15.6%）

食品産業

（カ所）	事業所数	（億円）
700		7,000

- 2013年：514 / 4,132
- 2014年：503 / 4,581
- 2015年：549 / 5,274
- 2016年：513 / 5,785
- 2017年：496 / 5,494

凡例：事業所数、出荷額

飲食料小売額	8,552 億円	13
百貨店・総合スーパー	33 店	12
飲食料小売店数	5,491 店	14
コンビニ数	759 店	17
ドラッグストア数	315 店	12

□は全国順位

Data で見る 京都府

※京都市の1世帯当たりの年間支出金額

快適度

人口密度 /km²	562 人	10
物価格差	100.7	4
府民所得 / 人	292.6 万円	21
犯罪認知件数 / 千人	5.84 件	11
旅行に行く人の割合	49.8%	12
医師数 /10 万人	323.3 人	2

■は全国順位

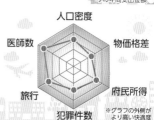

※グラフの外側がより高い快適度

行動ウエート

趣味・娯楽の時間	191 分	2
睡眠時間	460 分	33
仕事・学業をする時間	402 分	40
学習や自己啓発をする時間	143 分	6
スポーツをする時間	130 分	4
食事をする時間	104 分	9

※グラフの外側がより高いウエート

■は全国順位

人口

- 人口
　255 万 5,068 人（13 位）
- 人口増減数
　− 8,084 人（20 位）
- 出生率
　7.1 人／千人（23 位）
- 死亡率 10.5 人／千人（39 位）
- 外国人の割合 2.42%（11 位）

家庭※

- 世帯主年齢 61.7 歳　（4 位）
- 子ども（18 歳未満）の人員
　0.53 人（34 位）
- 高齢者（65 歳以上）の人員
　0.97 人（3 位）
- 持ち家率 88.5%（9 位）
- 平均畳数 30.3 帖（2 位）

世帯

- 世帯数
121 万 8,744 世帯（13 位）
- 平均人員　2.10 人（41 位）
- 核家族世帯率 54.1%
　（36 位）
- 単身世帯率 38.2%（2 位）
- 高齢者世帯率 11.9%
　（27 位）

家計※

- 貯蓄額 2,043 万円（8 位）
- 負債総額 412 万円（40 位）
- 消費支出 309 万 3,362 円
　（42 位）
- 家賃 7 万 9,777 円（34 位）
- 水道光熱費 23 万 8,933 円
　（40 位）

消費※

- 衣類・履物費 12 万 3,982 円
　（31 位）
- 保健医療費 15 万 6,759 円
　（27 位）
- 教育費
　17 万 48 円（11 位）
- 自動車関連費
　16 万 2,080 円（45 位）
- 通信費 13万 6,396円（43位）

外国人旅行者

宿泊者数の推移

(千人泊)

延べ宿泊者数　外国人延べ宿泊者数

20,451

6,268

2012年 2013年 2014年 2015年 2016年 2017年 2018年

宿泊者上位 5 カ国

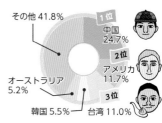

その他 41.8%

1 位
中国
24.7%

2 位
アメリカ
11.7%

3 位
台湾 11.0%

韓国 5.5%

オーストラリア
5.2%

身長 170.6cm（18 位）
体重 62.3kg（31 位）
初婚年齢 31.5 歳（44 位）
寿命 81.40 年（3 位）

4.5 人／千人（10 位）婚姻率

1.59 人／千人（31 位）離婚率

身長 158.4cm（5 位）
体重 52.7kg（29 位）
初婚年齢 30.0 歳（46 位）
寿命 87.35 年（9 位）

気候

最高気温 35℃以上の日数	24 日	全国で 1 位
平均気温	15.8℃	全国で 31 位
日照時間	1,817 時間	全国で 41 位
降水量	1,408 mm	全国で 31 位
平均相対湿度	66.8%	全国で 37 位

（京都管区気象台 2019 年）

最低気温 -0.9℃／最高気温 38.6℃

産 業

・総事業所数 11 万 3,774（13 位）
・小売事業所数
　　2 万 1,946（13 位）
・卸売事業所数
　　7,087（14 位）
・上場企業数 64（8 位）
・代表取締役出身者数
　　2 万 2,568 人（15 位）

経 済

・府内総生産
　　10 兆 2,109 億円（13 位）
・企業倒産数 20 件（9 位）
・有効求人倍率 1.42（29 位）
・月額給与（男）32.64 万円
　　（10 位）
・月額給与（女）25.48 万円
　　（6 位）

労 働

・労働時間 179 時間／月
　　（14 位）
・通勤時間 33 分（9 位）
・勤続年数 11.7 年
　　（39 位）
・大卒初任給 20.83 万円
　　（4 位）
・パート時給 1,144 円
　　（7 位）

社 会

・中高年の就職率 26.60%
　　（36 位）
・失業率 2.43%（10 位）
・自殺者数 12.4 人／ 10 万人
　　（46 位）
・生活保護世帯数
　　1 万 226 世帯（17 位）
・少年犯罪数 2.97 人／千人
　　（12 位）

福 祉

・病院数 6.4 施設／ 10 万人（28 位）
・一般診療所数
　　95.0 施設／ 10 万人（7 位）
・児童福祉施設数
　　34.7 施設／ 10 万人（27 位）
・老人福祉センター数
　　4.9 施設／ 10 万人（28 位）
・図書館数 2.6 施設／ 10 万人
　　（35 位）

教 育

・大学進学率 65.9%（1 位）
・高卒の割合 8.4%（46 位）
・学校の IT 化
　　5.6 人／台（36 位）
・教科書・参考書費*
　　1,637 円（39 位）
・補習教育費*3 万 1,049円（18位）

交通・通信

・自動車保有台数
　　1,073 台／千世帯（44 位）
・ガソリン代*3 万 2,241円（43位）
・交通費* 6 万 4,466 円（14 位）
・電話代* 12 万 2,670円（44位）
・交通事故死亡者数
　　2.12 人／ 10 万人（41 位）

学 校

・保育所数 507 カ所
　　（18 位）
・幼稚園数 201 カ所
　　（16 位）
・小学校数 380 校
　　（18 位）
・高校数 105 校
　　（14 位）
・大学数 34 校（6 位）

スポーツ

・野球をする人の割合 7.1%（22 位）
・ゴルフをする人の割合 6.4%
　　（32 位）
・サッカーをする人の割合 5.5%
　　（21 位）
・ラグビー部のある高校
　　27.6%（7 位）
・高校陸上部員数の割合
　　3.4%（28 位）

娯 楽

・博物館数 1.3 施設／ 10 万人
　　（15 位）
・映画館数 3.1 施設／ 10 万人
　　（18 位）
・月謝類*3 万 3,525 円（31 位）
・書籍雑誌費* 3 万 9,985 円
　　（22 位）
・海外旅行に行く人の割合
　　8.0%（8 位）

近畿エリア

中国エリア

四国エリア

九州エリア

沖縄エリア

大阪府

府の　木：イチョウ　鳥：モズ
花：
ウメ、サクラソウ

大阪府民

コスパ重視

本音で行く
合理主義

サービス精神

大阪府の NO.1

白菜
支出金額[1]

すし（弁当）
支出金額[1]

金属製品
出荷額[2]

食パン
出荷額[2]

学習や自己啓発
をする時間[3]

[1]大阪市、[2]2018年、[3]2016年

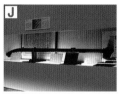

堺刃物ミュージアム / 堺市
包丁や工具など数々の堺刃
物を展示。プロ用刃物や高
級刃物の販売もしている。

もみじの天ぷら / 箕面市
古くから伝わる塩漬けにし
たもみじの葉の天ぷら。か
りんとうのようなお菓子。

能勢町

豊能町

茨木市

B **A** **K**
池田市　箕面市

吹田市

C

豊中市

D 摂津

守口

大阪市

G **H**

I

松原市

J 堺市

泉大津市　高石市

忠岡町

大阪狭山市

泉佐野市

岸和田市　和泉市

田尻町
泉南市

田尻町　熊取町

貝塚市

泉佐野市

泉南市

阪南市

岬町

N

A

勝尾寺 / 箕面市
箕面国定公園内にあり、古くから勝運の寺として信仰される。勝ちダルマが名物。

B

インスタントラーメン記念館 / 池田市
さまざまな展示やアトラクションがあり入館無料。

C

万博記念公園 / 吹田市
1970年の万博跡地を整備。太陽の塔やパビリオンが往時のにぎわいを伝える。

D

千里川の土手 / 豊中市
伊丹空港から発着する飛行機を間近に見ることができ、迫力あるフォトスポット。

E

星のブランコ / 交野市
渓谷をつなぐ全長280mの巨大吊り橋。雄大な自然の中、空中散歩を楽しむ。

F

成田山不動尊 / 寝屋川市
千葉県の新勝寺の別院。日本で初めて人と車を一緒に祈念した交通安全祈願の寺。

G

希望の壁 / 大阪市北区
「新梅田シティ」地上40階の空中庭園にある巨大緑化モニュメント。

H

舞洲スラッジセンター / 大阪市此花区
曲線と色彩の奇抜なデザインが特徴のごみ処理施設。

I

住吉祭 / 大阪市住吉区
大阪中を祓い清める意義をもつ。「神輿渡御」では、住吉大神の神輿を堺まで渡御。

島本町
槻市
枚方市
寝屋川市
交野市
四條畷市
大東市　門真市
東大阪市
八尾市
柏原市　藤井寺市
曳野市
太子町
富田林市
河南町
千早赤阪村
河内長野市

凡　例
- - - - 新幹線
- - - - J R
──── 国　道
──── 謎・前後謎

大阪府 の 食

※大阪市の1世帯当たりの年間支出金額

耕地面積（田畑計）

1万 2,700ha

（第46位）

コメの作付面積（水稲延べ）

4,850ha

（第44位）

コメの収穫量（水稲）

2万 4,300 t

（第44位）

肉用牛（飼育頭数）

640頭

（第46位）

養豚（飼育頭数）

3,450頭

（第44位）

ブロイラー（飼育頭数）

－

（第 一 位）

漁獲量・天然（海面漁業）

8,581 t

（第35位）

漁獲量・養殖（海面養殖）

490 t

（第31位）

食料自給率
（カロリーベース）

1%

（第46位）

エンゲル係数*

28.4

（第3位）

食費*（年間支出）

98万 6,203円

（第12位）

牛乳・乳製品*（年間支出）

3万 4,494円

（第32位）

調味料*（年間支出）

3万 7,953円

（第26位）

生鮮野菜*（年間支出）

7万 2,206円

（第16位）

- はくさい 1,680円（第1位）
- さつまいも 1,350円（第5位）
- れんこん 1,294円（第5位）

生鮮果物*（年間支出）

3万 5,874円

（第34位）

外食*（年間支出）

17万 9,157円

（第8位）

- 中華食 6,715円（第5位）

調理食品*（年間支出）

13万 4,707円

（第9位）

- すし（弁当） 1万6,183円（第1位）
- うなぎのかば焼き 3,254円（第4位）

生 産

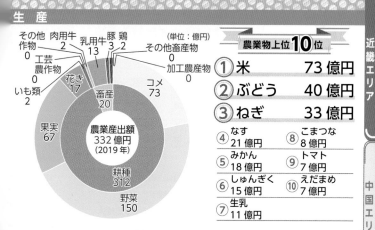

（単位：億円）

その他作物 0
工芸農作物 0
いも類 2
肉用牛 2
乳用牛 13
豚 3
鶏 2
その他畜産物 0
加工農産物 0
花き 17
畜産 20
コメ 73
果実 67
野菜 150
耕種 312

農業産出額 332 億円（2019 年）

農業物上位 10 位

①	米	73 億円
②	ぶどう	40 億円
③	ねぎ	33 億円

④	なす	21 億円
⑤	みかん	18 億円
⑥	しゅんぎく	15 億円
⑦	生乳	11 億円
⑧	こまつな	8 億円
⑨	トマト	7 億円
⑩	えだまめ	7 億円

消 費（1世帯当たりの年間支出金額）

鮮 魚
3 万 8,723 円（19 位）

マグロ	4,146 円
サ ケ	4,000 円
エ ビ	3,890 円
ブ リ	2,701 円
カ ニ	2,190 円

飲 料
5 万 7,373 円（16 位）

果実・野菜ジュース	7,768 円
茶飲料	7,072 円
コーヒー	6,248 円
炭酸飲料	5,982 円
コーヒー飲料	4,723 円

酒 類
4 万 2,466 円（21 位）

発泡酒等	1 万 3,140 円
ビール	9,908 円
焼 酎	6,041 円
清 酒	4,472 円
カクテル等	4,269 円

菓 子
8 万 1,596 円（34 位）

アイスクリーム	7,945 円
ケーキ	6,292 円
チョコレート	6,285 円
せんべい	5,277 円
スナック菓子	4,438 円

他の穀類 4,904 円（6.0%）
麺 類 1 万 7,265 円（21.3%）
パン 3 万 4,798 円（42.9%）
穀 類 8 万 1,199 円 9 位
米 2 万 4,233 円（29.8%）

その他 6,603 円（6.8%）
鶏 肉 1 万 6,019 円（16.3%）
豚 肉 2 万 6,798 円（27.2%）
肉 類 9 万 8,377 円 8 位
加工肉 1 万 5,297 円（15.5%）
牛 肉 3 万 3,659 円（34.2%）

食品産業

飲食料小売額	2 兆 6,863 億円	③
百貨店・総合スーパー	106 店	②
飲食料小売店数	1 万 4,637 店	②
コンビニ数	2,621 店	④
ドラッグストア数	1,047 店	②

□は全国順位

（カ所）　■事業所数　🍚出荷額　（億円）

	2013年	2014年	2015年	2016年	2017年
事業所数	915	884	926	800	794
出荷額	11,274	11,797	12,900	12,650	12,615

注：従業者4人以上の事業所に関する統計表。

Data で見る 大阪府

※大阪市の1世帯当たりの年間支出金額

快適度

人口密度 /㎢	4,626 人	2
物価格差	99.8	10
府民所得 / 人	305.6 万円	13
犯罪認知件数 / 千人	9.61 件	1
旅行に行く人の割合	48.0%	16
医師数 /10 万人	277.0 人	15

■は全国順位

※グラフの外側がより高い快適度

行動ウエート

※グラフの外側がより高いウエート

趣味・娯楽の時間	186 分	9
睡眠時間	457 分	40
仕事・学業をする時間	417 分	17
学習や自己啓発をする時間	161 分	1
スポーツをする時間	115 分	38
食事をする時間	103 分	12

■は全国順位

人口

- 人口
  884 万 8,998 人（3 位）
- 人口増減数
  － 7,446 人（18 位）
- 出生率
  7.6 人／千人（12 位）
- 死亡率 10.4 人／千人（40 位）
- 外国人の割合 2.80%（6 位）

家庭*

- 世帯主年齢 59.6 歳（21 位）
- 子ども（18 歳未満）の人員
  0.52 人（35 位）
- 高齢者（65 歳以上）の人員
  0.84 人（19 位）
- 持ち家率 80.7%（32 位）
- 平均畳数 23.1 帖（35 位）

世帯

- 世帯数
  430 万 161 世帯（3 位）
- 平均人員 2.06 人（43 位）
- 核家族世帯率 56.1%
  （27 位）
- 単身者世帯率 37.5%（3 位）
- 高齢者世帯率 11.2%
  （33 位）

家計*

- 貯蓄額 1,629 万円（27 位）
- 負債総額 468 万円（32 位）
- 消費支出 324 万 4,899 円
  （38 位）
- 家賃 14 万 8,450 円（7 位）
- 水道光熱費 25 万 3,024 円
  （29 位）

消費*

- 衣類・履物費 12 万 6,023 円
  （27 位）
- 保健医療費 16 万 1,628 円
  （23 位）
- 教育費
  12 万 657 円（27 位）
- 自動車関連費
  12 万 7,857 円（47 位）
- 通信費 16 万 9,248 円（17 位）

外国人旅行者

宿泊者数の推移

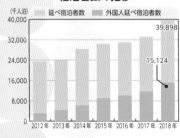

（千人泊）　延べ宿泊者数　外国人延べ宿泊者数
40,000　32,000　24,000　16,000　8,000　0
39,898
15,124
2012年 2013年 2014年 2015年 2016年 2017年 2018年

宿泊者上位 5 カ国

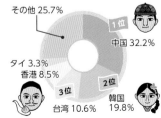

その他 25.7%
タイ 3.3%
香港 8.5%
1 位 中国 32.2%
2 位 韓国 19.8%
3 位 台湾 10.6%

身長 170.5cm （23 位）
体重 62.8kg （17 位）
初婚年齢 31.0 歳 （33 位）
寿命 80.23 年 （38 位）

婚姻率 5.1 人／千人 （4 位）

1.88 人／千人 （5 位） 離婚率

身長 158.0cm （12 位）
体重 52.3kg （41 位）
初婚年齢 29.5 歳 （41 位）
寿命 86.73 年 （38 位）

気 候

最高気温 35℃以上の日数	19 日	全国で 6 位
平均気温	16.9℃	全国で 20 位
日照時間	2,101 時間	全国で 14 位
降水量	1,219 ㎜	全国で 38 位
平均相対湿度	65.5%	全国で 40 位

（大阪管区気象台 2019 年）

最低気温 0.7℃／最高気温 37.5℃

産 業

- 総事業所数 39 万 2,940 （2 位）
- 小売事業所数 6 万 3,526 （2 位）
- 卸売事業所数 3 万 6,071 （2 位）
- 上場企業数 427 （2 位）
- 代表取締役出身者数 5 万 5,981 人 （3 位）

経 済

- 府内総生産 38 兆 210 億円 （2 位）
- 企業倒産数 94 件 （2 位）
- 有効求人倍率 1.58 （19 位）
- 月額給与（男）36.38 万円 （3 位）
- 月額給与（女）26.50 万円 （3 位）

労 働

- 労働時間 178 時間／月 （30 位）
- 通勤時間 36 分 （6 位）
- 勤続年数 12.0 年 （32 位）
- 大卒初任給 20.81 万円 （5 位）
- パート時給 1,215 円 （3 位）

社 会

- 中高年の就職率 26.30% （38 位）
- 失業率 2.92% （1 位）
- 自殺者数 13.5 人／10 万人 （45 位）
- 生活保護世帯数 5 万 5,956 世帯 （2 位）
- 少年犯罪数 3.65 人／千人 （6 位）

福 祉

- 病院数 5.9 施設／10 万人（35 位）
- 一般診療所数 96.2 施設／10 万人 （6 位）
- 児童福祉施設数 24.4 施設／10 万人 （46 位）
- 老人福祉センター数 2.9 施設／10 万人 （43 位）
- 図書館数 1.6 施設／10 万人 （44 位）

教 育

- 大学進学率 59.6% （6 位）
- 高卒の割合 11.2% （44 位）
- 学校のＩＴ化 4.7 人／台 （17 位）
- 教科書・参考書費* 1,976 円 （31 位）
- 補習教育費* 2 万 9,324 円（23 位）

交通・通信

- 自動車保有台数 843 台／千世帯 （46 位）
- ガソリン代* 2 万 6,427 円（46 位）
- 交通費* 7 万 6,304 円 （10 位）
- 電話代* 15 万 5,025 円（14 位）
- 交通事故死亡者数 1.48 人／10 万人 （45 位）

学 校

- 保育所数 1,481 カ所 （3 位）
- 幼稚園数 587 カ所 （3 位）
- 小学校数 999 校 （3 位）
- 高校数 260 校 （3 位）
- 大学数 55 校 （2 位）

スポーツ

- 野球をする人の割合 6.6%（30 位）
- ゴルフをする人の割合 7.6% （20 位）
- サッカーをする人の割合 6.0% （12 位）
- ラグビー部のある高校 38.5% （1 位）
- 高校陸上部員数の割合 2.6%（45 位）

娯 楽

- 博物館数 0.4 施設／10 万人 （44 位）
- 映画館数 2.5 施設／10 万人 （30 位）
- 月謝類* 2 万 9,096 円（38 位）
- 書籍雑誌費* 3 万 6,159 円（37 位）
- 海外旅行に行く人の割合 8.1%（5 位）

兵庫県

県の
木：クスノキ　鳥：コウノトリ
花：ノジギク　歌：兵庫県民歌

兵庫県民

インターナショナル

神戸の履き倒れ
→靴など小物に
お金をかける

**オシャレで
ミーハー**

兵庫県のNO.1

| 肉製品 | マーガリン | 洋風めん |
| 出荷額[1] | 出荷額[1] | 出荷額[1] |

| 清酒 | 味りん |
| 出荷額[1] | 出荷額[1] |

[1] 2018年

A 豊岡市
新温泉町　香美町
養父市
B 朝来市
宍粟市　神河町 **C**
佐用町　市川町
福崎 **G**
上郡町　姫路市 **K** **E** 加西市
相生市 **F** たつの市
赤穂市　加古川
太子町
高砂市
播磨町
H 明石市
淡路市 **J**
洲本市
南あわじ市

凡例
- - - - 新幹線
J R
国道
高速・有料道路

N

淡路夢舞台 / 淡路市
淡路島の自然の再生と共生
を目的に作られた施設。緑
と建造物が美しく調和。

**←アーモンドトースト
/ 姫路市**
姫路モーニング文化の定番
メニュー。アーモンドの香
ばしくて優しい甘さ。

玄武洞／豊岡市
60万年前の火山活動により形成。六角形の無数の玄武岩が積み上がっている。

竹田城址／朝来市
雲海のたなびく山頂に位置し、「天空の城」と称される。珍しく完存する遺構。

銀の馬車道／神河町
生野鉱山と姫路市飾磨港を結んだ馬車専用道路。鉱石の道とともに日本遺産。

中山寺／宝塚市
聖徳太子創建とされる日本で最初の観音霊場。安産祈願の寺として知られる。

日本玩具博物館／姫路市
日本の郷土玩具を中心に、世界140カ国8万点を収蔵する私設の博物館。

丹波市

丹波篠山市

西脇市

加東市

小野市

三木市

三田市

猪名川町

川西市

宝塚市

伊丹市

稲美町

神戸市

芦屋市　西宮市

尼崎市

←ペーロン祭／相生市
播磨造船所従業員により伝えられた「ペーロン」競漕を祭りとして開催。

河太郎と河次郎→／福崎町
民俗学者・柳田國男の生家近くのため池に出没する河童。同氏の著書がモチーフ。

干しタコ／明石市
明石ダコのシーズン、東二見漁港の真夏の風景。うまみが凝縮し、タコ飯に最適。

風見鶏の館／神戸市
旧トーマス邸とも呼ばれ、現存するれんが造りの異人館。北野町のシンボル。

兵庫県 の 食

※神戸市の1世帯当たりの年間支出金額

耕地面積（田畑計）
7万
3,400ha
（第**18**位）

コメの作付面積（水稲延べ）
3万
6,800ha
（第**13**位）

コメの収穫量（水稲）
18万
2,900 t
（第**14**位）

肉用牛（飼育頭数）
5万
3,100頭
（第**12**位）

養豚（飼育頭数）
2万
2,100頭
（第**38**位）

ブロイラー（飼育頭数）
243万
8,000羽
（第**13**位）

漁獲量・天然（海面漁業）
4万
96 t
（第**21**位）

漁獲量・養殖（海面養殖）
8万
1,231 t
（第**4**位）

食料自給率（カロリーベース）
16％
（第**39**位）

エンゲル係数*
27.6
（第**5**位）

食費*（年間支出）
94万
2,825円
（第**25**位）

牛乳・乳製品*（年間支出）
4万
434円
（第**8**位）

調味料*（年間支出）
3万
7,031円
（第**35**位）
- ●乾燥スープ 4,035円（第2位）
- ●ソース 899円（第5位）

生鮮野菜*（年間支出）
6万
5,040円
（第**28**位）

生鮮果物*（年間支出）
3万
7,407円
（第**29**位）
- ●キウイフルーツ 2,954円（第2位）

外　食*（年間支出）
16万
6,278円
（第**17**位）
- ●喫茶代 1万198円（第5位）

調理食品*（年間支出）
13万
1,793円
（第**14**位）
- ●ぎょうざ 2,461円（第4位）

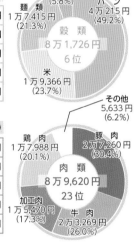

生 産

その他畜産物 2
加工農産物 0
豚 14
鶏 289
肉用牛 184
乳用牛 115
畜産 604
その他作物 25
工芸農作物 1
いも類 6
花き 41
果実 32
野菜 355
耕種 940
コメ 479

農業産出額 1,544 億円 (2019 年)

(単位：億円)

農業物上位 10 位

①	米	479 億円
②	肉用牛	184 億円
③	鶏卵	176 億円

④ 玉ねぎ 93 億円	⑧ ひな※ 26 億円
⑤ 生乳 92 億円	⑨ トマト 25 億円
⑥ ブロイラー 80 億円	⑩ 乳牛 23 億円
⑦ レタス 42 億円	

※注：他都道府県販売

消 費（1世帯当たりの年間支出金額）

鮮 魚
3 万 3,509 円 (38 位)

サ ケ	4,170 円
ブ リ	2,878 円
エ ビ	2,826 円
マグロ	2,292 円
タ イ	1,392 円

飲 料
5 万 4,108 円 (30 位)

果実・野菜ジュース	7,852 円
コーヒー	7,504 円
茶飲料	6,163 円
コーヒー飲料	5,897 円
炭酸飲料	4,586 円

酒 類
4 万 4,098 円 (17 位)

ビール	1 万 4,089 円
発泡酒等	9,632 円
焼 酎	5,538 円
清 酒	5,183 円
カクテル等	4,642 円

菓 子
8 万 5,035 円 (28 位)

アイスクリーム	1 万 437 円
チョコレート	6,695 円
ケーキ	5,890 円
ビスケット	4,575 円
スナック菓子	4,566 円

他の穀類 4,730 円 (5.8%)
パン 4 万 215 円 (49.2%)
麺 類 1 万 7,415 円 (21.3%)
穀 類 8 万 1,726 円 6 位
米 1 万 9,366 円 (23.7%)

その他 5,633 円 (6.2%)
鶏 肉 1 万 7,988 円 (20.1%)
豚 肉 2 万 7,260 円 (30.4%)
肉 類 8 万 9,620 円 23 位
加工肉 1 万 5,470 円 (17.3%)
牛 肉 2 万 3,269 円 (26.0%)

食品産業

（カ所）	事業所数	出荷額	（億円）

1,504 / 14,850 / 2013年
1,453 / 15,530 / 2014年
1,418 / 15,977 / 2015年
1,147 / 16,200 / 2016年
1,093 / 16,628 / 2017年

注：従業者4人以上の事業所に関する統計表。

飲食料小売額	1 兆 6,499 億円	8
百貨店・総合スーパー	76 店	7
飲食料小売店数	9,547 店	8
コンビニ数	1,345 店	9
ドラッグストア数	626 店	8

□は全国順位

近畿エリア
中国エリア
四国エリア
九州エリア
沖縄エリア

Data で見る 兵庫県

※神戸市の1世帯当たりの年間支出金額

快適度

人口密度 /km²	653 人	8
物価格差	100.3	6
県民所得 / 人	289.6 万円	24
犯罪認知件数 / 千人	7.37 件	4
旅行に行く人の割合	49.1%	13
医師数 /10 万人	252.2 人	24

■は全国順位

※グラフの外側がより高い快適度

行動ウエート

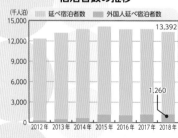

※グラフの外側がより高いウエート

趣味・娯楽の時間	181 分	20
睡眠時間	455 分	43
仕事・学業をする時間	423 分	9
学習や自己啓発をする時間	133 分	15
スポーツをする時間	123 分	12
食事をする時間	103 分	12

■は全国順位

人口

- 人口
  557 万 618 人（7 位）
- 人口増減数
  － 1 万 9,090 人（45 位）
- 出生率
  7.4 人／千人（16 位）
- 死亡率 10.7 人／千人（36 位）
- 外国人の割合 2.06%（15 位）

家庭*

- 世帯主年齢 58.9 歳（26 位）
- 子ども（18 歳未満）の人員
  0.58 人（25 位）
- 高齢者（65 歳以上）の人員
  0.70 人（42 位）
- 持ち家率 83.0%（25 位）
- 平均畳数 22.4 帖（39 位）

世帯

- 世帯数
  254 万 807 世帯（8 位）
- 平均人員 2.19 人（30 位）
- 核家族世帯率 59.3%（5 位）
- 単身者世帯率 32.7%
  （15 位）
- 高齢者世帯率 12.6%
  （20 位）

家計*

- 貯蓄額 2,011 万円（10 位）
- 負債総額 459 万円（33 位）
- 消費支出 325 万 4,831 円
  （36 位）
- 家賃 11 万 5,129 円
  （17 位）
- 水道光熱費 19 万 9,697 円
  （47 位）

消費*

- 衣類・履物費 12 万 3,857 円
  （32 位）
- 保健医療費 15 万 2,224 円
  （33 位）
- 教育費
  14 万 6,043 円（15 位）
- 自動車関連費
  17 万 1,824 円（43 位）
- 通信費 13 万 6,027 円（44 位）

外国人旅行者

宿泊者数の推移

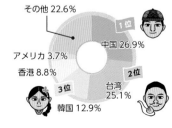

（千人泊）
延べ宿泊者数　外国人延べ宿泊者数
15,000
12,000
9,000
6,000
3,000
0
13,392
1,260
2012年 2013年 2014年 2015年 2016年 2017年 2018年

宿泊者上位 5 カ国

その他 22.6%
中国 26.9%（1 位）
アメリカ 3.7%
香港 8.8%
韓国 12.9%（3 位）
台湾 25.1%（2 位）

気候

最高気温 35℃以上の日数	7 日	全国で 25 位
平均気温	17.6℃	全国で 11 位
日照時間	2,144 時間	全国で 7 位
降水量	1,178 mm	全国で 39 位
平均相対湿度	66.4%	全国で 38 位

（神戸管区気象台 2019 年）

最低気温 1.0℃／最高気温 36.7℃

身長 170.5cm（23 位）
体重 61.7kg（44 位）
初婚年齢 30.8 歳（20 位）
寿命 80.92 年（18 位）

4.5 人／千人（10 位）婚姻率

1.66 人／千人（18 位）離婚率

身長 157.7cm（26 位）
体重 52.9kg（25 位）
初婚年齢 29.4 歳（36 位）
寿命 87.07 年（25 位）

産 業

- 総事業所数 21 万 4,169（7 位）
- 小売事業所数 4 万 1,309（7 位）
- 卸売事業所数 1 万 2,834（8 位）
- 上場企業数 106（5 位）
- 代表取締役出身者数 3 万 6,888 人（7 位）

経 済

- 県内総生産 20 兆 3,000 億円（6 位）
- 企業倒産数 48 件（3 位）
- 有効求人倍率 1.29（35 位）
- 月額給与（男）32.68 万円（9 位）
- 月額給与（女）24.94 万円（8 位）

労 働

- 労働時間 177 時間／月（38 位）
- 通勤時間 34 分（8 位）
- 勤続年数 12.2 年（30 位）
- 大卒初任給 20.40 万円（12 位）
- パート時給 1,134 円（8 位）

社 会

- 中高年の就職率 25.16%（40 位）
- 失業率 2.35%（13 位）
- 自殺者数 15.8 人／10 万人（32 位）
- 生活保護世帯数 1 万 7,486 世帯（10 位）
- 少年犯罪数 3.69 人／千人（5 位）

福 祉

- 病院数 6.4 施設／10 万人（28 位）
- 一般診療所数 92.5 施設／10 万人（8 位）
- 児童福祉施設数 29.6 施設／10 万人（38 位）
- 老人福祉センター数 3.9 施設／10 万人（35 位）
- 図書館数 1.9 施設／10 万人（43 位）

教 育

- 大学進学率 60.9%（3 位）
- 高卒の割合 14.0%（40 位）
- 学校の IT 化 6.1 人／台（41 位）
- 教科書・参考書費* 1,545 円（42 位）
- 補習教育費* 2 万 8,739 円（25 位）

交通・通信

- 自動車保有台数 1,144 台／千世帯（43 位）
- ガソリン代* 3 万 1,076 円（44 位）
- 交通費* 10 万 1,282 円（5 位）
- 電話代* 12 万 2,727 円（43 位）
- 交通事故死亡者数 2.52 人／10 万人（38 位）

学 校

- 保育所数 1,007 カ所（8 位）
- 幼稚園数 505 カ所（5 位）
- 小学校数 761 校（8 位）
- 高校数 205 校（6 位）
- 大学数 37 校（4 位）

スポーツ

- 野球をする人の割合 6.9%（25 位）
- ゴルフをする人の割合 9.7%（3 位）
- サッカーをする人の割合 6.1%（11 位）
- ラグビー部のある高校 21.5%（20 位）
- 高校陸上部員数の割合 4.0%（20 位）

娯 楽

- 博物館数 0.7 施設／10 万人（34 位）
- 映画館数 2.2 施設／10 万人（35 位）
- 月謝類* 4 万 5,881 円（9 位）
- 書籍雑誌費* 4 万 49 円（21 位）
- 海外旅行に行く人の割合 8.4%（4 位）

奈良県

県の
木：スギ　　魚：キンギョ、
花：ナラヤエザクラ　アユ、アマゴ
鳥：コマドリ　歌：奈良県民の歌

奈良県民

ZZZ…

奈良の寝倒れ
→おっとり、
まったり

保守的、
排他的

みやびで
お澄まし

奈良県の NO.1 ▶

**核家族
世帯率**[※1]

貯蓄額[※1]

**ソックス
出荷額**[※2]

**あめ菓子
出荷額**[※2]

[※1]奈良市、[※2]2018年

凡　例
--- 新幹線
--- J R
―― 国　道
―― 謎・街道

生駒市
奈良市 **A**
大和郡山市
平群町　安堵町
三郷町　斑鳩町　天理市 **E**
王寺町　河合町　川西町
香芝市　上牧町　田原本町
大和高田市　広陵町 **D**
葛城市　橿原市 **F**
御所市　明日香
高取町
大淀町
五條市 **H**　下市町
黒滝村
天川村 **I**
野迫川村
十津川村

N

大峰山 / 天川村
1300年前に役行者が開山し、
今なお女人禁制の聖地。日
本三大修験道といわれる。

大台ヶ原 / 上北山村
世界有数の降水量で原生林
を形成。日本百景、日本の
秘境100選、日本百名山選出。

三輪山 / 桜井市
大神神社の御神体で古来、
神の宿る山と崇められてき
た。今では登拝が可能。

←鹿の角きり / 奈良市
奈良公園で鹿の角を切り落とす秋の恒例行事。長い角が生えている鹿が選ばれる。

山の辺の道 / 桜井〜天理
三輪から奈良へ通じる道で、歴史上の最古の古道とされる。社寺や古墳など点在。

又兵衛桜 / 宇陀市
戦国武将後藤又兵衛の屋敷跡にあり、樹齢300年とも伝わる桜の古木。

唐古・鍵遺跡 / 田原本町
弥生時代の巨大遺跡。当時の風景も復元され、古代のロマンに思いを馳せる。

談山神社 / 桜井市
大化改新談合の地で、祭神は藤原鎌足。木造の十三重塔は現存する唯一のもの。

藤原宮跡 / 橿原市
今では色とりどりの花が植えられ、大和三山の絶好の眺望スポットとなっている。

吉野本葛 / 吉野地方
葛の根から抽出されたでん粉を精製したもの。手間暇がかかり希少だが上質。

陀々堂の鬼走り / 五條市
たいまつをかついだ鬼たちが堂内を走りまわり、災厄をはらう念仏寺の神事。

山添村

C
宇陀市

曽爾村

御杖村

G 東吉野村

川上村

上北山村

J

下北山村

奈良県 の 食

※奈良市の1世帯当たりの年間支出金額

耕地面積(田畑計)
2万200ha
(第44位)

コメの作付面積(水稲延べ)
8,490ha
(第41位)

コメの収穫量(水稲)
4万3,700t
(第41位)

肉用牛(飼育頭数)
4,070頭
(第41位)

養豚(飼育頭数)
6,590頭
(第42位)

ブロイラー(飼育頭数)
—
(第 — 位)

漁獲量・天然(海面漁業)
0t
(第 — 位)

漁獲量・養殖(海面養殖)
0t
(第 — 位)

食料自給率(カロリーベース)
14%
(第41位)

エンゲル係数*
24.3
(第38位)

食費*(年間支出)
97万9,529円
(第13位)

牛乳・乳製品*(年間支出)
3万6,437円
(第22位)

調味料*(年間支出)
3万9,983円
(第14位)
●しょう油 2,350円 (第4位)
●風味調味料 2,885円 (第5位)

生鮮野菜*(年間支出)
6万8,368円
●はくさい 1,458円 (第3位)
(第20位)

生鮮果物*(年間支出)
3万6,169円
(第33位)

外 食*(年間支出)
16万8,829円
(第15位)

調理食品*(年間支出)
12万440円
(第30位)

生産

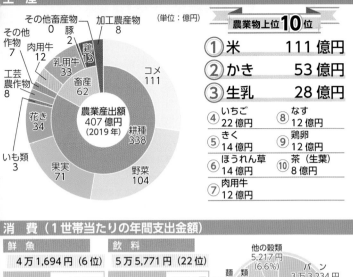

（単位：億円）

その他畜産物 0
豚 2
加工農産物 8
鶏 13
乳用牛 33
肉用牛 12
その他作物 7
工芸農作物 8
花き 34
いも類 3
果実 71

畜産 62
コメ 111

農業産出額 407 億円（2019年）

耕種 338
野菜 104

農業物上位 10 位

①	米	111 億円
②	かき	53 億円
③	生乳	28 億円

④	いちご 22 億円	⑧	なす 12 億円
⑤	きく 14 億円	⑨	鶏卵 12 億円
⑥	ほうれん草 14 億円	⑩	茶（生葉） 8 億円
⑦	肉用牛 12 億円		

消 費（1世帯当たりの年間支出金額）

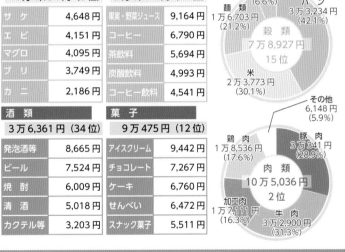

鮮 魚
4万1,694円（6位）

サ ケ	4,648 円
エ ビ	4,151 円
マグロ	4,095 円
ブ リ	3,749 円
カ ニ	2,186 円

飲 料
5万5,771円（22位）

果実・野菜ジュース	9,164 円
コーヒー	6,790 円
茶飲料	5,694 円
炭酸飲料	4,993 円
コーヒー飲料	4,541 円

酒 類
3万6,361円（34位）

発泡酒等	8,665 円
ビール	7,524 円
焼 酎	6,009 円
清 酒	5,018 円
カクテル等	3,203 円

菓 子
9万475円（12位）

アイスクリーム	9,442 円
チョコレート	7,267 円
ケーキ	6,760 円
せんべい	6,472 円
スナック菓子	5,511 円

他の穀類 5,217円（6.6%）
麺類 1万6,703円（21.2%）
パン 3万3,234円（42.1%）

穀類 7万8,927円 15位

米 2万3,773円（30.1%）

その他 6,148円（5.9%）
鶏肉 1万8,536円（17.6%）
豚肉 3万341円（28.9%）

肉類 10万5,036円 2位

加工肉 1万7,111円（16.3%）
牛肉 3万2,900円（31.3%）

食品産業

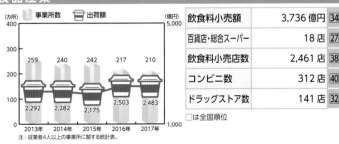

（カ所）事業所数　出荷額　（億円）

2013年	2014年	2015年	2016年	2017年
259	240	242	217	210
2,292	2,282	2,175	2,503	2,483

注：従業者4人以上の事業所に関する統計表。

飲食料小売額	3,736 億円	34
百貨店・総合スーパー	18 店	27
飲食料小売店数	2,461 店	38
コンビニ数	312 店	40
ドラッグストア数	141 店	32

□は全国順位

191

Data で見る 奈良県

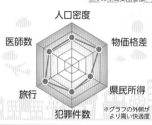

※奈良市の1世帯当たりの年間支出金額

快適度

人口密度 /km²	363 人	14
物価格差	97.1	42
県民所得 / 人	252.2 万円	40
犯罪認知件数 / 千人	4.94 件	21
旅行に行く人の割合	52.1%	8
医師数 /10 万人	258.5 人	20

■は全国順位

※グラフの外側がより高い快適度

行動ウエート

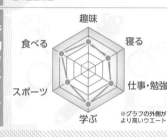

※グラフの外側がより高いウエート

趣味・娯楽の時間	183 分	16
睡眠時間	455 分	43
仕事・学業をする時間	415 分	22
学習や自己啓発をする時間	145 分	3
スポーツをする時間	117 分	25
食事をする時間	104 分	9

■は全国順位

人口

- 人口
  136 万 2,781 人（30 位）
- 人口増減数
  − 8,919 人（23 位）
- 出生率
  6.7 人／千人（37 位）
- 死亡率 11.0 人／千人（35 位）
- 外国人の割合 0.98%（29 位）

家庭*

- 世帯主年齢 60.1 歳（17 位）
- 子ども（18 歳未満）の人員
  0.55 人（29 位）
- 高齢者（65 歳以上）の人員
  0.88 人（12 位）
- 持ち家率 80.4%（33 位）
- 平均畳数 26.9 帖（9 位）

世帯

- 世帯数
  59 万 3,688 世帯（29 位）
- 平均人員 2.30 人（21 位）
- 核家族世帯率 63.9%（1 位）
- 単身者世帯率 25.7%
  （46 位）
- 高齢者世帯率 15.0%（2 位）

家計*

- 貯蓄額 2,786 万円（1 位）
- 負債総額 563 万円（16 位）
- 消費支出 377 万 9,267 円
  （5 位）
- 家賃 13 万 5,442 円（9 位）
- 水道光熱費 26 万 6,011 円
  （20 位）

消費*

- 衣類・履物費 14 万 1,860 円
  （11 位）
- 保健医療費 17 万 1,614 円
  （14 位）
- 教育費
  20 万 1,145 円（4 位）
- 自動車関連費
  32 万 5,831 円（17 位）
- 通信費 15 万 4,039 円（35 位）

外国人旅行者

宿泊者数の推移

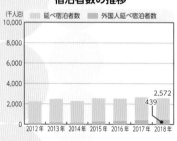

（千人泊）　延べ宿泊者数　外国人延べ宿泊者数

10,000 / 8,000 / 6,000 / 4,000 / 2,000 / 0

2012年 2013年 2014年 2015年 2016年 2017年 2018年

2,572
439

宿泊者上位 5 カ国

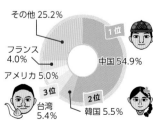

その他 25.2%
フランス 4.0%
アメリカ 5.0%
3位 台湾 5.4%
2位 韓国 5.5%
1位 中国 54.9%

気候

身長 170.5cm（23 位）
体重 62.0kg（39 位）
初婚年齢 31.0 歳（33 位）
寿命 81.36 歳（4 位）

3.9 人／千人（40 位）婚姻率

1.54 人／千人（35 位）離婚率

身長 158.0cm（12 位）
体重 53.1kg（22 位）
初婚年齢 29.4 歳（36 位）
寿命 87.25 年（16 位）

最高気温 35℃以上の日数 **17 日**	全国で 8 位	
平均気温 **17.7℃**	全国で 10 位	
日照時間 **1,887 時間**	全国で 36 位	
降水量 **1,483 ㎜**	全国で 27 位	
平均相対湿度 **71.3%**	全国で 19 位	

（奈良管区気象台 2019 年）

最低気温 -2.1℃／最高気温 37.4℃

産 業

・総事業所数 4 万 6,487（40 位）
・小売事業所数 9,812（39 位）
・卸売事業所数 2,235（43 位）
・上場企業数 5（38 位）
・代表取締役出身者数 9,886 人（44 位）

経 済

・県内総生産 3 兆 5,554 億円（37 位）
・企業倒産数 5 件（28 位）
・有効求人倍率 1.29（36 位）
・月額給与（男）32.54 万円（11 位）
・月額給与（女）25.89 万円（4 位）

労 働

・労働時間 180 時間／月（4 位）
・通勤時間 37 分（5 位）
・勤続年数 12.3 年（23 位）
・大卒初任給 20.36 万円（13 位）
・パート時給 1,128 円（9 位）

社 会

・中高年の就職率 27.19%（34 位）
・失業率 2.10%（24 位）
・自殺者数 16.7 人／ 10 万人（22 位）
・生活保護世帯数 9,502 世帯（19 位）
・少年犯罪数 3.11 人／千人（11 位）

福 祉

・病院数 5.9 施設／10 万人（35 位）
・一般診療所数 90.4 施設／ 10 万人（13 位）
・児童福祉施設数 23.2 施設／ 10 万人（47 位）
・老人福祉センター数 5.3 施設／ 10 万人（23 位）
・図書館数 2.4 施設／ 10 万人（38 位）

教 育

・大学進学率 59.4%（7 位）
・高卒の割合 11.8%（43 位）
・学校の I T 化 5.9 人／台（39 位）
・教科書・参考書費* 3,966 円（7 位）
・補習教育費* 4 万 2,391 円（7 位）

交通・通信

・自動車保有台数 1,353 台／千世帯（38 位）
・ガソリン代* 5 万 6,457 円（34 位）
・交通費* 10 万 1,309 円（4 位）
・電話代* 13 万 8,138 円（37 位）
・交通事故死亡者数 2.54 人／ 10 万人（37 位）

学 校

・保育所数 215 カ所（43 位）
・幼稚園数 163 カ所（22 位）
・小学校数 207 校（37 位）
・高校数 53 校（37 位）
・大学数 11 校（19 位）

スポーツ

・野球をする人の割合 7.5%（14 位）
・ゴルフをする人の割合 8.6%（10 位）
・サッカーをする人の割合 5.7%（19 位）
・ラグビー部のある高校 15.1%（34 位）
・高校陸上部員数の割合 3.6%（27 位）

娯 楽

・博物館数 1.4 施設／ 10 万人（12 位）
・映画館数 2.5 施設／ 10 万人（31 位）
・月謝類* 4 万 3,951 円（11 位）
・書籍雑誌費* 4 万 4,867 円（6 位）
・海外旅行に行く人の割合 8.1%（5 位）

和歌山県

県の
木：ウバメガシ　魚：マグロ
花：ウメ　歌：和歌山県民歌
鳥：メジロ

和歌山県民

素朴で豪快

質素倹約

冒険心おう盛

凡　例
━ ━ ━　新幹線
ー・ー・ー　ＪＲ
───　国　道
═════　県・解道

和歌山県の NO.1

1世帯当たり 負債(低)※1	グリーンピース 出荷量※2	ミカン 出荷量※2

柿 出荷量※2	一般 診療数※2※3

※1 和歌山市、※2 2018年、※3 人口当たり

岩出市
B
C 和歌山市　紀の川
海南市　紀美野町
有田市
有田川町
E 湯浅町
F 由良町　広川町
日高町
G 日高川町
御坊市
美浜町
印南町
みなべ町
上富田町
I 白浜町

紀州備長炭 / 日高川町など
ウバメガシを原料に作られる白炭。「紀州備長炭」ブランドは世界的に評価。

筏流し / 北山村
伝統の技・筏（いかだ）流しを引き継いだ観光筏下り。長い筏に乗って急流を下る。

円月島 / 白浜町
島の中央の海蝕洞から差し込む夕陽は美しく、「日本の夕陽100選」に選出。

那智の田楽 / 那智勝浦町
那智の扇祭りで奉納。田楽舞を創成期の形で伝えており、ユネスコ無形文化遺産。

←丹生都比売神社 / かつらぎ町
創建は1700年以上前とされ、紀伊国一之宮とも称される。世界文化遺産。

根来寺 / 岩出市
新義真言宗総本山。国宝「大塔」は、1547年に建立された日本最大の木造多宝塔。

友ヶ島 / 和歌山市
紀淡海峡に浮かぶ島々。旧日本軍要塞の廃墟と大自然が超越的空間を醸す。

高野山金剛峯寺 / 高野町
弘法大師によって開かれた、言わずと知れた日本仏教の聖地。境内は実に48295坪。

橋本市
九度山町
高野町
かつらぎ町
新宮市飛地
北山村
田辺市
新宮市
那智勝浦町
古座川町
すさみ町
太地町
串本町

角長 / 湯浅町
醤油発祥の地・湯浅で天保12年に創業した手づくり醤油の醸造蔵。見学可。

白崎海岸 / 由良町
白い石灰岩の海岸と青い海のコントラストは、どこかエーゲ海のような雰囲気。

和歌山県 の 食

※和歌山市の1世帯当たりの年間支出金額

耕地面積 (田畑計)
3万
2,200ha
(第38位)

コメの作付面積 (水稲延べ)
6,360ha
(第42位)

コメの収穫量 (水稲)
3万
1,400t
(第42位)

肉用牛 (飼育頭数)
2,610頭
(第44位)

養豚 (飼育頭数)
1,730頭
(第47位)

ブロイラー (飼育頭数)
59万
6,000
(第30位)

漁獲量・天然 (海面漁業)
1万
5,197t
(第31位)

漁獲量・養殖 (海面養殖)
2,721t
(第23位)

食料自給率 (カロリーベース)
28%
(第33位)

エンゲル係数*
26.9
(第10位)

食費* (年間支出)
84万
520円
(第44位)

牛乳・乳製品* (年間支出)
3万
3,430円
(第36位)

調味料* (年間支出)
3万
5,955円
(第40位)

生鮮野菜* (年間支出)
6万
438円
(第38位)

生鮮果物* (年間支出)
3万
4,220円
(第37位)

●桃　3,128円 (第3位)

外食* (年間支出)
12万
4,334円
(第44位)

調理食品* (年間支出)
10万
4,046円
(第46位)

生産

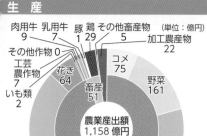

肉用牛 9　乳用牛 7　豚 1　鶏 29　その他畜産物 5　（単位：億円）
加工農産物 22
その他作物 0
工芸農作物 7
いも類 2
花き 64
コメ 75
野菜 161
畜産 51
農業産出額 1,158 億円（2019 年）
耕種 1,084
果実 748

農業物上位 10 位

① みかん	308 億円	
② うめ	200 億円	
③ かき	77 億円	

④ 米 75 億円	⑧ さやえんどう[※1] 26 億円
⑤ もも 42 億円	⑨ うめぼし 22 億円
⑥ トマト 34 億円	⑩ 不知火[※2] 17 億円
⑦ はっさく 32 億円	

※注：1 未成熟のもの、2 デコポン

消費（1世帯当たりの年間支出金額）

鮮魚
4 万 1,512 円（7 位）

サケ	4,636 円
ブリ	4,178 円
マグロ	3,910 円
エビ	3,691 円
カツオ	2,008 円

飲料
4 万 7,671 円（46 位）

果実・野菜ジュース	7,004 円
コーヒー	5,844 円
茶飲料	4,989 円
コーヒー飲料	4,558 円
炭酸飲料	4,118 円

酒類
3 万 4,545 円（40 位）

ビール	1 万 14 円
発泡酒等	8,263 円
焼酎	6,451 円
清酒	4,088 円
カクテル等	2,102 円

菓子
6 万 4,661（47 位）

アイスクリーム	7,760 円
ケーキ	4,840 円
チョコレート	4,739 円
せんべい	3,187 円
スナック菓子	3,032 円

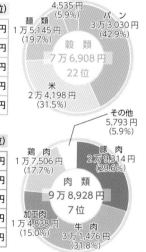

他の穀類 4,535 円（5.9%）
麺類 1 万 5,145 円（19.7%）
パン 3 万 3,030 円（42.9%）
穀類 7 万 6,908 円 22 位
米 2 万 4,198 円（31.5%）

その他 5,793 円（5.9%）
鶏肉 1 万 7,506 円（17.7%）
豚肉 2 万 9,314 円（29.6%）
肉類 9 万 8,928 円 7 位
加工肉 1 万 4,838 円（15.0%）
牛肉 3 万 1,476 円（31.8%）

食品産業

（カ所）事業所数　（億円）出荷額

	2013年	2014年	2015年	2016年	2017年
事業所数	433	408	446	391	387
出荷額	1,492	1,497	1,762	1,686	1,759

注：従業者4人以上の事業所に関する統計表。

飲食料小売額	3,382 億円	38
百貨店・総合スーパー	12 店	36
飲食料小売店数	2,667 店	36
コンビニ数	253 店	44
ドラッグストア数	91 店	40

□は全国順位

Data で見る 和歌山県

※和歌山市の1世帯当たりの年間支出金額

快適度

人口密度 /km	198 人	29
物価格差	99.6	12
県民所得 / 人	294.9 万円	19
犯罪認知件数 / 千人	4.67 件	26
旅行に行く人の割合	42.5%	33
医師数 /10 万人	302.1 人	9

■は全国順位

※グラフの外側がより高い快適度

行動ウエート

趣味・娯楽の時間	186 分	9
睡眠時間	466 分	15
仕事・学業をする時間	397 分	47
学習や自己啓発をする時間	131 分	17
スポーツをする時間	113 分	41
食事をする時間	101 分	23

※グラフの外側がより高いウエート

■は全国順位

人口

- 人口
  96 万 4,598 人（40 位）
- 人口増減数
  － 1 万 476 人（32 位）
- 出生率
  6.5 人／千人（40 位）
- 死亡率 14.1 人／千人（5 位）
- 外国人の割合 0.73%（39 位）

家庭*

- 世帯主年齢 60.7 歳（11 位）
- 子ども（18 歳未満）の人員
  0.48 人（42 位）
- 高齢者（65 歳以上）の人員
  0.91 人（6 位）
- 持ち家率 84.5%（16 位）
- 平均畳数 25.5 帖（15 位）

世帯

- 世帯数
  44 万 792 世帯（37 位）
- 平均人員 2.19 人（31 位）
- 核家族世帯率 60.3%（3 位）
- 単身者世帯率 29.4%
  （33 位）
- 高齢者世帯率 14.5%（3 位）

家計*

- 貯蓄額 1,696 万円（24 位）
- 負債総額 109 万円（47 位）
- 消費支出 290 万 6,288 円
  （46 位）
- 家賃 7 万 6,454 円（36 位）
- 水道光熱費 24 万 423 円
  （38 位）

消費*

- 衣類・履物費 10 万 6,681 円
  （43 位）
- 保健医療費 14 万 9,305 円
  （37 位）
- 教育費
  10 万 8,990 円（31 位）
- 自動車関連費
  21 万 6,109 円（41 位）
- 通信費 14 万 2,635 円（41 位）

外国人旅行者

宿泊者数の推移

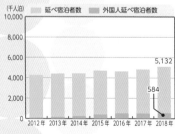

（千人泊）
延べ宿泊者数　外国人延べ宿泊者数

5,132
584

2012年 2013年 2014年 2015年 2016年 2017年 2018年

宿泊者上位 5 カ国

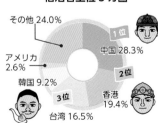

その他 24.0%
アメリカ 2.6%
韓国 9.2%
台湾 16.5%
中国 28.3%（1位）
香港 19.4%（2位）

身長 171.2cm（7位）
体重 63.8kg（7位）
初婚年齢 30.3歳（7位）
寿命 79.94年（44位）

♥ 4.1人／千人（33位）結婚率

1.81人／千人（6位）離婚率

身長 158.1cm（10位）
体重 53.2kg（20位）
初婚年齢 28.9歳（9位）
寿命 86.47年（41位）

気候

最高気温 35℃以上の日数	9日	全国で 22位
平均気温	16.3℃	全国で 26位
日照時間	2,178時間	全国で 5位
降水量	1,626㎜	全国で 20位
平均相対湿度	67.9%	全国で 34位

（和歌山管区気象台 2019年）

最低気温 0.1℃／最高気温 37.1℃

産業

・総事業所数 4万7,247（38位）
・小売事業所数 1万109（38位）
・卸売事業所数 2,769（37位）
・上場企業数 9（31位）
・代表取締役出身者数 1万2,005人（39位）

経済

・県内総生産 3兆5,138億円（39位）
・企業倒産数 6件（24位）
・有効求人倍率 1.18（44位）
・月額給与（男）30.16万円（28位）
・月額給与（女）23.31万円（17位）

労働

・労働時間 180時間／月（4位）
・通勤時間 25分（35位）
・勤続年数 11.9年（34位）
・大卒初任給 19.78万円（24位）
・パート時給 1,052円（25位）

社会

・中高年の就職率 30.20%（27位）
・失業率 1.65%（43位）
・自殺者数 18.5人／10万人（10位）
・生活保護世帯数 4,724世帯（39位）
・少年犯罪数 3.52人／千人（7位）

福祉

・病院数 8.9施設／10万人（15位）
・一般診療所数 110.6施設／10万人（1位）
・児童福祉施設数 34.9施設／10万人（25位）
・老人福祉センター数 4.3施設／10万人（32位）
・図書館数 2.6施設／10万人（37位）

教育

・大学進学率 48.6%（29位）
・高卒の割合 22.6%（25位）
・学校のIT化 4.0人／台（6位）
・教科書・参考書費* 823円（47位）
・補習教育費* 2万1,765円（33位）

交通・通信

・自動車保有台数 1,709台／千世帯（26位）
・ガソリン代* 4万4,458円（40位）
・交通費* 4万774円（36位）
・電話代* 12万8,854円（41位）
・交通事故死亡者数 3.53人／10万人（21位）

学校

・保育所数 202カ所（46位）
・幼稚園数 72カ所（38位）
・小学校数 249校（32位）
・高校数 47校（40位）
・大学数 4校（41位）

スポーツ

・野球をする人の割合 5.6%（44位）
・ゴルフをする人の割合 6.5%（28位）
・サッカーをする人の割合 3.9%（44位）
・ラグビー部のある高校 21.3%（23位）
・高校陸上部員数の割合 3.1%（36位）

娯楽

・博物館数 0.4施設／10万人（43位）
・映画館数 3.2施設／10万人（15位）
・月謝料* 4万108円（17位）
・書籍雑誌費* 3万8,198円（27位）
・海外旅行に行く人の割合 4.5%（26位）

鍋 の 具 材 へ の 支 出

家計
ミニトピックス

鍋物の具材となる品目は
秋から冬にかけて支出が増加

鍋物の具材として代表的な、「油揚げ・がんもどき」や「揚げかまぼこ」、「こんにゃく」、「生しいたけ」について、1世帯当たりの月別支出金額を見ると、「油揚げ・がんもどき」や「揚げかまぼこ」への支出は 10～12 月にかけて多くなっています。また、「こんにゃく」や「生しいたけ」への支出は、おせち料理の具材としても使われることから、12 月に最も多くなります。

関西地方で多い
「はくさい」への支出

寄せ鍋やしゃぶしゃぶの具材としてよく食べられる「はくさい」について、旬を迎える 10～12 月の支出金額を、都市別に見てみましょう。上位 4 市はいずれも関西地方で大阪市は 771 円と、全国平均 546 円より 225 円多くなっています。大阪は、「てっちり」「ハリハリ鍋」の発祥地でもあり、他にも、兵庫の「ぼたん鍋」や京都の「鴨鍋」など関西地方には豊かな郷土鍋料理が多数存在します。はくさいは、こういった鍋物に相性がいいことから、関西地方で多く購入されているとみられます。

はくさいへの支出金額

(1世帯当たり支出金額：円／
10～12月：H23～25年平均)

No.1				
771	754	738	728	700
大阪市	神戸市	堺市	京都市	佐賀市

546
(全国)

出典：「家計調査結果」（総務省統計局）
家計ミニトピックス平成 26 年 12 月 15 日発行
http://www.stat.go.jp/data/kakei/tsushin/index.htm より作成

み か ん へ の 支 出

家計
ミニトピックス

11 月 3 日は「みかんの日」です。気温が下がってくると、こたつに入りながら「みかん」を食べるのが楽しみな方も多いのではないでしょうか。

12 月の購入が最も多いが
20 年前に比べて半分以下に

平成 27 年 6 月から平成 28 年 5 月までの 1 年間の、1 世帯当たり月別購入量は、12 月が 3.5kg と最も多くなっています。しかし、20 年前（平成 7 年）の 12 月（7.8kg）と比べると、購入量は半分以下となっています。

年齢が上がるほど
購入量が多い

世帯主の年齢別に平成 27 年の 1 世帯当たり年間購入量をみると、世帯主の年齢が上がるほど、みかんの購入量は

多くなっています。しかし、20 年前と比較すると、各年齢層ともに減少、特に世帯主が 40 歳代・50 歳代の世帯の世帯では 3 割前後まで減っています。

年間購入数量の 1 位は
和歌山市

最後に「みかん」の年間支出金額を県庁所在市別にみると、和歌山市が最も多く、次いで静岡市、松山市の順となっており、みかんの産地が上位を占めています。

みかんの購入金額

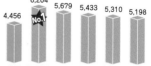

(1世帯当たり年間支出金額：円／
H25～27年平均)

全国	和歌山市	静岡市	松山市	宇都宮市	甲府市
4,456	6,204	5,679	5,433	5,310	5,198
	No.1				

出典：「家計調査結果」（総務省統計局）
家計ミニトピックス平成 28 年 11 月 15 日発行
http://www.stat.go.jp/data/kakei/tsushin/index.htm より作成

早わかり

2020

都道府県

Data Book

話のネタ帳

中国

鳥取県

木：ダイセンキャ 県民歌：
　　ラボク 　　わきあがるナ
花：二十世紀梨の花 県民の日：
鳥：オシドリ 　　9月12日
魚：ヒラメ

鳥取県民

純朴で親切

恥ずかしがり屋

ひかえめ

金持神社／日野町
開運伝説があり、また名前
にあやかり金運や商売繁盛
を願う参拝者が絶えない。

鳥取県の NO.1 ▶

牛乳 支出金額※1	マヨネーズ類 支出金額※1	カレールウ 支出金額※1	冷凍調理食品 支出金額※1	スイカ 支出金額※1

※1 鳥取市

A 境港市
日吉津村
B 米子市
大山町 **D**
琴浦町
E
北栄町
G 倉吉市
南部町
伯耆町
江府町
日野町
日南町
I
J

石谷家住宅／智頭町→
3000坪もの敷地には 40 超の
部屋。江戸〜昭和の形式を
伝える貴重な和風建築。

K

サンドボード／鳥取市
鳥取砂丘の楽しみ方の一つ。
砂のゲレンデを海に向かっ
て爽快に滑走する。

江島大橋／境港市
鳥取と島根を結ぶ大橋。空中に垂直に立つように見えることから話題になった。

和傘伝承館／米子市
伝統の祭りにも使われる「淀江傘」の作り方を見学。ギフト用の和傘も販売。

漁 火／岩美町
夏には、山陰名物白イカを集める漁（いさり）火が海岸の随所でさんさんと輝く。

大山寺／大山町
大山の中腹にある天台宗別格本山で、奈良時代に開山された山陰の名刹。

鳴り石の浜／琴浦町
楕円形の石（ごろた石）が波によってぶつかり合い、独特の響きが聞こえる。

鳥取砂丘イリュージョン／鳥取市
国立公園特別保護地区内のライトアップは全国初。

岩美町

湯梨浜町

鳥取市

三朝町

八頭町

若桜町

智頭町

凡 例
新幹線
ＪＲ
国 道
県道・府県道

倉吉白壁土蔵群／倉吉市
玉川に架かる石橋や赤瓦、白い土蔵が続く街並みに、江戸〜明治の面影が残る。

三徳山三佛寺投入堂／三朝町
断崖絶壁のくぼみに建ち、参拝も命がけ。役小角が法力で建てたと伝えられる。

鳥取県 の 食

耕地面積 (田畑計)
3万4,300ha
(第37位)

コメの作付面積 (水稲延べ)
1万2,700ha
(第36位)

コメの収穫量 (水稲)
6万5,300t
(第35位)

肉用牛 (飼育頭数)
1万8,700頭
(第32位)

養豚 (飼育頭数)
6万6,500頭
(第29位)

ブロイラー (飼育頭数)
317万羽
(第9位)

漁獲量・天然 (海面漁業)
8万3,104t
(第12位)

漁獲量・養殖 (海面養殖)
1,670t
(第27位)

食料自給率 (カロリーベース)
63%
(第17位)

エンゲル係数*
25.8
(第17位)

食費* (年間支出)
92万7,794円
(第34位)

牛乳・乳製品* (年間支出)
4万315円
(第10位)
- ●牛乳 2万823円 (第1位)

調味料* (年間支出)
4万2,571円
(第3位)
- ●マヨネーズ類 1,574円 (第1位)
- ●カレールウ 1,882円 (第1位)
- ●ソース 973円 (第2位)

生鮮野菜* (年間支出)
6万6,415円
(第26位)
- ●キャベツ 3,216円 (第1位)
- ●もやし 1,448円 (第1位)
- ●えのきたけ 1,562円 (第4位)

生鮮果物* (年間支出)
4万3,053円
(第11位)
- ●梨 7,508円 (第1位)
- ●柿 1,724円 (第1位)
- ●すいか 2,442円 (第1位)

外 食* (年間支出)
12万8,346円
(第40位)

調理食品* (年間支出)
12万1,014円
(第26位)
- ●冷凍調理食品 1万3,699円 (第1位)

生産

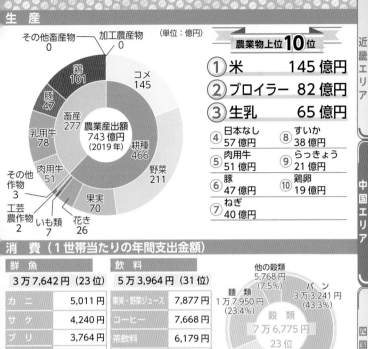

（単位：億円）

農業物上位 **10** 位

① 米　　　　　145 億円

② ブロイラー　82 億円

③ 生乳　　　　65 億円

④ 日本なし 57 億円	⑧ すいか 38 億円
⑤ 肉用牛 51 億円	⑨ らっきょう 21 億円
⑥ 豚 47 億円	⑩ 鶏卵 19 億円
⑦ ねぎ 40 億円	

円グラフ内：
その他畜産物 0／加工農産物 0／鶏 101／コメ 145／豚 47／乳用牛 78／畜産 277／農業産出額 743 億円（2019年）／耕種 466／肉用牛 51／その他作物 3／工芸農作物 2／いも類 7／花き 26／果実 70／野菜 211

消費（1世帯当たりの年間支出金額）

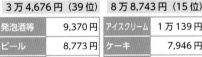

鮮魚
3万 7,642 円（23 位）

カニ	5,011 円
サケ	4,240 円
ブリ	3,764 円
エビ	3,106 円
カレイ	2,533 円

飲料
5万 3,964 円（31 位）

果実・野菜ジュース	7,877 円
コーヒー	7,668 円
茶飲料	6,179 円
コーヒー飲料	5,631 円
炭酸飲料	5,535 円

酒類
3万 4,676 円（39 位）

発泡酒等	9,370 円
ビール	8,773 円
清酒	5,308 円
焼酎	4,772 円
カクテル等	2,755 円

菓子
8万 8,743 円（15 位）

アイスクリーム	1万 139 円
ケーキ	7,946 円
チョコレート	7,014 円
スナック菓子	6,824 円
せんべい	5,928 円

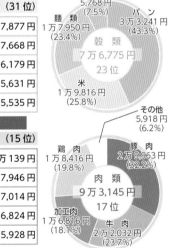

穀類 7万 6,775 円 23位
他の穀類 5,768 円（7.5%）／パン 3万 3,241 円（43.3%）／麺類 1万 7,950 円（23.4%）／米 1万 9,816 円（25.8%）

肉類 9万 3,145 円 17位
その他 5,918 円（6.2%）／豚肉 2万 9,963 円（32.2%）／鶏肉 1万 8,416 円（19.8%）／牛肉 2万 2,032 円（23.7%）／加工肉 1万 6,816 円（18.1%）

食品産業

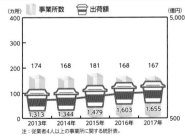

（万所）	事業所数	出荷額	（億円）
2013年	174	1,313	
2014年	168	1,344	
2015年	181	1,479	
2016年	168	1,603	
2017年	167	1,655	

注：従業者4人以上の事業所に関する統計表。

飲食料小売額	1,756 億円	47
百貨店・総合スーパー	9 店	44
飲食料小売店数	1,186 店	47
コンビニ数	191 店	47
ドラッグストア数	70 店	47

□は全国順位

205

Data で見る　鳥取県

※鳥取市の1世帯当たりの年間支出金額

快適度

項目	数値	順位
人口密度 /k㎡	160 人	37
物価格差	98.8	22
県民所得 / 人	240.7 万円	45
犯罪認知件数 / 千人	3.62 件	39
旅行に行く人の割合	39.7%	39
医師数 /10 万人	304.8 人	7

■は全国順位

レーダーチャート：人口密度／物価格差／県民所得／犯罪件数／旅行／医師数

※グラフの外側がより高い快適度

行動ウエト

レーダーチャート：趣味／寝る／仕事・勉強／学ぶ／スポーツ／食べる

項目	数値	順位
趣味・娯楽の時間	183 分	16
睡眠時間	466 分	15
仕事・学業をする時間	411 分	29
学習や自己啓発をする時間	126 分	26
スポーツをする時間	110 分	43
食事をする時間	96 分	46

※グラフの外側がより高いウエート　■は全国順位

人口

- 人口
  56 万 6,052 人（47 位）
- 人口増減数
  − 4,772 人（12 位）
- 出生率
  7.5 人／千人（15 位）
- 死亡率 13.1 人／千人（15 位）
- 外国人の割合 0.85%（34 位）

家庭※

- 世帯主年齢 57.5 歳（36 位）
- 子ども（18 歳未満）の人員
  0.69 人（10 位）
- 高齢者（65 歳以上）の人員
  0.77 人（31 位）
- 持ち家率 85.3%（15 位）
- 平均畳数 24.2 帖（24 位）

世帯

- 世帯数
  23 万 6,957 世帯（47 位）
- 平均人員　2.39 人（10 位）
- 核家族世帯率 53.1%
  （38 位）
- 単身者世帯率 29.5%
  （31 位）
- 高齢者世帯率 11.2%
  （34 位）

家計※

- 貯蓄額 1,248 万円（42 位）
- 負債総額 554 万円（17 位）
- 消費支出 337 万 1,587 円
  （30 位）
- 家賃 8 万 2,495 円（32 位）
- 水道光熱費 26 万 2,810 円
  （22 位）

消費※

- 衣類・履物費 12 万 5,366 円
  （29 位）
- 保健医療費 13 万 8,034 円
  （42 位）
- 教育費
  9 万 2,023 円（38 位）
- 自動車関連費
  31 万 3,006 円（21 位）
- 通信費 17 万 9,444 円（7位）

外国人旅行者

宿泊者数の推移

（千人泊）
延べ宿泊者数　　外国人延べ宿泊者数

10,000
8,000
6,000
4,000　　　　　　　　　　　　3,563
2,000　　　　　　　　　　　195
0
2012年 2013年 2014年 2015年 2016年 2017年 2018年

宿泊者上位 5 カ国

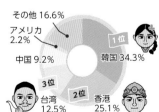

- その他 16.6%
- アメリカ 2.2%
- 中国 9.2%
- 1位 韓国 34.3%
- 2位 香港 25.1%
- 3位 台湾 12.5%

気候

身長 171.1cm（9位）
体重 62.4kg（26位）
初婚年齢 30.8歳（20位）
寿命 80.17年（39位）

4.2人／千人（29位）婚姻率

1.64人／千人（23位）離婚率

身長 157.8cm（22位）
体重 52.4kg（38位）
初婚年齢 29.2歳（25位）
寿命 87.27年（14位）

最高気温 35℃以上の日数	20日	全国で 4位
平均気温	17.4℃	全国で 12位
日照時間	1,723時間	全国で 46位
降水量	1,537mm	全国で 25位
平均相対湿度	74.8%	全国で 7位

（鳥取管区気象台 2019年）

最低気温 -1.8℃／最高気温 38.3℃

産業

・総事業所数 2万5,718（47位）
・小売事業所数 5,353（47位）
・卸売事業所数 1,585（47位）
・上場企業 4（40位）
・代表取締役出身者数 6,165人（47位）

経済

・県内総生産 1兆8,234億円（47位）
・企業倒産数 0件（46位）
・有効求人倍率 1.53（24位）
・月額給与（男）27.71万円（40位）
・月額給与（女）22.10万円（33位）

労働

・労働時間 176時間／月（41位）
・通勤時間 26分（29位）
・勤続年数 12.0年（32位）
・大卒初任給 18.53万円（45位）
・パート時給 987円（39位）

社会

・中高年の就職率 31.97%（16位）
・失業率 2.29%（17位）
・自殺者数 14.3人／10万人（42位）
・生活保護世帯数 4,404世帯（41位）
・少年犯罪数 3.33人／千人（9位）

福祉

・病院数 7.9施設／10万人（20位）
・一般診療所数 89.6施設／10万人（14位）
・児童福祉施設数 55.5施設／10万人（3位）
・老人福祉センター数 10.2施設／10万人（2位）
・図書館数 5.2施設／10万人（6位）

教育

・大学進学率 43.3%（44位）
・高卒の割合 24.7%（14位）
・学校のIT化 3.7人／台（4位）
・教科書・参考書費* 4,573円（4位）
・補習教育費* 1万7,849円（43位）

交通・通信

・自動車保有台数 1,954台／千世帯（6位）
・ガソリン代* 9万8,829円（3位）
・交通費* 3万7,740円（41位）
・電話代* 16万7,042円（4位）
・交通事故死亡者数 5.54人／10万人（2位）

学校

・保育所数 188カ所（47位）
・幼稚園数 20カ所（47位）
・小学校数 122校（47位）
・高校数 32校（47位）
・大学数 3校（45位）

スポーツ

・野球をする人の割合 7.7%（9位）
・ゴルフをする人の割合 5.6%（38位）
・サッカーをする人の割合 5.0%（29位）
・ラグビー部のある高校 21.9%（19位）
・高校陸上部員数の割合 4.2%（14位）

娯楽

・博物館数 1.1施設／10万人（20位）
・映画館数 2.0施設／10万人（40位）
・月謝類* 3万2,728円（32位）
・書籍雑誌費* 3万3,377円（44位）
・海外旅行に行く人の割合 3.1%（42位）

島根県

県の
木：クロマツ　魚：トビウオ
花：ボタン　県民歌：
鳥：ハクチョウ　　薄紫の山脈

島根県民
新しいものに寛容

閉鎖的
ストレス

耐えろ…
自分…!!

ガマン強い
東北人気質

太鼓谷稲成神社／津和野町
大願成就の意味を込め、稲
「成」と表記。麓から社まで
千本鳥居が連なる。

島根県の NO.1

竹島

ヤマトシジミ
漁獲量

塩干カレイ
生産量

ボタン
生産量

A
隠岐の島町

西ノ島町

海士町

知夫村

N
凡例
------- 新幹線
- - - J R
――― 国道
――― 高速・有料道路

F

江津市

川本町

浜田市

邑南町

益田市

I

J K
津和野町

吉賀町

K

芋　煮／津和野町
あぶり鯛と昆布で出汁をと
り、具は里芋と鯛のみとい
う素朴な秋の味覚。

屋那の松原／隠岐の島町
八百比丘尼が一晩で植えたという伝説の松。近くに昔ながらの舟小屋が並ぶ。

島根県立美術館／松江市
宍道湖に面したロビーはガラス張り。「夕日の見える美術館」として知られる。

稲佐の浜／出雲市
神在月に神々が訪うとされる。国譲り神話の舞台でもあり、神秘的な浜辺。

印瀬の壷神／雲南市
スサノオノミコトが用いたオロチ退治の「八塩折の酒」の一つとされている。

←安来節演芸館／安来市
民謡の安来節が毎日鑑賞できる。なかでも「どじょうすくい男踊り」は大人気。

B　松江市

宍道湖

C　出雲市

大田市

雲南市

美郷町

D

H

飯南町

G

奥出雲町

E　安来市

F

ヨズクハデ／大田市
稲束の天日干し法で、西田地区のみの伝統技術。姿がフクロウ（ヨズク）に似る。

大しめなわ創作館／飯南町
日本最大級の大しめ縄を出雲大社に奉納する「大しめ縄の町」で、技術を伝える。

医光寺／益田市
室町中期に雪舟により作庭された雪舟庭園が残る。国の史跡・名勝に指定。

宣揚祭／奥出雲町
ヤマタノオロチ伝説の舞台・船通山で「剣の舞」を奉納し、登山の安全を祈願。

島根県 の 食

※松江市の1世帯当たりの年間支出金額

耕地面積(田畑計)
3万6,600ha
(第36位)

コメの作付面積(水稲延べ)
1万7,300ha
(第30位)

コメの収穫量(水稲)
8万7,500 t
(第29位)

肉用牛(飼育頭数)
3万頭
(第22位)

養豚(飼育頭数)
3万9,600頭
(第32位)

ブロイラー(飼育頭数)
38万8,000羽
(第34位)

漁獲量・天然(海面漁業)
11万3,094 t
(第8位)

漁獲量・養殖(海面養殖)
428 t
(第32位)

食料自給率(カロリーベース)
67%
(第14位)

エンゲル係数*
24.2
(第39位)

食費*(年間支出)
85万8,067円
(第41位)

牛乳・乳製品*(年間支出)
3万2,712円
(第38位)

調味料*(年間支出)
3万8,240円
(第22位)

●しょう油 2,273円 (第5位)

生鮮野菜*(年間支出)
6万2,460円
(第32位)

生鮮果物*(年間支出)
4万3,830円
(第6位)

●梨 5,325円 (第2位)
●ぶどう 3,730円 (第4位)
●バナナ 5,622円 (第5位)

外　食*(年間支出)
13万4,840円
(第39位)

調理食品*(年間支出)
11万1,621円
(第41位)

生産

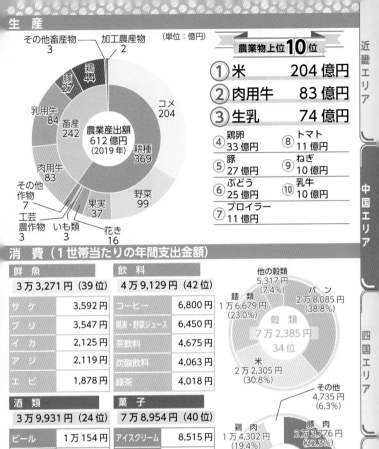

その他畜産物 3
加工農産物 2
（単位：億円）

鶏 44
豚 27
乳用牛 84
畜産 242
肉用牛 83
その他作物 7
工芸農作物 3
いも類 3
花き 16
果実 37
野菜 99
耕種 369
コメ 204

農業産出額
612 億円
（2019年）

農業物上位 10 位

①	米	204 億円
②	肉用牛	83 億円
③	生乳	74 億円

④ 鶏卵 33 億円	⑧ トマト 11 億円
⑤ 豚 27 億円	⑨ ねぎ 10 億円
⑥ ぶどう 25 億円	⑩ 乳牛 10 億円
⑦ ブロイラー 11 億円	

消費（1世帯当たりの年間支出金額）

鮮魚
3万3,271円（39位）

サケ	3,592 円
ブリ	3,547 円
イカ	2,125 円
アジ	2,119 円
エビ	1,878 円

飲料
4万9,129円（42位）

コーヒー	6,800 円
果実・野菜ジュース	6,450 円
茶飲料	4,675 円
炭酸飲料	4,063 円
緑茶	4,018 円

酒類
3万9,931円（24位）

ビール	1万154 円
発泡酒等	8,420 円
焼酎	7,517 円
清酒	7,000 円
ワイン	2,590 円

菓子
7万8,954円（40位）

アイスクリーム	8,515 円
チョコレート	5,643 円
ケーキ	5,612 円
スナック菓子	4,606 円
せんべい	4,377 円

穀類
7万2,385円
34位
他の穀類 5,317円（7.4%）
麺類 1万6,679円（23.0%）
パン 2万8,085円（38.8%）
米 2万2,305円（30.8%）

肉類
7万3,718円
44位
その他 4,735円（6.3%）
鶏肉 1万4,302円（19.4%）
豚肉 2万3,776円（32.3%）
加工肉 1万4,191円（19.3%）
牛肉 1万6,714円（22.7%）

食品産業

（カ所） 事業所数 出荷額 （億円）
400 5,000
322 298 311 283 262
706 681 794 741 726
2013年 2014年 2015年 2016年 2017年
注：従業者4人以上の事業所に関する統計表。

飲食料小売額	2,059 億円	46
百貨店・総合スーパー	6 店	45
飲食料小売店数	1,947 店	45
コンビニ数	195 店	46
ドラッグストア数	71 店	46

□は全国順位

Data で見る　島根県

快適度

人口密度 /km²	101 人	43
物価格差	99.3	17
県民所得 / 人	261.9 万円	34
犯罪認知件数 / 千人	3.40 件	41
旅行に行く人の割合	39.7%	39
医師数 /10 万人	286.3 人	3

■は全国順位

人口密度・物価格差・県民所得・犯罪件数・旅行・医師数
※グラフの外側がより高い快適度

行動ウエート

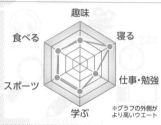

趣味・寝る・仕事・勉強・学ぶ・スポーツ・食べる
※グラフの外側がより高いウエート

趣味・娯楽の時間	176 分	30
睡眠時間	473 分	5
仕事・学業をする時間	399 分	45
学習や自己啓発をする時間	130 分	20
スポーツをする時間	120 分	20
食事をする時間	101 分	23

■は全国順位

人 口

- 人口
  68 万 6,126 人（46 位）
- 人口増減数
  − 5,099 人（13 位）
- 出生率
  7.3 人／千人（19 位）
- 死亡率 14.5 人／千人（3 位）
- 外国人の割合 1.42%（23 位）

家 庭*

- 世帯主年齢 60.4 歳（13 位）
- 子ども（18 歳未満）の人員
  0.52 人（35 位）
- 高齢者（65 歳以上）の人員
  0.88 人（12 位）
- 持ち家率 76.3%（41 位）
- 平均畳数 20.3 帖（45 位）

世 帯

- 世帯数
  29 万 1,591 世帯（46 位）
- 平均人員 2.35 人（15 位）
- 核家族世帯率 51.8%
  （42 位）
- 単身者世帯率 30.2%
  （28 位）
- 高齢者世帯率 12.9%
  （15 位）

家 計*

- 貯蓄額 1,922 万円（13 位）
- 負債総額 598 万円（10 位）
- 消費支出 331 万 3,347 円
  （34 位）
- 家賃 11 万 984 円（19 位）
- 水道光熱費 28 万 8,328 円
  （12 位）

消 費*

- 衣類・履物費 13 万 353 円
  （22 位）
- 保健医療費 15 万 5,098 円
  （29 位）
- 教育費
  7 万 2,678 円（43 位）
- 自動車関連費
  32 万 1,254 円（19 位）
- 通信費 17 万 1,859 円（11 位）

外国人旅行者

宿泊者数の推移

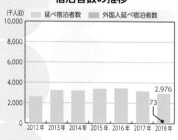

（千人泊）
延べ宿泊者数・外国人延べ宿泊者数
10,000 / 8,000 / 6,000 / 4,000 / 2,000 / 0
2012年 2013年 2014年 2015年 2016年 2017年 2018年
2,976 / 73

宿泊者上位 5 カ国

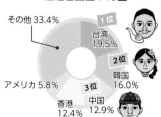

その他 33.4%
1 位 台湾 19.5%
2 位 韓国 16.0%
3 位 中国 12.9%
香港 12.4%
アメリカ 5.8%

身長 170.3cm （31 位）
体重 62.5kg （23 位）
初婚年齢 30.6 歳
（16 位）
寿命 80.79 年 （23 位）

婚姻率 4.0 人／千人 （35 位）

離婚率 1.34 人／千人
（43 位）

身長 156.9cm （41 位）
体重 52.1kg （44 位）
初婚年齢 29.1 歳
（17 位）
寿命 87.64 年 （3 位）

気 候

最高気温 35℃以上の日数	8 日	全国で 24 位
平均気温	16.0℃	全国で 28 位
日照時間	1,785 時間	全国で 43 位
降水量	1,491 mm	全国で 26 位
平均相対湿度	76.3%	全国で 4 位

（松江管区気象台 2019 年）

最低気温 -2.3℃／最高気温 37.4℃

近畿エリア

中国エリア

四国エリア

九州エリア

沖縄エリア

産 業

- ・総事業所数 3 万 4,987 （46 位）
- ・小売事業所数
  7,443 （46 位）
- ・卸売事業所数
  1,906 （46 位）
- ・上場企業数 3 （45 位）
- ・代表取締役出身者数
  8,843 人 （46 位）

経 済

- ・県内総生産
  2 兆 4,411 億円 （45 位）
- ・企業倒産数 6 件 （24 位）
- ・有効求人倍率 1.73 （10 位）
- ・月額給与（男）26.96 万円
  （43 位）
- ・月額給与（女）21.63 万円
  （37 位）

労 働

- ・労働時間 180 時間／月
  （4 位）
- ・通勤時間 24 分 （42 位）
- ・勤続年数 12.4 年
  （18 位）
- ・大卒初任給 18.96 万円
  （40 位）
- ・パート時給 997 円
  （35 位）

社 会

- ・中高年の就職率 35.03%
  （7 位）
- ・失業率 1.91% （33 位）
- ・自殺者数 16.0 人／10 万人
  （27 位）
- ・生活保護世帯数
  4,602 世帯 （40 位）
- ・少年犯罪数 2.70 人／千人
  （15 位）

福 祉

- ・病院数 7.2 施設／10 万人（24 位）
- ・一般診療所数
  106.3 施設／10 万人（2 位）
- ・児童福祉施設数
  50.3 施設／10 万人（7 位）
- ・老人福祉センター数
  8.5 施設／10 万人（3 位）
- ・図書館数 5.6 施設／10 万人
  （4 位）

教 育

- ・大学進学率 46.0% （36 位）
- ・高卒の割合 23.0% （17 位）
- ・学校の I T 化
  4.8 人／台 （21 位）
- ・教科書・参考書費*
  1,217 円 （45 位）
- ・補習教育費* 3,327 円（47 位）

交通・通信

- ・自動車保有台数
  1,829 台／千世帯 （17 位）
- ・ガソリン代* 6 万 9,422 円（26 位）
- ・交通費* 3 万 8,248 円 （40 位）
- ・電話代* 15 万 5,935 円（13 位）
- ・交通事故死亡者数
  3.68 人／10 万人 （17 位）

学 校

- ・保育所数 290 カ所
  （36 位）
- ・幼稚園数 90 カ所
  （34 位）
- ・小学校数 200 校
  （39 位）
- ・高校数 47 校 （40 位）
- ・大学数 2 校 （46 位）

スポーツ

- ・野球をする人の割合 7.5%（14 位）
- ・ゴルフをする人の割合 4.9%
  （43 位）
- ・サッカーをする人の割合 5.0%
  （29 位）
- ・ラグビー部のある高校
  4.3% （47 位）
- ・高校陸上部員数の割合
  4.3% （13 位）

娯 楽

- ・博物館数 2.4 施設／10 万人（4 位）
- ・映画館数 2.2 施設／10 万人
  （36 位）
- ・月謝類* 2 万 5,277 円 （41 位）
- ・書籍雑誌費* 4 万 3,552 円
  （10 位）
- ・海外旅行に行く人の割合
  3.1% （42 位）

岡山県

県の
木：アカマツ
花：ももの花
鳥：キジ
歌：岡山県の歌
愛唱歌：
みんなのこころに
おかやま教育の日：
11月1日

岡山県民

理詰めで鋭い

知的好奇心
が強い

！

パイオニア的

H

美星天文台／井原市
吉備高原の高台に位置し
360度の展望。公開天文台は
国内有数の規模。

岡山県の NO.1 ▷

**世帯主の
年齢（低）**※1

**初婚年齢
（女）**※2

**制服上衣・コート
類出荷額**※2※3

**事務・作業衣服
出荷額**※2※3

**帆布製品
出荷額**※2※4

※1岡山市、※2 2018年、※3 織物製、※4合成繊維

新庄村

A
真庭市

D
新見市

吉備中央町

E
高梁市

G
総社市

H
井原市

矢掛町

笠岡市

倉敷市

N

里庄町

浅口市

早島町

I

鳴釜神事／岡山市
釜の上のセイロに入った玄
米が鳴る音で願いの成就を
占う、吉備津神社の神事。

神庭の滝／真庭市
中国地方随一のスケールを
誇る名瀑。付近には野生の
猿が群生している。

**かがみの田舎カレー
／鏡野町**
大きめの具で地元産味噌と
トマトが隠し味。懐かしく
素朴な味が密かな人気。

**なぎビカリアミュージアム
／奈義町**
巻貝など多数の化石産出地
で本物の化石が採集できる。

天王八幡神社／新見市→
金ボタルの生息地として知
られる。1年でわずか10日
間、金色の世界が広がる。

吹屋ふるさと村／高梁市
ベンガラ色の鮮やかな旧商
家通は、都市景観に慮って
作られた先進的な街並み。

旧閑谷学校／備前市
1670年に創立した「庶民の
ための公立学校」。足利学校
らとともに日本遺産認定。

鏡野町
西粟倉村
津山市
奈義町
勝央町
美作市
美咲町
久米南町
備前市
和気町
赤磐市
◎岡山市
瀬戸内市
玉野市

凡　例
■■■■ 新幹線
■■■■ JR
━━━ 国　道
━━━ 謎・有料道

鬼ノ城／総社市→
鬼城山に築かれた謎の多い
古代城。名の通り鬼の住む
城だったという伝承も残る。

中国エリア

四国エリア

九州エリア

沖縄エリア

耕地面積（田畑計）
6万 4,500ha
（第21位）

コメの作付面積（水稲延べ）
3万 100ha
（第19位）

コメの収穫量（水稲）
15万 5,600t
（第18位）

肉用牛（飼育頭数）
3万 2,400頭
（第20位）

養豚（飼育頭数）
4万 100頭
（第31位）

ブロイラー（飼育頭数）
254万 5,000羽
（第11位）

漁獲量・天然（海面漁業）
3,149t
（第39位）

漁獲量・養殖（海面養殖）
2万 2,893t
（第17位）

食料自給率（カロリーベース）
37%
（第27位）

エンゲル係数*
24.1
（第41位）

食費*（年間支出）
92万 8,845円
（第32位）

牛乳・乳製品*（年間支出）
3万 7,897円
（第17位）

調味料*（年間支出）
3万 7,505円
（第31位）
●ソース 930円（第3位）

生鮮野菜*（年間支出）
5万 8,126円
（第41位）

生鮮果物*（年間支出）
3万 3,415円
（第40位）
●ぶどう 3,773円（第3位）
●桃 2,698円（第4位）

外食*（年間支出）
17万 6,588円
（第9位）

調理食品*（年間支出）
12万 3,347円
（第24位）

生 産

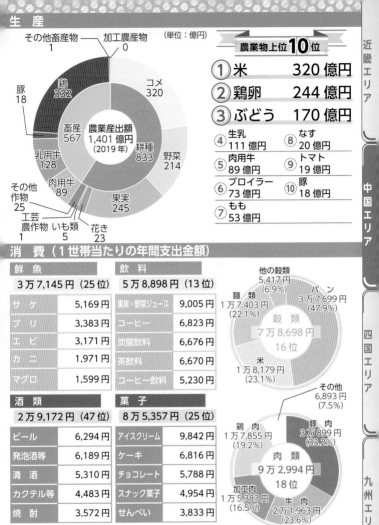

（単位：億円）

その他畜産物 1
加工農産物 0
鶏 332
豚 18
畜産 567
乳用牛 128
肉用牛 89
その他作物 25
工芸農作物 5
いも類 5
花き 23
果実 245
野菜 214
耕種 833
コメ 320

農業産出額 1,401 億円 （2019年）

農業物上位 10 位

① 米	320 億円
② 鶏卵	244 億円
③ ぶどう	170 億円

④ 生乳	111 億円	⑧ なす	20 億円
⑤ 肉用牛	89 億円	⑨ トマト	19 億円
⑥ ブロイラー	73 億円	⑩ 豚	18 億円
⑦ もも	53 億円		

消 費 （1世帯当たりの年間支出金額）

鮮 魚

3万7,145円（25位）

サ ケ	5,169円
ブ リ	3,383円
エ ビ	3,171円
カ ニ	1,971円
マグロ	1,599円

飲 料

5万8,898円（13位）

果実・野菜ジュース	9,005円
コーヒー	6,823円
炭酸飲料	6,676円
茶飲料	6,670円
コーヒー飲料	5,230円

酒 類

2万9,172円（47位）

ビール	6,294円
発泡酒等	6,189円
清 酒	5,310円
カクテル等	4,483円
焼 酎	3,572円

菓 子

8万5,357円（25位）

アイスクリーム	9,842円
ケーキ	6,816円
チョコレート	5,788円
スナック菓子	4,954円
せんべい	3,833円

他の穀類 5,417円（6.9%）
麺類 1万7,403円（22.1%）
パン 3万7,699円（47.9%）
穀類 7万8,698円 16位
米 1万8,179円（23.1%）

その他 6,893円（7.5%）
鶏肉 1万7,855円（19.2%）
豚肉 3万899円（33.2%）
肉類 9万2,994円 18位
加工肉 1万5,383円（16.5%）
牛肉 2万1,963円（23.6%）

食品産業

（カ所）	事業所数				出荷額	（億円）

事業所数：377（2013年）、367（2014年）、397（2015年）、347（2016年）、333（2017年）
出荷額：4,538（2013年）、4,585（2014年）、5,014（2015年）、5,280（2016年）、5,247（2017年）

注：従業者4人以上の事業所に関する統計表。

飲食料小売額	5,579 億円	20
百貨店・総合スーパー	26 店	19
飲食料小売店数	3,564 店	25
コンビニ数	571 店	22
ドラッグストア数	195 店	20

□は全国順位

近畿エリア

中国エリア

四国エリア

九州エリア

沖縄エリア

217

Data で見る　岡山県

※岡山市の1世帯当たりの年間支出金額

快適度

人口密度 /㎢	267 人	24
物価格差	98.3	33
県民所得 / 人	273.2 万円	32
犯罪認知件数 / 千人	4.97 件	20
旅行に行く人の割合	44.2%	28
医師数 /10 万人	308.2 人	4

■は全国順位

人口密度 / 物価格差 / 県民所得 / 犯罪件数 / 旅行 / 医師数

※グラフの外側がより高い快適度

行動ウエート

趣味 / 寝る / 仕事・勉強 / 学ぶ / スポーツ / 食べる

※グラフの外側がより高いウエート

趣味・娯楽の時間	177 分	27
睡眠時間	461 分	30
仕事・学業をする時間	413 分	26
学習や自己啓発をする時間	136 分	12
スポーツをする時間	110 分	43
食事をする時間	100 分	27

■は全国順位

人口

- 人口
  191 万 1,722 人（20 位）
- 人口増減数
  − 8,897 人（22 位）
- 出生率
  7.7 人／千人（10 位）
- 死亡率 11.9 人／千人（27 位）
- 外国人の割合 1.54%（22 位）

家庭*

- 世帯主年齢 55.5 歳（47 位）
- 子ども（18 歳未満）の人員
  0.77 人（5 位）
- 高齢者（65 歳以上）の人員
  0.61 人（47 位）
- 持ち家率 68.3%（46 位）
- 平均畳数 23.2 帖（33 位）

世帯

- 世帯数
  84 万 7,424 世帯（18 位）
- 平均人員　2.26 人（26 位）
- 核家族世帯率 55.9%
  （29 位）
- 単身者世帯率 32.2%
  （18 位）
- 高齢者世帯率 12.8%
  （18 位）

家計*

- 貯蓄額 1,798 万円（19 位）
- 負債総額 335 万円（45 位）
- 消費支出 367 万 7,446 円
  （12 位）
- 家賃 18 万 8,065 円（4 位）
- 水道光熱費 25 万 1,422 円
  （30 位）

消費*

- 衣類・履物費 14 万 2,995 円
  （9 位）
- 保健医療費 17 万 3,117 円
  （13 位）
- 教育費
  14 万 3,651 円（16 位）
- 自動車関連費
  37 万 7,899 円（10 位）
- 通信費 15 万 7,084 円（31 位）

外国人旅行者

宿泊者数の推移

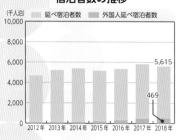

（千人泊）
延べ宿泊者数 / 外国人延べ宿泊者数

10,000 / 8,000 / 6,000 / 4,000 / 2,000 / 0

5,615
469

2012年 2013年 2014年 2015年 2016年 2017年 2018年

宿泊者上位 5 カ国

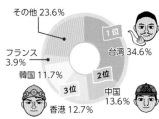

その他 23.6%
フランス 3.9%
韓国 11.7%
香港 12.7%
1 位 台湾 34.6%
2 位 中国 13.6%
3 位

気候

最高気温 35℃以上の日数	14 日	全国で 11 位
平均気温	15.9℃	全国で 29 位
日照時間	2,066 時間	全国で 17 位
降水量	922 mm	全国で 46 位
平均相対湿度	70.7%	全国で 24 位

（岡山管区気象台 2019 年）

最低気温 -2.0℃／最高気温 36.9℃

男性
身長 169.9cm（40 位）
体重 62.1kg（35 位）
初婚年齢 30.1 歳（3 位）
寿命 81.03 年（13 位）

4.5 人／千人 婚姻率（10 位）
1.64 人／千人 離婚率（23 位）

女性
身長 157.1cm（37 位）
体重 52.0kg（46 位）
初婚年齢 28.7 歳（1 位）
寿命 87.67 年（2 位）

産業

- 総事業所数 7 万 9,870（21 位）
- 小売事業所数 1 万 6,154（22 位）
- 卸売事業所数 5,280（18 位）
- 上場企業数 20（20 位）
- 代表取締役出身者数 1 万 9,613 人（19 位）

経済

- 県内総生産 7 兆 3,648 億円（21 位）
- 企業倒産数 7 件（20 位）
- 有効求人倍率 1.84（7 位）
- 月額給与（男）31.14 万円（20 位）
- 月額給与（女）23.43 万円（15 位）

労働

- 労働時間 177 時間／月（38 位）
- 通勤時間 29 分（19 位）
- 勤続年数 12.4 年（18 位）
- 大卒初任給 20.43 万円（11 位）
- パート時給 1,076 円（21 位）

社会

- 中高年の就職率 31.91%（17 位）
- 失業率 2.36%（12 位）
- 自殺者数 14.3 人／10 万人（43 位）
- 生活保護世帯数 3,924 世帯（43 位）
- 少年犯罪数 3.97 人／千人（3 位）

福祉

- 病院数 8.6 施設／10 万人（17 位）
- 一般診療所数 87.1 施設／10 万人（15 位）
- 児童福祉施設数 31.5 施設／10 万人（34 位）
- 老人福祉センター数 6.6 施設／10 万人（13 位）
- 図書館数 3.6 施設／10 万人（13 位）

教育

- 大学進学率 52.2%（19 位）
- 高卒の割合 22.8%（20 位）
- 学校の IT 化 4.4 人／台（11 位）
- 教科書・参考書費* 2,312 円（28 位）
- 補習教育費 4 万 3,744円（6位）

交通・通信

- 自動車保有台数 1,831 台／千世帯（16 位）
- ガソリン代* 7万5,122円（20位）
- 交通費* 5 万 3,491 円（22 位）
- 電話代* 13 万 9,937円（36位）
- 交通事故死亡者数 3.95 人／10 万人（13 位）

学校

- 保育所数 434 カ所（23 位）
- 幼稚園数 238 カ所（14 位）
- 小学校数 391 校（16 位）
- 高校数 86 校（19 位）
- 大学数 17 校（13 位）

スポーツ

- 野球をする人の割合 7.7%（9 位）
- ゴルフをする人の割合 7.9%（16 位）
- サッカーをする人の割合 6.5%（8 位）
- ラグビー部のある高校 16.3%（31 位）
- 高校陸上部員数の割合 2.8%（43 位）

娯楽

- 博物館数 1.6 施設／10 万人（7 位）
- 映画館数 2.1 施設／10 万人（38 位）
- 月謝類* 4 万 1,654円（15位）
- 書籍雑誌費* 3 万 5,613 円（39 位）
- 海外旅行に行く人の割合 5.0%（19 位）

広島県

県の
木：モミジ　　鳥：アビ
花：モミジ　　魚：カキ

広島県民

新しモノ好き

熱しやすく
冷めやすい

イージー
ゴーイング

あきた。

I

櫂伝馬競漕／大崎上島町
200年以上続く伝統行事。各
地区で櫂伝馬（小型木造船）
の漕ぐ速さを競う。

広島県の NO.1 ▶

平均湿度（低）	ソース支出金額[1]	ソース出荷額[2]

造作材出荷額[2]	スカート・ズボン出荷額[2][3]	

[1] 広島市
[2] 2018年
[3] 女子・織物製

B

北広島町

安芸高田市

安芸太田町

D

N

広島市

東広島市

府中町

海田町

G

廿日市市

坂町

熊野町

竹原市

大竹市

J

呉市

大崎上島町

I

J

←**てつのくじら館**／呉市
海上自衛隊の博物館で、目
玉は実物の潜水艦内部見学。
本場の海軍料理も提供。

江田島市

お通り／庄原市
1600年城主が東城秋祭の祭礼行列に武者行列を加えたのが始まりとされる。

神楽ドーム／安芸高田市
神楽門前湯治村にあり、最大で1500人収容できる神楽観劇専用のドーム。

府中焼き／府中市
ミンチ肉を使ったお好み焼き。外側はミンチの脂でカリッとした焼き上がり。

三段峡／安芸太田町→
フランスの旅行専門誌で三ツ星を獲得した秘境。山水画のような大峡谷が広がる。

阿伏兎観音／福山市→
花山院が航海の安全祈願に安置。お堂が海にせり出す佳景は浮世絵の題材にも。

世羅高原農場／世羅町→
85万本のチューリップなど季節ごとに大スケールの花風景が広がる。

宮島／廿日市市→
厳島神社を有し日本三景の一つと称えられる。島内には情緒ある街並みが残る。

未来心の丘／尾道市→
白い大理石のモニュメントが庭園一面に広がり、異国に迷い込んだかのよう。

凡　例
- ＝＝＝ 新幹線
- ━・━ ＪＲ
- ━━ 国　道
- ‥‥‥ 県・解解線

地図中の記号：
A 庄原市
神石高原町
三次市
F 世羅町
C 府中市
E
H 尾道市　福山市
三原市

広島県 の 食

※広島市の1世帯当たりの年間支出金額

耕地面積（田畑計）
5万4,100ha
（第27位）

コメの作付面積（水稲延べ）
2万2,700ha
（第25位）

コメの収穫量（水稲）
11万3,300t
（第24位）

肉用牛（飼育頭数）
2万4,000頭
（第24位）

養豚（飼育頭数）
11万800頭
（第22位）

ブロイラー（飼育頭数）
76万5,000羽
（第27位）

漁獲量・天然（海面漁業）
1万5,660t
（第29位）

漁獲量・養殖（海面養殖）
10万7,678t
（第2位）

食料自給率（カロリーベース）
23%
（第36位）

エンゲル係数*
24.9
（第30位）

食費*（年間支出）
96万9,413円
（第16位）

牛乳・乳製品*（年間支出）
3万9,930円
（第11位）

調味料*（年間支出）
4万2,150円
（第6位）

●ソース 1,131円 （第1位）
●しょう油 2,855円 （第2位）

生鮮野菜*（年間支出）
6万7,515円
（第22位）
●ごぼう 1,259円 （第4位）
●れんこん 1,444円 （第4位）
●しめじ 2,217円 （第4位）

生鮮果物*（年間支出）
4万534円
（第17位）
●バナナ 5,672円 （第3位）
●柿 1,433円 （第4位）

外食*（年間支出）
14万9,948円
（第29位）

調理食品*（年間支出）
13万1,991円
（第13位）

生 産

（単位：億円）

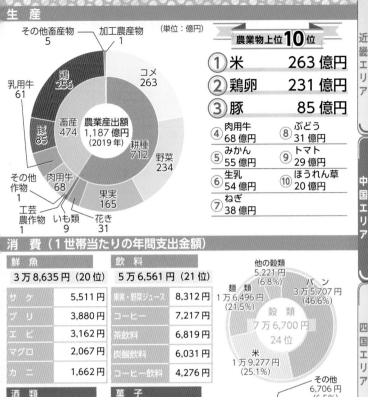

- その他畜産物 5
- 加工農産物 1
- 鶏 256
- 乳用牛 61
- 豚 85
- 畜産 474
- 農業産出額 1,187億円（2019年）
- 耕種 712
- コメ 263
- 野菜 234
- 果実 165
- 花き 31
- いも類 9
- 肉用牛 68
- その他作物 1
- 工芸農作物 1

農業物上位10位

①	米	263億円
②	鶏卵	231億円
③	豚	85億円
④	肉用牛	68億円
⑤	みかん	55億円
⑥	生乳	54億円
⑦	ねぎ	38億円
⑧	ぶどう	31億円
⑨	トマト	29億円
⑩	ほうれん草	20億円

消 費（1世帯当たりの年間支出金額）

鮮 魚
3万8,635円（20位）

サ ケ	5,511円
ブ リ	3,880円
エ ビ	3,162円
マグロ	2,067円
カ ニ	1,662円

飲 料
5万6,561円（21位）

果実・野菜ジュース	8,312円
コーヒー	7,217円
茶飲料	6,819円
炭酸飲料	6,031円
コーヒー飲料	4,276円

酒 類
4万5,003円（14位）

ビール	1万1,612円
発泡酒等	9,798円
焼 酎	6,985円
カクテル等	5,170円
清 酒	4,557円

菓 子
8万6,753円（24位）

アイスクリーム	1万419円
チョコレート	8,013円
ケーキ	7,626円
スナック菓子	5,361円
せんべい	4,555円

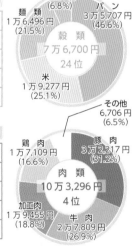

穀 類 7万6,700円 24位
- 他の穀類 5,221円（6.8%）
- パン 3万5,707円（46.6%）
- 麺 類 1万6,496円（21.5%）
- 米 1万9,277円（25.1%）

肉 類 10万3,296円 4位
- その他 6,706円（6.5%）
- 鶏 肉 1万7,109円（16.6%）
- 豚 肉 3万2,217円（31.2%）
- 加工肉 1万9,455円（18.8%）
- 牛 肉 2万7,809円（26.9%）

食品産業

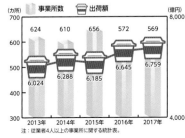

（カ所）	事業所数	出荷額	（億円）
	624		

- 2013年：事業所数 624、出荷額 6,024
- 2014年：事業所数 610、出荷額 6,288
- 2015年：事業所数 656、出荷額 6,185
- 2016年：事業所数 572、出荷額 6,645
- 2017年：事業所数 569、出荷額 6,759

注：従業者4人以上の事業所に関する統計表。

飲食料小売額	8,904億円	11
百貨店・総合スーパー	47店	10
飲食料小売店数	5,545店	13
コンビニ数	930店	12
ドラッグストア数	355店	11

□は全国順位

Data で見る 広島県

※広島市の1世帯当たりの年間支出金額

快適度

人口密度 /km	332 人	17
物価格差	98.9	21
県民所得 / 人	306.8 万円	12
犯罪認知件数 / 千人	5.03 件	19
旅行に行く人の割合	44.0%	29
医師数 /10 万人	258.6 人	19

■は全国順位

人口密度／物価格差／県民所得／犯罪件数／旅行／医師数

※グラフの外側がより高い快適度

行動ウエート

趣味／食べる／スポーツ／学ぶ／仕事・勉強／寝る

※グラフの外側がより高いウエート

趣味・娯楽の時間	174 分	33
睡眠時間	462 分	25
仕事・学業をする時間	427 分	6
学習や自己啓発をする時間	144 分	4
スポーツをする時間	119 分	24
食事をする時間	102 分	15

■は全国順位

人口

- 人口
  283 万 8,632 人（12 位）
- 人口増減数
  － 1 万 214 人（30 位）
- 出生率
  7.7 人／千人（10 位）
- 死亡率 11.3 人／千人（33 位）
- 外国人の割合 1.93%（18 位）

家庭*

- 世帯主年齢 57.7 歳（34 位）
- 子ども（18 歳未満）の人員
  0.78 人（4 位）
- 高齢者（65 歳以上）の人員
  0.78 人（29 位）
- 持ち家率 73.3%（44 位）
- 平均畳数 25.3 帖（17 位）

世帯

- 世帯数
  131 万 5,854 世帯（11 位）
- 平均人員 2.16 人（35 位）
- 核家族世帯率 57.5%
  （16 位）
- 単身者世帯率 34.5%（9 位）
- 高齢者世帯率 13.0%
  （14 位）

家計*

- 貯蓄額 1,576 万円（29 位）
- 負債総額 528 万円（22 位）
- 消費支出 370 万 3,372 円
  （7 位）
- 家賃 18 万 8,386 円（3 位）
- 水道光熱費 24 万 4,071 円
  （36 位）

消費*

- 衣類・履物費 15 万 814 円
  （6 位）
- 保健医療費 16 万 7,120 円
  （19 位）
- 教育費
  18 万 6,043 円（6 位）
- 自動車関連費
  30 万 9,732 円（22 位）
- 通信費 16 万 5,120 円（22 位）

外国人旅行者

宿泊者数の推移

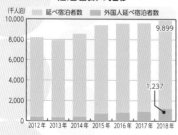

（千人泊）
10,000

延べ宿泊者数　外国人延べ宿泊者数

8,000

6,000

4,000

2,000

9,899

1,237

2012年 2013年 2014年 2015年 2016年 2017年 2018年

宿泊者上位 5 カ国

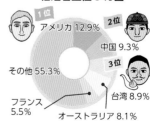

1位 アメリカ 12.9%
2位 中国 9.3%
3位 台湾 8.9%
オーストラリア 8.1%
フランス 5.5%
その他 55.3%

気 候

身長 170.4cm（29位）
体重 62.3kg（31位）
初婚年齢 30.3 歳
（7位）
寿命 81.08 年（9位）

婚姻率 4.5 人／千人
（10位）

離婚率 1.65 人／千人
（21位）

身長 157.4cm（33位）
体重 51.9kg（47位）
初婚年齢 29.0 歳
（14位）
寿命 87.33年（10位）

最高気温 35℃以上の日数	7 日	全国で 25 位
平均気温	16.5℃	全国で 23 位
日照時間	2,134 時間	全国で 10 位
降水量	1,382 mm	全国で 35 位
平均相対湿度	61.2%	全国で 47 位

（広島管区気象台 2019 年）

最低気温 -0.8℃／最高気温 37.5℃

産 業
・総事業所数 12 万 7,057（11 位）
・小売事業所数
　2 万 3,743（11 位）
・卸売事業所数
　9,594（11 位）
・上場企業数 45（12 位）
・代表取締役出身者数
　2 万 9,036 人（11 位）

経 済
・県内総生産
　11 兆 5,273 億円（12 位）
・企業倒産数 12 件（11 位）
・有効求人倍率 1.88（5 位）
・月額給与（男）32.41 万円
　（12 位）
・月額給与（女）24.67 万円
　（10 位）

労 働
・労働時間 179 時間／月
　（14 位）
・通勤時間 30 分（14 位）
・勤続年数 13.0 年（6 位）
・大卒初任給 20.45 万円
　（9 位）
・パート時給 1,080 円
　（19 位）

社 会
・中高年の就職率 31.59%
　（21 位）
・失業率 2.37%（11 位）
・自殺者数 15.5 人／ 10 万人
　（34 位）
・生活保護世帯数
　5,857 世帯（35 位）
・少年犯罪数 3.47 人／千人
　（8 位）

福 祉
・病院数 8.5 施設／ 10 万人（18 位）
・一般診療所数
　90.5 施設／ 10 万人（12 位）
・児童福祉施設数
　34.7 施設／ 10 万人（26 位）
・老人福祉センター数
　5.0 施設／ 10 万人（26 位）
・図書館数 2.9 施設／ 10 万人
　（23 位）

教 育
・大学進学率 60.6%（5 位）
・高卒の割合 15.2%（39 位）
・学校の I T 化
　6.5 人／台（42 位）
・教科書・参考書費*
　3,568 円（9 位）
・補助教育費* 5 万 836 円（4 位）

交通・通信
・自動車保有台数
　1,497 台／千世帯（36 位）
・ガソリン代* 6 万 4,842円（30位）
・交通費* 9 万 2,429 円（7 位）
・電話代* 14 万 9,668円（22位）
・交通事故死亡者数
　2.66 人／ 10 万人（36 位）

学 校
・保育所数 672 カ所
　（11 位）
・幼稚園数 240 カ所
　（13 位）
・小学校数 479 校
　（13 位）
・高校数 130 校（11 位）
・大学数 20 校（11 位）

スポーツ
・野球をする人の割合 8.2%（4 位）
・ゴルフをする人の割合 7.7%
　（17 位）
・サッカーをする人の割合 5.6%
　（20 位）
・ラグビー部のある高校
　10.8%（39 位）
・高校陸上部員数の割合
　3.8%（25 位）

娯 楽
・博物館数 1.0 施設／ 10 万人
　（26 位）
・映画館数 2.8 施設／ 10 万人
　（22 位）
・月謝類* 4 万 6,981 円（8 位）
・書籍雑誌費* 3 万 8,440 円
　（25 位）
・海外旅行に行く人の割合
　4.2%（30 位）

山口県 ドンッ

県の
木：アカマツ　　　獣：
花：夏みかんの花　ホンシュウジカ
鳥：ナベヅル　　　歌：山口県民の歌
魚：フグ

山口県民

議論好き

男性優位、
権力主義

自信たっぷり

山口県の NO.1

アンコウ
水揚げ量

ふりかけ
支出金額[1]

シメジ
支出金額[1]

[1] 山口市

周防大島サタデーフラ／周防大島町
ハワイ移民を多数輩出した地にフラ愛好家が集結。

A 阿武町

萩市

長門市 B

D 美祢市

K E 山口市

C 下関市

宇部市

防府市 G

山陽小野田市

J

K

石積みの練塀／上関町
石と土を積み重ね、漆喰で固めた祝島独特の塀。暑さや寒さをやわらげる。

大内塗／山口市
大内朱と呼ばれる古代朱を地塗りに用い、金箔や色漆で模様を描く優美な漆器。

凡　例
＝＝＝ 新幹線
＝＝＝ J　R
――― 国　道
＝＝＝ 高速道路

無角和牛／阿武町
在来和牛をアンガス種により改良し誕生した、山口県だけで飼育されるレアな牛。

青海島／長門市
海上アルプスの異名をもつ。透明度の高い海は青の洞窟などダイブポイントも多い。

角島灯台／下関市
明治9年から海を照らす、御影石造りの洋式灯台。らせん階段を上れば絶景。

秋吉台の山焼き／美祢市
600年以上続く春の風物詩。約1138ha ものカルスト台地の野焼きは日本最大規模。

瑠璃光寺香山公園／山口市
五重塔は室町中期のもっとも秀でた建造物とされ、日本三名塔の一つ。

とことこトレイン／岩国市
錦町駅から自然の中をトロッコ遊覧車で進む。トンネル内には蛍光石のアート。

周防国分寺／防府市
聖武天皇時代の官寺の一つ。創建当初の境内に伽藍を残す、非常に珍しい寺院。

大畠俄祭り／柳井市
日本三大潮流の一つ大畠瀬戸の海でもみ合う豪快な祭り。豊漁・家内安全を祈願。

和木町

周南市

岩国市 **F**

下松市 光市 **H** 柳井市

田布施町 平生町

岩国市

周防大島町 **I**

J 上関町

柳井市

山口県 の 食

耕地面積 (田畑計)
4万6,400ha
(第31位)

コメの作付面積 (水稲延べ)
1万9,300ha
(第29位)

コメの収穫量 (水稲)
9万1,500t
(第26位)

肉用牛 (飼育頭数)
1万4,400頭
(第34位)

養豚 (飼育頭数)
2万3,300頭
(第37位)

ブロイラー (飼育頭数)
154万4,000羽
(第17位)

漁獲量・天然 (海面漁業)
2万5,539t
(第26位)

漁獲量・養殖 (海面養殖)
1,862t
(第25位)

食料自給率 (カロリーベース)
32%
(第32位)

エンゲル係数*
24.0
(第42位)

食費* (年間支出)
94万2,692円
(第26位)

牛乳・乳製品* (年間支出)
3万4,762円
(第28位)

調味料* (年間支出)
4万521円
(第12位)
●ふりかけ 2,687円 (第1位)
●酢 1,491円 (第2位)
●砂糖 1,389円 (第4位)

生鮮野菜* (年間支出)
5万5,961円
(第43位)
●しめじ 2,477円 (第1位)

生鮮果物* (年間支出)
3万4,191円
(第38位)

外食* (年間支出)
14万5,233円
(第34位)
●和食 3万2,685円 (第5位)
●ハンバーガー 5,939円 (第5位)

調理食品* (年間支出)
12万8,522円
(第20位)
●そうざい材料セット 9,470円 (第4位)

生産

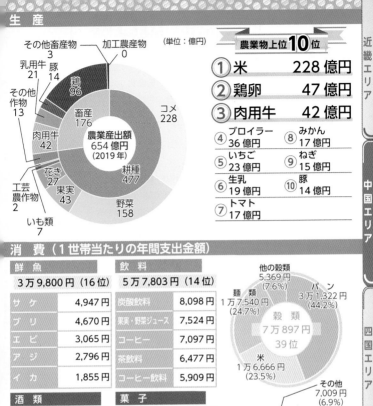

その他畜産物 — 加工農産物 0

乳用牛 21
豚 14
鶏 96
その他畜産物 3

（単位：億円）

その他作物 13
肉用牛 42
花き 27
工芸農作物 2
いも類 7
果実 43
野菜 158

畜産 176
耕種 477
コメ 228

農業産出額 654 億円（2019 年）

農業物上位 10 位

① 米　228 億円
② 鶏卵　47 億円
③ 肉用牛　42 億円

④ ブロイラー 36 億円
⑤ いちご 23 億円
⑥ 生乳 19 億円
⑦ トマト 17 億円
⑧ みかん 17 億円
⑨ ねぎ 15 億円
⑩ 豚 14 億円

消費（1 世帯当たりの年間支出金額）

鮮魚
3 万 9,800 円（16 位）

サケ	4,947 円
ブリ	4,670 円
エビ	3,065 円
アジ	2,796 円
イカ	1,855 円

飲料
5 万 7,803 円（14 位）

炭酸飲料	8,098 円
果実・野菜ジュース	7,524 円
コーヒー	7,097 円
茶飲料	6,477 円
コーヒー飲料	5,909 円

酒類
4 万 2,132 円（22 位）

ビール	1 万 1,636 円
焼酎	9,978 円
発泡酒等	9,496 円
カクテル等	3,723 円
清酒	3,577 円

菓子
9 万 3,242 円（8 位）

アイスクリーム	1 万 1,667 円
チョコレート	8,029 円
スナック菓子	7,653 円
ケーキ	7,093 円
せんべい	5,983 円

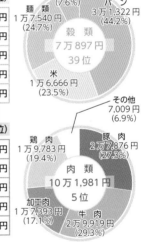

他の穀類 5,369 円（7.6%）
麺類 1 万 7,540 円（24.7%）
パン 3 万 1,322 円（44.2%）
穀類 7 万 897 円 39 位
米 1 万 6,666 円（23.5%）

その他 7,009 円（6.9%）
鶏肉 1 万 9,783 円（19.4%）
豚肉 2 万 7,876 円（27.3%）
肉類 10 万 1,981 円 5 位
加工肉 1 万 7,393 円（17.1%）
牛肉 2 万 9,919 円（29.3%）

食品産業

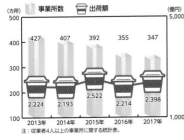

（カ所）事業所数　出荷額（億円）

	2013年	2014年	2015年	2016年	2017年
事業所数	427	407	392	355	347
出荷額	2,224	2,193	2,522	2,214	2,398

注：従業者4人以上の事業所に関する統計表。

飲食料小売額	4,503 億円	27
百貨店・総合スーパー	22 店	22
飲食料小売店数	3,419 店	27
コンビニ数	465 店	25
ドラッグストア数	138 店	33

□は全国順位

Data で見る 山口県

※山口市の1世帯当たりの年間支出金額

快適度

人口密度 /㎢	224 人	28
物価格差	98.5	29
県民所得 / 人	304.8 万円	14
犯罪認知件数 / 千人	3.79 件	36
旅行に行く人の割合	42.9%	32
医師数 /10 万人	252.9 人	22

■は全国順位

人口密度 / 物価格差 / 県民所得 / 犯罪件数 / 旅行 / 医師数

※グラフの外側がより高い快適度

行動ウエート

趣味・娯楽の時間	184 分	12
睡眠時間	460 分	33
仕事・学業をする時間	419 分	13
学習や自己啓発をする時間	133 分	15
スポーツをする時間	116 分	36
食事をする時間	100 分	27

趣味 / 寝る / 仕事・勉強 / 学ぶ / スポーツ / 食べる

※グラフの外側がより高いウエート

■は全国順位

人口

- 人口
  138 万 3,079 人 (27 位)
- 人口増減数
  − 1 万 3,118 人 (37 位)
- 出生率
  6.6 人／千人 (38 位)
- 死亡率 13.9 人／千人 (8 位)
- 外国人の割合 1.27% (27 位)

家庭*

- 世帯主年齢 55.9 歳 (45 位)
- 子ども (18 歳未満) の人員
  0.83 人 (2 位)
- 高齢者 (65 歳以上) の人員
  0.69 人 (43 位)
- 持ち家率 83.8% (18 位)
- 平均畳数 24.1 帖 (26 位)

世帯

- 世帯数
  66 万 368 世帯 (25 位)
- 平均人員 2.09 人 (42 位)
- 核家族世帯率 57.9%
  (14 位)
- 単身者世帯率 33.3%
  (13 位)
- 高齢者世帯率 15.1% (1 位)

家計*

- 貯蓄額 1,546 万円 (32 位)
- 負債総額 596 万円 (11 位)
- 消費支出 367 万 5,606 円
  (13 位)
- 家賃 7 万 2,535 円 (38 位)
- 水道光熱費 26 万 5,722 円
  (21 位)

消費*

- 衣類・履物費 12 万 7,672 円
  (25 位)
- 保健医療費 18 万 5,978 円
  (7 位)
- 教育費
  12 万 5,578 円 (25 位)
- 自動車関連費
  44 万 723 円 (3 位)
- 通信費 16 万 8,535 円 (19 位)

外国人旅行者

宿泊者数の推移

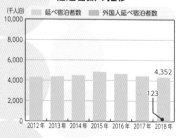

(千人泊) ■延べ宿泊者数 ■外国人延べ宿泊者数

10,000 / 8,000 / 6,000 / 4,000 / 2,000 / 0

2012年 2013年 2014年 2015年 2016年 2017年 2018年

4,352

123

宿泊者上位 5 カ国

その他 18.8%
香港 3.6%
アメリカ 5.5%
1 位 韓国 49.2%
2 位 台湾 12.3%
3 位 中国 10.6%

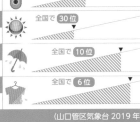

身長 170.3cm（31 位）
体重 62.4kg（26 位）
初婚年齢 30.2 歳（4 位）
寿命 80.51 年（30 位）

婚姻率 3.9 人／千人（40 位）

離婚率 1.60 人／千人（29 位）

身長 157.2cm（36 位）
体重 52.6kg（33 位）
初婚年齢 28.8 歳（3 位）
寿命 86.88 年（31 位）

気 候

最高気温 35℃以上の日数	11 日	全国で 16 位	
平均気温	16.3℃	全国で 25 位	
日照時間	1,953 時間	全国で 30 位	
降水量	1,975 ㎜	全国で 10 位	
平均相対湿度	75.3%	全国で 6 位	

（山口管区気象台 2019 年）

最低気温 -2.6℃／最高気温 38.0℃

産 業

- 総事業所数 6 万 1,385（28 位）
- 小売事業所数
　1 万 3,345（26 位）
- 卸売事業所数
　3,718（27 位）
- 上場企業数 12（26 位）
- 代表取締役出身者数
　1 万 5,388 人（29 位）

経 済

- 県内総生産
　5 兆 8,682 億円（24 位）
- 企業倒産数 2 件（40 位）
- 有効求人倍率 1.60（17 位）
- 月額給与（男）30.17 万円
　（27 位）
- 月額給与（女）22.97 万円
　（22 位）

労 働

- 労働時間 179 時間／月
　（14 位）
- 通勤時間 25 分（35 位）
- 勤続年数 13.0 年（6 位）
- 大卒初任給 19.62 万円
　（30 位）
- パート時給 1,023 円
　（33 位）

社 会

- 中高年の就職率 33.50%
　（13 位）
- 失業率 1.84%（38 位）
- 自殺者数 15.4 人／ 10 万人
　（36 位）
- 生活保護世帯数
　8,864 世帯（21 位）
- 少年犯罪率 2.33 人／千人
　（22 位）

福 祉

- 病院数 10.6 施設／ 10 万人（9 位）
- 一般診療所数
　92.2 施設／ 10 万人（9 位）
- 児童福祉施設数
　37.7 施設／ 10 万人（21 位）
- 老人福祉センター数
　6.6 施設／ 10 万人（17 位）
- 図書館数 3.9 施設／ 10 万人
　（9 位）

教 育

- 大学進学率 43.1%（46 位）
- 高卒の割合 30.7%（3 位）
- 学校の I T化
　4.4 人／台（11 位）
- 教科書・参考書*
　3,006 円（18 位）
- 補習教育費*3 万 6,328 円（14 位）

交通・通信

- 自動車保有台数
　1,632 台／千世帯（29 位）
- ガソリン代* 10 万 7,955 円（1 位）
- 交通費* 4 万 5,103 円（32 位）
- 電話代* 15 万 3,133 円（18 位）
- 交通事故死亡者数
　3.28 人／ 10 万人（22 位）

学 校

- 保育所数 309 カ所
　（33 位）
- 幼稚園数 170 カ所
　（20 位）
- 小学校数 306 校
　（27 位）
- 高校数 80 校（21 位）
- 大学数 10 校（20 位）

スポーツ

- 野球をする人の割合 6.5%（32 位）
- ゴルフをする人の割合 7.4%
　（21 位）
- サッカーをする人の割合 5.3%
　（25 位）
- ラグビー部のある高校
　11.3%（36 位）
- 高校陸上部員数の割合
　4.3%（9 位）

娯 楽

- 博物館数 1.5 施設／ 10 万人
　（10 位）
- 映画館数 2.3 施設／ 10 万人
　（34 位）
- 月謝類*3 万 7,836 円（20 位）
- 書籍雑誌費*3 万 7,888 円
　（30 位）
- 海外旅行に行く人の割合
　4.6%（24 位）

近畿エリア

中国エリア

四国エリア

九州エリア

沖縄エリア

早わかり

2020

都道府県

Data Book

話のネタ帳

四国

徳島県

県の
木：ヤマモモ
花：すだちの花
鳥：シラサギ
歌：徳島県民の歌

徳島県民

質素倹約

讃岐男に阿波女
→女性は働き者

無駄使い
しない

大川原高原／佐那河内村
放牧場で草をはむ牛、群生するツツジやアジサイなど穏やかな景観を楽しめる。

徳島県の NO.1 ▶

サツマイモ支出金額※1

大人用紙おむつ出荷額※2

果実缶詰出荷額※2

医師数※2※3

老人福祉センター数※2※3

※1 徳島市、※2 2018年、※3 人口当たり

三好市

東みよし町

つるぎ町

美馬市

D

E
三好市

那賀町

竹ちくわ／小松島市
源平合戦に由来をもつ。青竹に魚のすり身を巻きつけて焼き上げたちくわ。

N

凡　例
---- 新幹線
-・- Ｊ Ｒ
── 国　道
── 県道・新能瀬

海陽町

←**大浜海岸／美波町**
年に数百頭のアカウミガメが産卵のため上陸するといわれ、天然記念物に指定。

渦の道／鳴門市
大鳴門橋の海上遊歩道。海上45mのガラス床から渦潮をのぞき見ることができる。

法輪寺／阿波市
四国霊場で唯一、涅槃像を本尊としている。足の病気に霊験があるとされる。

藍の館／藍住町
もと藍商人の屋敷を利用。阿波藍の歴史や製法など展示のほか藍染体験もできる。

法市農村舞台／東みよし町→
仮設式船底舞台という珍しい舞台で阿波の伝統芸能、人形浄瑠璃を観劇。

祖谷渓／三好市
祖谷は日本三大秘境の一つ。かつて度胸試しをしたという断崖には小便小僧の像。

高開の石積み／吉野川市
段々畑の石積みに咲き乱れる芝桜が美しい。12月のライトアップ期間は幻想的。

←**徳島城表御殿庭園**／徳島市
桃山様式の庭園。阿波の青石が多用され、地下水路で海水を引いた潮入庭園。

徳島県 の 食

※徳島市の1世帯当たりの年間支出金額

耕地面積 (田畑計)
2万 8,800ha
(第41位)

コメの作付面積 (水稲延べ)
1万 1,300ha
(第40位)

コメの収穫量 (水稲)
5万 2,400 t
(第38位)

肉用牛 (飼育頭数)
2万 2,200 頭
(第25位)

養豚 (飼育頭数)
3万 8,100 頭
(第34位)

ブロイラー (飼育頭数)
427万 6,000 羽
(第6位)

漁獲量・天然 (海面漁業)
9,952 t
(第34位)

漁獲量・養殖 (海面養殖)
1万 1,885 t
(第20位)

食料自給率 (カロリーベース)
42%
(第25位)

エンゲル係数*
24.8
(第32位)

食費* (年間支出)
88万 3,502 円
(第39位)

牛乳・乳製品* (年間支出)
3万 6,768 円
(第20位)
●牛乳 1万7,766円 (第3位)

調味料* (年間支出)
3万 4,871 円
(第44位)

生鮮野菜* (年間支出)
5万 8,397 円
(第39位)
●さつまいも 1,638円 (第1位)
●生しいたけ 2,269円 (第3位)
●はくさい 1,448円 (第5位)

生鮮果物* (年間支出)
3万 1,405 円
(第44位)

外食* (年間支出)
15万 4,615 円
(第27位)

調理食品* (年間支出)
12万 5,976 円
(第22位)

生 産

（単位：億円）

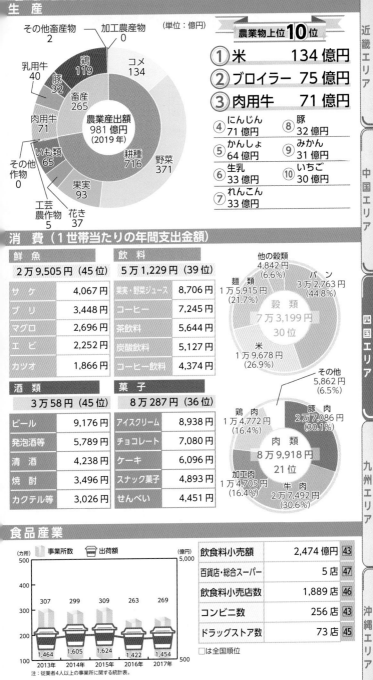

農畜物上位10位

①	米	134 億円
②	ブロイラー	75 億円
③	肉用牛	71 億円

④ にんじん 71 億円	⑧ 豚 32 億円
⑤ かんしょ 64 億円	⑨ みかん 31 億円
⑥ 生乳 33 億円	⑩ いちご 30 億円
⑦ れんこん 33 億円	

農業産出額
981 億円
（2019年）

その他畜産物 2
加工農産物 0
乳用牛 40
豚 32
鶏 119
畜産 265
肉用牛 71
コメ 134
その他作物 0
いも類 65
耕種 716
野菜 371
果実 93
工芸農作物 5
花き 37

消 費 （1世帯当たりの年間支出金額）

鮮魚

2万9,505円（45位）

サケ	4,067 円
ブリ	3,448 円
マグロ	2,696 円
エビ	2,252 円
カツオ	1,866 円

飲料

5万1,229円（39位）

果実・野菜ジュース	8,706 円
コーヒー	7,245 円
茶飲料	5,644 円
炭酸飲料	5,127 円
コーヒー飲料	4,374 円

酒 類

3万58円（45位）

ビール	9,176 円
発泡酒等	5,789 円
清酒	4,238 円
焼酎	3,496 円
カクテル等	3,026 円

菓 子

8万287円（36位）

アイスクリーム	8,938 円
チョコレート	7,080 円
ケーキ	6,096 円
スナック菓子	4,893 円
せんべい	4,451 円

穀 類
7万3,199円
30位

他の穀類 4,842円（6.6%）
麺 類 1万5,915円（21.7%）
パン 3万2,763円（44.8%）
米 1万9,678円（26.9%）

肉 類
8万9,918円
21位

その他 5,862円（6.5%）
鶏 肉 1万4,772円（16.4%）
豚 肉 2万7,086円（30.1%）
加工肉 1万4,705円（16.4%）
牛 肉 2万7,492円（30.6%）

食品産業

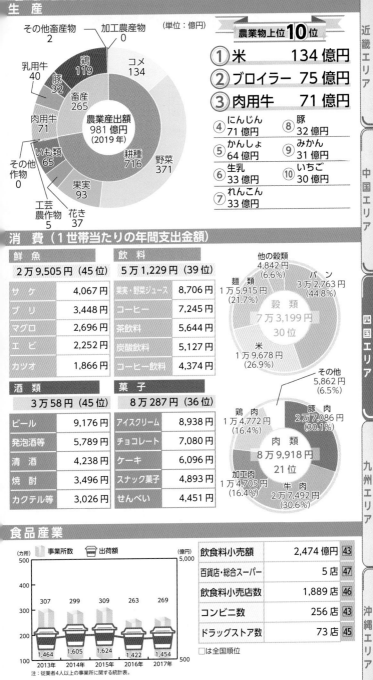

飲食料小売額	2,474 億円	43
百貨店・総合スーパー	5 店	47
飲食料小売店数	1,889 店	46
コンビニ数	256 店	43
ドラッグストア数	73 店	45

□は全国順位

事業所数　出荷額
（カ所） （億円）
500 — 5,000

307　299　309　263　269
1,464　1,605　1,624　1,422　1,454
2013年　2014年　2015年　2016年　2017年

注：従業者4人以上の事業所に関する統計表。

Data で見る 徳島県

※徳島市の1世帯当たりの年間支出金額

快適度

人口密度 /k㎡	177 人	35
物価格差	99.6	12
県民所得 / 人	297.3 万円	17
犯罪認知件数 / 千人	4.23 件	31
旅行に行く人の割合	41.4%	34
医師数 /10 万人	329.5 人	1

■は全国順位

※グラフの外側がより高い快適度

行動ウエート

※グラフの外側がより高いウエート

趣味・娯楽の時間	175 分	31
睡眠時間	464 分	20
仕事・学業をする時間	404 分	38
学習や自己啓発をする時間	125 分	30
スポーツをする時間	107 分	47
食事をする時間	102 分	15

■は全国順位

人口

- 人口
  75 万 519 人（44 位）
- 人口増減数
  − 6,858 人（17 位）
- 出生率
  6.8 人／千人（33 位）
- 死亡率 13.7 人／千人（10 位）
- 外国人の割合 0.85%（33 位）

家庭※

- 世帯主年齢 58.2 歳（31 位）
- 子ども（18 歳未満）の人員
  0.54 人（32 位）
- 高齢者（65 歳以上）の人員
  0.80 人（26 位）
- 持ち家率 82.0%（29 位）
- 平均畳数 25.2 帖（18 位）

世帯

- 世帯数
  33 万 5,786 世帯（43 位）
- 平均人員 2.24 人（28 位）
- 核家族世帯率 54.9%
  （32 位）
- 単身者世帯率 32.2%
  （19 位）
- 高齢者世帯率 12.9%
  （17 位）

家計※

- 貯蓄額 1,769 万円（21 位）
- 負債総額 481 万円（30 位）
- 消費支出 334 万 6,265 円
  （32 位）
- 家賃 9 万 7,631 円（26 位）
- 水道光熱費 24 万 4,087 円
  （35 位）

消費※

- 衣類・履物費 13 万 3,022 円
  （15 位）
- 保健医療費 12 万 8,152 円
  （46 位）
- 教育費
  12 万 301 円（28 位）
- 自動車関連費
  33 万 9,616 円（14 位）
- 通信費 15 万 9,288 円（28 位）

外国人旅行者

宿泊者数の推移

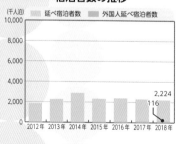

（千人泊）
延べ宿泊者数　外国人延べ宿泊者数

2,224
116

2012年 2013年 2014年 2015年 2016年 2017年 2018年

宿泊者上位 5 カ国

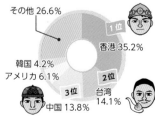

その他 26.6%

1位 香港 35.2%

2位 台湾 14.1%

3位 中国 13.8%

韓国 4.2%
アメリカ 6.1%

身長 170.1㎝ （37 位）
体重 62.2kg （34 位）
初婚年齢 30.7 歳
（18 位）
寿命 80.32 年 （33 位）

4.0 人／千人
（35 位）婚姻率

1.61 人／千人
（26 位）離婚率

身長 157.4㎝ （33 位）
体重 53.7kg （10 位）
初婚年齢 29.3 歳
（30 位）
寿命 86.66 年 （39 位）

気 候

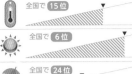

最高気温 35℃以上の日数	4 日	全国で 31 位
平均気温	17.4℃	全国で 15 位
日照時間	2,146 時間	全国で 6 位
降水量	1,543 ㎜	全国で 24 位
平均相対湿度	70.3%	全国で 26 位

（徳島管区気象台 2019 年）

最低気温 0.4℃／最高気温 36.1℃

産 業

・総事業所数 3 万 5,853 （44 位）
・小売事業所数
7,449 （45 位）
・卸売事業所数
2,002 （45 位）
・上場企業数 7 （34 位）
・代表取締役出身者数
1 万 245 人 （42 位）

経 済

・県内総生産
2 兆 9,984 億円 （43 位）
・企業倒産数 5 件 （28 位）
・有効求人倍率 1.38 （32 位）
・月額給与（男）29.25 万円
（31 位）
・月額給与（女）22.65 万円
（25 位）

労 働

・労働時間 175 時間／月
（45 位）
・通勤時間 25 分 （35 位）
・勤続年数 12.3 年
（23 位）
・大卒初任給 19.65 万円
（28 位）
・パート時給 1,127 円
（11 位）

社 会

・中高年の就職率 33.66%
（11 位）
・失業率 1.91% （34 位）
・自殺者数 15.4 人／ 10 万人
（38 位）
・生活保護世帯数
1 万 651 世帯 （16 位）
・少年犯罪数 1.89 人／千人
（29 位）

福 祉

・病院数 14.8 施設／ 10 万人（3位）
・一般診療所数
99.2 施設／ 10 万人
（4 位）
・児童福祉施設数
41.0 施設／ 10 万人 （20 位）
・老人福祉センター数
11.3 施設／ 10 万人 （1 位）
・図書館数 3.7 施設／ 10 万人
（12 位）

教 育

・大学進学率 52.2% （19 位）
・高卒の割合 22.7% （23 位）
・学校の I T 化
3.7 人／台 （4 位）
・教科書・参考書費*
2,517 円 （25 位）
・補習教育費*3万7,112円（13位）

交通・通信

・自動車保有台数
1,925 台／千世帯 （9 位）
・ガソリン代*7万4,871円（21位）
・交通費* 4 万 1,237 円 （35 位）
・電話代*14 万 3,415円（33 位）
・交通事故死亡者数
5.57 人／ 10 万人 （1 位）

学 校

・保育所数 209 カ所
（45 位）
・幼稚園数 122 カ所
（28 位）
・小学校数 191 校
（42 位）
・高校数 37 校 （45 位）
・大学数 4 校 （41 位）

スポーツ

・野球をする人の割合 6.7%（29 位）
・ゴルフをする人の割合 6.2%
（33 位）
・サッカーをする人の割合 4.8%
（33 位）
・ラグビー部のある高校
32.4% （3 位）
・高校陸上部員数の割合
3.1% （39 位）

娯 楽

・博物館数 1.1 施設／ 10 万人
（19 位）
・映画館数 2.6 施設／ 10 万人
（28 位）
・月謝類* 3 万 7,311 円（21 位）
・書籍雑誌費* 3 万 7,571 円
（33 位）
・海外旅行に行く人の割合
4.3%（28 位）

香川県

県の
木：オリーブ　魚：ハマチ
花：オリーブ　獣：シカ
鳥：ホトトギス　歌：香川県民歌

香川県民

讃岐のへらこい
→利口でずるい

人なつっこい

じ〜…

讃岐男に阿波女
→男性は協調性があり
人付き合いがうまい

新しいもの好き

香川県の NO.1

C 直島町

| 日本そば・うどん支出金額[1] | 惣菜材料セット支出金額[1] | 冷凍調理食品出荷額[2] | ニット手袋出荷額[2] | うちわ・扇子の出荷額[2] |

[1] 高松市
[2] 2018年

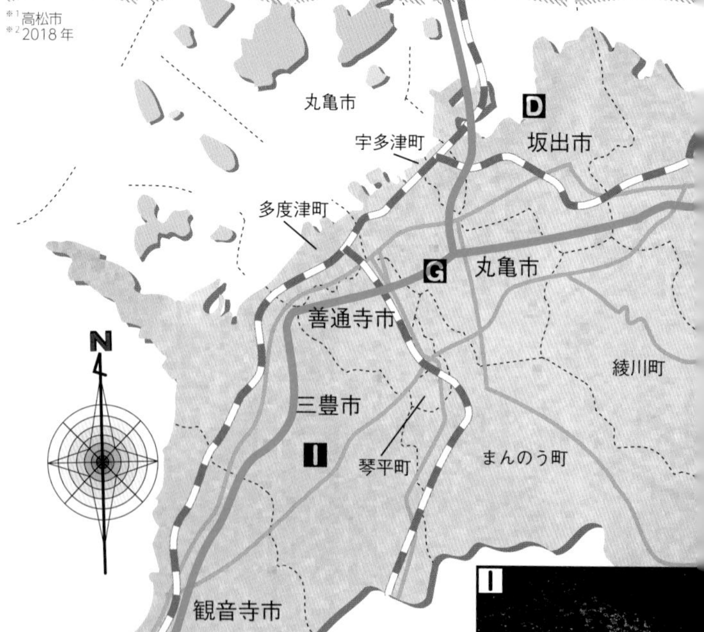

丸亀市

D 坂出市

宇多津町

多度津町

G 丸亀市

善通寺市

綾川町

三豊市

H

琴平町

まんのう町

観音寺市

I

海ほたる／三豊市→
粟島は青く発光する海の生物、海ほたるの鑑賞スポットとして人気の島。

エンジェルロード／土庄町
引き潮になると海から現れる砂の道。大切な人と渡ると願いが叶うとか。

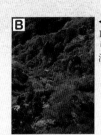

←寒霞渓／小豆島町
1300万年の時をかけてつくり上げた渓谷は、日本三大渓谷美の一つと称される。

直島 海の駅／直島町
アートの島の玄関口というにふさわしい、プリッカー賞受賞のSANAA設計。

天皇寺高照院／坂出市
四国八十八箇所霊場79番。崇徳天皇ゆかりの寺で伝説の「八十場の霊水」湧出地。

ひょうげ祭り／高松市
奇抜なメイクや仮装でひょうげ（おどけ）歩き、水の恵みに感謝して豊作を祝う。

うちわの港ミュージアム／丸亀市
うちわの町・丸亀で丸亀うちわの歴史など展示。マイうちわも作ることができる。

津田の松原／さぬき市
防風林の松林を抜けると、白い砂浜に青い海が広がる。日本の渚百選の一つ。

白鳥だんじり子ども歌舞伎／東かがわ市
天保年間に始まったとされる白鳥神社祭礼で奉納。

地図中の文字：
高松市
土庄町
小豆島町
さぬき市
三木町
東かがわ市

凡例
- ━ ━ 新幹線
- ─ ─ JR
- ── 国道
- ── 県道・府道

香川県 の 食

※高松市の1世帯当たりの年間支出金額

耕地面積（田畑計）
2万
9,900ha
（第40位）

コメの作付面積（水稲延べ）
1万
2,000ha
（第37位）

コメの収穫量（水稲）
5万
6,500 t
（第37位）

肉用牛（飼育頭数）
2万
100頭
（第28位）

養豚（飼育頭数）
3万
8,500頭
（第33位）

ブロイラー（飼育頭数）
215万
3,000羽
（第15位）

漁獲量・天然（海面漁業）
1万
8,917 t
（第27位）

漁獲量・養殖（海面養殖）
2万
4,208 t
（第12位）

食料自給率（カロリーベース）
34%
（第29位）

エンゲル係数*
22.3
（第47位）

食費*（年間支出）
89万
2,061円
（第37位）

牛乳・乳製品*（年間支出）
3万
2,574円
（第40位）

調味料*（年間支出）
3万
7,468円
（第32位）
●砂糖
1,425円（第3位）

生鮮野菜*（年間支出）
5万
4,459円
（第44位）

生鮮果物*（年間支出）
3万
1,434円
（第43位）

外食*（年間支出）
15万
7,116円
（第26位）
●日本そば・うどん
1万4,792円（第1位）
●ハンバーガー
6,113円（第2位）

調理食品*（年間支出）
11万
6,885円
（第35位）
●そうざい材料セット
1万291円（第1位）

生産

その他畜産物 1
加工農産物 —
（単位：億円）

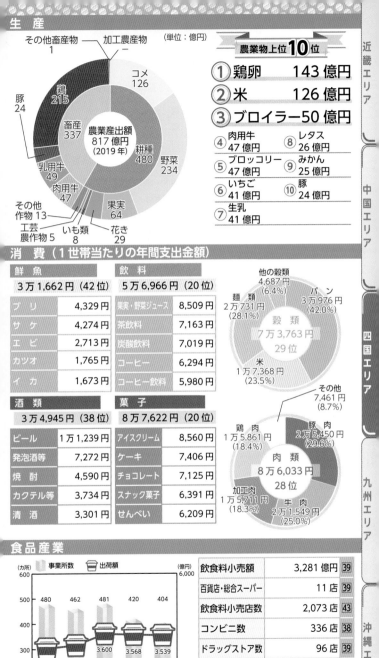

コメ 126
鶏 215
豚 24
畜産 337
乳用牛 49
肉用牛 47
その他作物 13
工芸農作物 5
いも類 8
花き 29
果実 64
野菜 234
耕種 480

農業産出額
817 億円
（2019年）

農業物上位 10 位

① 鶏卵	143 億円
② 米	126 億円
③ ブロイラー	50 億円

④ 肉用牛 47 億円	⑧ レタス 26 億円
⑤ ブロッコリー 47 億円	⑨ みかん 25 億円
⑥ いちご 41 億円	⑩ 豚 24 億円
⑦ 生乳 41 億円	

消費（1世帯当たりの年間支出金額）

鮮魚
3万1,662円（42位）

ブリ	4,329円
サケ	4,274円
エビ	2,713円
カツオ	1,765円
イカ	1,673円

飲料
5万6,966円（20位）

果実・野菜ジュース	8,509円
茶飲料	7,163円
炭酸飲料	7,019円
コーヒー	6,294円
コーヒー飲料	5,980円

酒類
3万4,945円（38位）

ビール	1万1,239円
発泡酒等	7,272円
焼酎	4,590円
カクテル等	3,734円
清酒	3,301円

菓子
8万7,622円（20位）

アイスクリーム	8,560円
ケーキ	7,406円
チョコレート	7,125円
スナック菓子	6,391円
せんべい	6,209円

穀類
7万3,763円
29位

他の穀類 4,687円（6.4%）
麺類 2万731円（28.1%）
パン 3万976円（42.0%）
米 1万7,368円（23.5%）

肉類
8万6,033円
28位

その他 7,461円（8.7%）
鶏肉 1万5,861円（18.4%）
豚肉 2万5,450円（29.6%）
加工肉 1万5,711円（18.3%）
牛肉 2万1,549円（25.0%）

食品産業

		（力所） 事業所数	出荷額 （億円）

（カ所）600 — 500 — 400 — 300 — 200

事業所数：480／462／481／420／404
出荷額：3,029／3,151／3,600／3,568／3,539
2013年／2014年／2015年／2016年／2017年

注：従業者4人以上の事業所に関する統計表。

飲食料小売額	3,281 億円	39
百貨店・総合スーパー	11 店	39
飲食料小売店数	2,073 店	43
コンビニ数	336 店	38
ドラッグストア数	96 店	39

□は全国順位

Data で見る 香川県

※高松市の1世帯当たりの年間支出金額

快適度

項目	値	全国順位
人口密度 /km	513 人	11
物価格差	98.4	32
県民所得 / 人	294.5 万円	20
犯罪認知件数 / 千人	5.16 件	16
旅行に行く人の割合	40.7%	37
医師数 /10 万人	282.5 人	13

■は全国順位

※グラフの外側がより高い快適度

行動ウエート

※グラフの外側がより高いウエート

項目	値	全国順位
趣味・娯楽の時間	166 分	43
睡眠時間	461 分	30
仕事・学業をする時間	432 分	2
学習や自己啓発をする時間	121 分	36
スポーツをする時間	117 分	25
食事をする時間	98 分	41

■は全国順位

人口

- 人口
  98 万 7,336 人 (39 位)
- 人口増減数
  − 5,869 人 (14 位)
- 出生率
  7.2 人／千人 (20 位)
- 死亡率 12.8 人／千人 (17 位)
- 外国人の割合 1.39% (25 位)

家庭※

- 世帯主年齢 57.7 歳 (34 位)
- 子ども (18 歳未満) の人員
  0.67 人 (15 位)
- 高齢者 (65 歳以上) の人員
  0.78 人 (29 位)
- 持ち家率 78.5% (34 位)
- 平均畳数 23.8 帖 (30 位)

世帯

- 世帯数
  44 万 1,030 世帯 (36 位)
- 平均人員 2.24 人 (27 位)
- 核家族世帯率 57.2%
  (19 位)
- 単身者世帯率 31.6%
  (22 位)
- 高齢者世帯率 13.5%
  (8 位)

家計※

- 貯蓄額 2,088 万円 (7 位)
- 負債総額 487 万円 (28 位)
- 消費支出 369 万 9,210 円
  (8 位)
- 家賃 9 万 9,919 円 (25 位)
- 水道光熱費 24 万 2,105 円
  (37 位)

消費※

- 衣類・履物費
  13 万 3,104 円 (14 位)
- 保健医療費 15 万 7,388 円
  (25 位)
- 教育費
  11 万 6,084 円 (29 位)
- 自動車関連費
  40 万 6,577 円 (7 位)
- 通信費 18 万 1,785 円 (4 位)

外国人旅行者

宿泊者数の推移

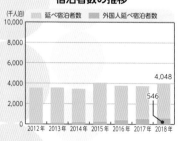

(千人泊)
延べ宿泊者数　外国人延べ宿泊者数
10,000
8,000
6,000
4,000　4,048
2,000　546
0
2012年 2013年 2014年 2015年 2016年 2017年 2018年

宿泊者上位 5 カ国

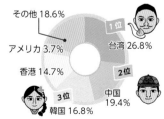

その他 18.6%
アメリカ 3.7%
香港 14.7%
韓国 16.8% (3位)
中国 19.4% (2位)
台湾 26.8% (1位)

身長 169.9cm（40位）
体重 62.8kg（17位）
初婚年齢 30.5 歳（13位）
寿命 80.85年（20位）

4.4 人／千人（15位）
婚姻率

1.72 人／千人（9位）
離婚率

身長 156.8cm（44位）
体重 53.0kg（24位）
初婚年齢 28.8 歳（3位）
寿命 87.21 年（19位）

気 候

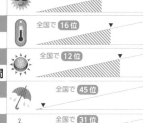

| 最高気温 35℃以上の日数 | 全国で 20位 |
| 10 日 | |

| 平均気温 | 全国で 16位 |
| 17.3℃ | |

| 日照時間 | 全国で 12位 |
| 2,116 時間 | |

| 降水量 | 全国で 45位 |
| 928 mm | |

| 平均相対湿度 | 全国で 31位 |
| 69.3% | |

（高松管区気象台 2019 年）

最低気温 -0.6℃／最高気温 36.3℃

産 業

・総事業所数 4 万 6,774（39 位）
・小売事業所数 9,017（40 位）
・卸売事業所数 3,656（29 位）
・上場企業数 15（23 位）
・代表取締役出身者数 1 万 2,079 人（38 位）

経 済

・県内総生産 3 兆 6,977 億円（36 位）
・企業倒産数 4 件（33 位）
・有効求人倍率 1.72（12 位）
・月額給与（男）30.97 万円（22 位）
・月額給与（女）23.29 万円（19 位）

労 働

・労働時間 179 時間／月（14 位）
・通勤時間 26 分（29 位）
・勤続年数 12.5 年（16 位）
・大卒初任給 20.27 万円（15 位）
・パート時給 1,085 円（17 位）

社 会

・中高年の就職率 32.15%（15 位）
・失業率 2.00%（26 位）
・自殺者数 15.5 人／10 万人（35 位）
・生活保護世帯数 3,404 世帯（44 位）
・少年犯罪数 2.72 人／千人（14 位）

福 祉

・病院数 9.3 施設／10万人（13位）
・一般診療所数 85.4 施設／10 万人（17 位）
・児童福祉施設数 32.8 施設／10 万人（31 位）
・老人福祉センター数 6.7 施設／10 万人（12 位）
・図書館数 3 施設／10 万人（22 位）

教 育

・大学進学率 51.7%（23 位）
・高卒の割合 18.8%（33 位）
・学校の I T 化 5.5 人／台（34 位）
・教科書・参考書費* 3,167 円（17 位）
・補習教育費*3万5,582円（15位）

交通・通信

・自動車保有台数 1,765 台／千世帯（21 位）
・ガソリン代*8万2,815円（14位）
・交通費* 4 万 5,270 円（31 位）
・電話代* 16 万 2,615 円（7 位）
・交通事故死亡者数 4.89 人／10 万人（3 位）

学 校

・保育所数 213 カ所（44 位）
・幼稚園数 128 カ所（27 位）
・小学校数 162 校（46 位）
・高校数 40 校（44 位）
・大学数 4 校（41 位）

スポーツ

・野球をする人の割合 6.2%（37 位）
・ゴルフをする人の割合 6.5%（28 位）
・サッカーをする人の割合 4.9%（31 位）
・ラグビー部のある高校 10.0%（41 位）
・高校陸上部員数の割合 4.0%（23 位）

娯 楽

・博物館数 1.1 施設／10 万人（18 位）
・映画館数 2.7 施設／10 万人（25 位）
・月謝類* 4 万 8,038 円（7 位）
・書籍雑誌費* 3 万 8,033 円（29 位）
・海外旅行に行く人の割合 3.8%（35 位）

愛媛県

県の
木：マツ
花：みかんの花
鳥：コマドリ
魚：マダイ
獣：ニッポンカワウソ
歌：愛媛の歌

愛媛県民

楽天的

伊予の駆け出し
→話半分で
駆け出す性分

あ〜…！なるほど

細かいことに
こだわらない

うわじま牛鬼まつり
／宇和島市
巨大な牛鬼が家々に首を突
き入れて、悪魔祓いを行う。

愛媛県の NO.1 ▶

キウイフルーツ出荷量[1]	はだか麦出荷量[1]	非鉄金属出荷額[1]	タオル地出荷額[1]	食卓塩出荷額[1]

[1] 2018年

松前町 **B**
C 伊予市

E
八幡浜市 **D**
伊方町 大洲市

砥部町

N

内子町 **H**

G 西予市

鬼北町

I 宇和島市

松野町

J

J 愛南町

シーウォーカー／愛南町→
無人島・鹿島で「海底」を
歩くアクティビティー。海
中で記念撮影も可能。

タオル美術館／今治市
タオルを芸術とした作品展示や製造工程見学など、タオルの意外な魅力にせまる。

石手寺／松山市
遍路の元祖といわれている衛門三郎ゆかりの寺。ミシュランガイド1つ星選定。

下灘駅／伊予市
かつて日本で一番海に近い駅として名を馳せ、美しい景観から数々の映像に登場。

ポコペン横丁／大洲市
毎週日曜に開かれる、昭和30年代を再現した商店街。レトロかわいい雑貨が並ぶ。

日土小学校／八幡浜市
モダニズム木造建築の重要文化財。今も現役で使われ、定期的に建物見学会を開催。

地図：

近畿エリア／中国エリア／四国エリア／九州エリア／沖縄エリア

今治市
上島町
今治市
松山市
東温市
西条市
新居浜市
久万高原町
四国中央市

凡例
■■■■ 新幹線
━ ━ ━ JR
━━━ 国道
━━━ 謎・解題

きうり封じ／西条市
世田薬師のご祈祷で、キュウリに身代りになってもらい病を封じ込める。

小松ヶ池／西予市
世界的に珍しいドリーネ（石灰岩の窪地）の池。龍王神社のご神体とされている。

高昌寺／内子町
室町時代創建の曹洞宗の寺。日本最大級という巨大な石造の涅槃仏が目を引く。

247

愛媛県 の 食

※松山市の1世帯当たりの年間支出金額

耕地面積(田畑計)
4万
8,000ha
(第30位)

コメの作付面積(水稲延べ)
1万
3,600ha
(第35位)

コメの収穫量(水稲)
6万
3,900 t
(第36位)

肉用牛(飼育頭数)
1万
100頭
(第36位)

養豚(飼育頭数)
19万
3,000頭
(第15位)

ブロイラー(飼育頭数)
96万
8,000羽
(第23位)

漁獲量・天然(海面漁業)
7万
5,487 t
(第13位)

漁獲量・養殖(海面養殖)
6万
2,176 t
(第7位)

食料自給率(カロリーベース)
36%
(第28位)

エンゲル係数*
25.8
(第17位)

食費*(年間支出)
83万
4,940円
(第45位)

牛乳・乳製品*(年間支出)
3万
3,988円
●粉ミルク 1,381円 (第5位)
(第34位)

調味料*(年間支出)
3万
4,444円
(第45位)

生鮮野菜*(年間支出)
5万
6,563円
(第42位)

生鮮果物*(年間支出)
3万
4,141円
(第39位)

外　食*(年間支出)
12万
6,462円
●日本そば・うどん 8,815円 (第5位)
(第42位)

調理食品*(年間支出)
12万
340円
●そうざい材料セット 9,586円 (第2位)
(第31位)

生 産

その他畜産物 3
加工農産物 0
乳用牛 肉用牛 42
肉用牛 26
鶏 73
豚 100
畜産 245
コメ 168
野菜 201
その他作物 52
工芸農作物 4
いも類 5
花き 28
耕種 988
果実 530

農業産出額 1,233 億円 (2019年)

(単位：億円)

農業物上位 10 位

①	みかん	251 億円
②	米	168 億円
③	豚	100 億円

④ 鶏卵 49 億円	⑧ 肉用牛 26 億円
⑤ いよかん 47 億円	⑨ いちご 25 億円
⑥ 生乳 36 億円	⑩ トマト 24 億円
⑦ 不知火※ 32 億円	

※注：デコポン

消 費 （1世帯当たりの年間支出金額）

鮮魚

3 万 3,747 円 （36 位）

サ ケ	4,501 円
ブ リ	3,510 円
エ ビ	2,908 円
マグロ	2,195 円
カツオ	1,943 円

飲料

4 万 8,865 円 （44 位）

果実・野菜ジュース	7,530 円
コーヒー	5,770 円
炭酸飲料	5,080 円
茶飲料	4,950 円
コーヒー飲料	4,114 円

酒類

2 万 9,557 円 （46 位）

ビール	9,724 円
発泡酒等	7,714 円
焼 酎	3,578 円
清 酒	3,324 円
カクテル等	2,440 円

菓子

7 万 6,536 円 （42 位）

アイスクリーム	8,383 円
ケーキ	6,221 円
チョコレート	5,956 円
スナック菓子	3,558 円
ビスケット	3,485 円

他の穀類 4,413 円 (6.0%)
パン 3 万 2,080 円 (44.2%)
麺 類 1 万 5,727 円 (21.7%)
穀 類 7 万 2,600 円 33 位
米 2 万 380 円 (28.1%)

その他 5,474 円 (6.3%)
鶏 肉 1 万 5,527 円 (17.8%)
豚 肉 2 万 6,362 円 (30.2%)
肉 類 8 万 7,223 円 26 位
加工肉 1 万 5,846 円 (18.2%)
牛 肉 2 万 4,014 円 (27.5%)

食 品 産 業

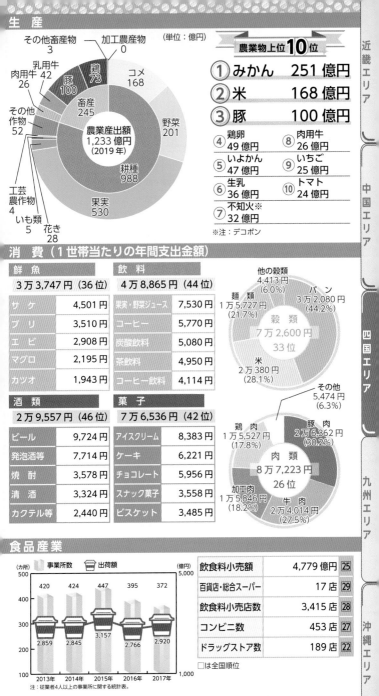

(カ所) 事業所数 出荷額 (億円)

	2013年	2014年	2015年	2016年	2017年
事業所数	420	424	447	395	372
出荷額	2,859	2,845	3,157	2,766	2,920

注：従業者4人以上の事業所に関する統計表。

飲食料小売額	4,779 億円	25
百貨店・総合スーパー	17 店	29
飲食料小売店数	3,415 店	28
コンビニ数	453 店	27
ドラッグストア数	189 店	22

□は全国順位

Data で見る　愛媛県

※松山市の1世帯当たりの年間支出金額

快適度

人口密度 /㎢	238 人	26
物価格差	98.1	36
県民所得 / 人	265.6 万円	33
犯罪認知件数 / 千人	5.51 件	15
旅行に行く人の割合	41.1%	36
医師数 /10 万人	269.2 人	18

■は全国順位

※グラフの外側がより高い快適度

行動ウエイト

※グラフの外側がより高いウエート

趣味・娯楽の時間	190 分	3
睡眠時間	462 分	25
仕事・学業をする時間	407 分	35
学習や自己啓発をする時間	126 分	26
スポーツをする時間	117 分	25
食事をする時間	99 分	36

■は全国順位

人口

- 人口
  138 万 1,761 人（28 位）
- 人口増減数
  − 1 万 2,578 人（36 位）
- 出生率
  7.0 人／千人（27 位）
- 死亡率 13.6 人／千人（11 位）
- 外国人の割合 0.92%（32 位）

家庭*

- 世帯主年齢 56.8 歳（42 位）
- 子ども（18 歳未満）の人員
  0.71 人（7 位）
- 高齢者（65 歳以上）の人員
  0.69 人（43 位）
- 持ち家率 83.8%（18 位）
- 平均畳数 22.6 帖（37 位）

世帯

- 世帯数
  65 万 3,958 世帯（27 位）
- 平均人員　2.11 人（39 位）
- 核家族世帯率 57.2%
  （18 位）
- 単身者世帯率 33.6%
  （11 位）
- 高齢者世帯率 13.8%（7 位）

家計*

- 貯蓄額 1,455 万円（35 位）
- 負債総額 479 万円（31 位）
- 消費支出 304 万 4,363 円
  （43 位）
- 家賃 10 万 286 円（24 位）
- 水道光熱費 24 万 5,843 円
  （33 位）

消費*

- 衣類・履物費 11 万 5,725 円
  （39 位）
- 保健医療費 14 万 6,260 円
  （39 位）
- 教育費
  10 万 5,119 円（34 位）
- 自動車関連費
  27 万 5,675 円（30 位）
- 通信費 16 万 4,740 円（23 位）

外国人旅行者

宿泊者数の推移

（千人泊）　延べ宿泊者数　　外国人延べ宿泊者数

10,000 / 8,000 / 6,000 / 4,000 / 2,000 / 0

4,250 / 230

2012 年 2013 年 2014 年 2015 年 2016 年 2017 年 2018 年

宿泊者上位 5 カ国

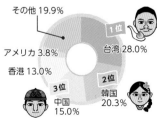

その他 19.9%
アメリカ 3.8%
香港 13.0%
3 位 中国 15.0%
2 位 韓国 20.3%
1 位 台湾 28.0%

身長 169.7cm（43 位）
体重 61.7kg（44 位）
初婚年齢 30.2 歳
　　　　（4 位）
寿命 80.16 年（40 位）

4.0 人／千人
（35 位）婚姻率

1.66 人／千人
（18 位）離婚率

身長 156.8cm（44 位）
体重 52.7kg（29 位）
初婚年齢 28.8 歳
　　　　（3 位）
寿命 86.82 年（34 位）

気 候

最高気温 35℃以上の日数		全国で 31 位
4 日		
平均気温		全国で 13 位
17.4℃		
日照時間		全国で 19 位
2,047 時間		
降水量		全国で 41 位
1,145 mm		
平均相対湿度		全国で 32 位
68.9%		

（松山管区気象台 2019 年）

最低気温 0.6℃／最高気温 36.0℃

産 業

・総事業所数 6 万 3,310（26 位）
・小売事業所数
　　　1 万 2,804（27 位）
・卸売事業所数
　　　　4,273（24 位）
・上場企業 13（25 位）
・代表取締役出身者数
　　1 万 6,771 人（25 位）

経 済

・県内総生産
　　4 兆 8,633 億円（27 位）
・企業倒産数 2 件（40 位）
・有効求人倍率 1.59（18 位）
・月額給与（男）28.52 万円
　　　　　　　　　（35 位）
・月額給与（女）20.81 万円
　　　　　　　　　（43 位）

労 働

・労働時間 179 時間／月
　　　　　　　　（14 位）
・通勤時間 25 分（35 位）
・勤続年数 11.8 年
　　　　　　　　（37 位）
・大卒初任給 19.13 万円
　　　　　　　　（36 位）
・パート時給 1,025 円
　　　　　　　　（32 位）

社 会

・中高年の就職率 30.97%
　　　　　　　　（23 位）
・失業率 1.58%（44 位）
・自殺者数 16.9 人／ 10 万人
　　　　　　　　（21 位）
・生活保護世帯数
　　　7,538 世帯（25 位）
・少年犯罪数 2.57 人／千人
　　　　　　　　（18 位）

福 祉

・病院数 10.4 施設／10 万人(11 位)
・一般診療所数
　92.0 施設／ 10 万人（10 位）
・児童福祉施設数
　33.8 施設／ 10 万人（30 位）
・老人福祉センター数
　7.0 施設／ 10 万人（8 位）
・図書館数 3.3 施設／ 10 万人
　　　　　　　　（21 位）

教 育

・大学進学率 52.2%（19 位）
・高卒の割合 22.8%（21 位）
・学校の I T 化
　　　　4.4 人／台（11 位）
・教科書・参考書費*
　　　　1,919 円（32 位）
・補習教育費* 2 万 2,366 円(32位)

交通・通信

・自動車保有台数
　　　1,565 台／千世帯（33 位）
・ガソリン代* 5 万 6,587 円(33位)
・交通費* 3 万 9,035 円（39 位）
・電話代* 15 万 4,392 円(15位)
・交通事故死亡者数
　3.11 人／ 10 万人（27 位）

学 校

・保育所数 319 カ所
　　　　　　　　（32 位）
・幼稚園数 138 カ所
　　　　　　　　（25 位）
・小学校数 281 校
　　　　　　　　（29 位）
・高校数 66 校（29 位）
・大学数 5 校（38 位）

スポーツ

・野球をする人の割合 5.5%（45 位）
・ゴルフをする人の割合 4.8%
　　　　　　　　（44 位）
・サッカーをする人の割合 4.5%
　　　　　　　　（38 位）
・ラグビー部のある高校
　　　　　　22.7%（18 位）
・高校陸上部員数の割合
　　　　　　4.1%（18 位）

娯 楽

・博物館数 1.5 施設／ 10 万人
　　　　　　　　（9 位）
・映画館数 3.9 施設／ 10 万人
　　　　　　　　（3 位）
・月謝類* 3 万 6,166 円(25 位)
・書籍雑誌費* 3 万 3,982 円
　　　　　　　　（43 位）
・海外旅行に行く人の割合
　　　　　　3.5%（38 位）

高知県

県の
木：ヤナセスギ　魚：カツオ
花：ヤマモモ　歌：高知県民の歌
鳥：ヤイロチョウ

高知県民

豪快、酒豪

いごっそう
→ガンコで強情な男性

おー…

今にみてなさい…！

はちきん
→男勝りで元気
はつらつな女性

ダルマタ日／宿毛市
海水温と大気の寒暖差から
起こる蜃気楼。希少な現象
で見られたらラッキー。

高知県の NO.1 ▶

| ケチャップ
支出金額[1] | つゆ・たれ
支出金額[1] | 飲酒代[1]
（外食） |

| ニラ
出荷量[2] | ナス
出荷量[2] |

[1]高知市、[2]2018年

ペラ焼き／土佐清水市
薄い小麦粉生地にネギと
じゃこ天をのせて卵で焼い
たお好み焼きのような軽食。

いの町

仁淀川町

越知町

佐川町

梼原町

津野町

中土佐町

四万十町

須崎市

四万十市

黒潮町

宿毛市

三原村

大月町

土佐清水市

凡　例
■ ■ ■ 新幹線
J　R
国　道

N

豊楽寺／大豊町
四国最古の724年創建とされる。柴折薬師とも称され、日本三大薬師の一つ。

UFOライン／いの町
愛媛県との県境27kmのドライブコースは、最高地点の標高1690mの天空の道。

やなせたかし記念館／香美市
アンパンマンのほかにも詩や漫画など、やなせたかしの優しい世界に触れられる。

A 大川村　本山町　大豊町
土佐町
D 高知市
C 香美市
馬路村
B
佐市　南国市　香南市
芸西村
安芸市
安田町　北川村　東洋町
F 田野町
奈半利町
室戸市
G

桂 浜／高知市
「月の名所は桂浜」とよさこい節にも唄われている景勝地。坂本龍馬像が立つ。
 の位置に **D** の写真

←岩本寺／四万十町
全国から公募された575枚の板絵が本堂の天井を飾り、見ごたえバツグン。

岡御殿／田野町
参勤交代や東部巡視の時の本陣として使用された屋敷。藩政時代の雰囲気が残る。

室戸世界ジオパーク／室戸市
大地が盛り上がり続ける場所で人々がどのように賢く暮らして来たかがテーマ。

かつおのぼり／黒潮町
子どもの成長を願い、端午の時期には鯉に加えてカツオののぼりも空を泳ぐ。

高知県 の 食

※高知市の1世帯当たりの年間支出金額

耕地面積(田畑計)
2万7,000ha
(第42位)

コメの作付面積(水稲延べ)
1万1,400ha
(第38位)

コメの収穫量(水稲)
4万7,900t
(第40位)

肉用牛(飼育頭数)
5,660頭
(第38位)

養豚(飼育頭数)
2万6,300頭
(第36位)

ブロイラー(飼育頭数)
40万3,000羽
(第33位)

漁獲量・天然(海面漁業)
7万3,243t
(第14位)

漁獲量・養殖(海面養殖)
2万394t
(第18位)

食料自給率(カロリーベース)
48%
(第21位)

エンゲル係数*
24.5
(第36位)

食費*(年間支出)
95万2,440円
(第21位)

牛乳・乳製品*(年間支出)
3万1,921円
(第41位)

調味料*(年間支出)
3万7,701円
(第30位)
●ケチャップ 868円 (第1位)
●つゆ・たれ 6,106円 (第1位)

生鮮野菜*(年間支出)
5万8,293円
(第40位)

生鮮果物*(年間支出)
3万7,051円
(第30位)

外食*(年間支出)
17万4,608円
(第10位)
●飲酒代 3万7,691円 (第1位)
●焼肉 1万2,402円 (第2位)
●すし(外食) 1万9,495円 (第5位)

調理食品*(年間支出)
13万9,768円
(第7位)
●弁当 2万2,293円 (第3位)
●そうざい材料セット 9,516円 (第3位)

生産

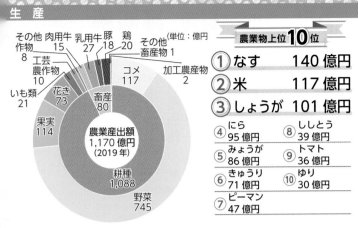

農業物上位 **10** 位		
① なす	140 億円	
② 米	117 億円	
③ しょうが	101 億円	

④ にら 95 億円	⑧ ししとう 39 億円
⑤ みょうが 86 億円	⑨ トマト 36 億円
⑥ きゅうり 71 億円	⑩ ゆり 30 億円
⑦ ピーマン 47 億円	

農業産出額 1,170 億円（2019年）
耕種 1,088　畜産 80
野菜 745　果実 114　いも類 21　花き 73　工芸農作物 10　その他作物 8
コメ 117　加工農産物 2
肉用牛 15　乳用牛 27　豚 18　鶏 20　その他畜産物 1
（単位：億円）

消費（1世帯当たりの年間支出金額）

鮮魚
4万867円（10位）

カツオ	8,106円
マグロ	5,530円
ブリ	4,242円
サケ	3,185円
エビ	2,589円

飲料
5万7,014円（19位）

茶飲料	8,009円
果実・野菜ジュース	6,927円
炭酸飲料	6,094円
コーヒー飲料	5,939円
コーヒー	5,800円

酒類
4万5,357円（13位）

発泡酒等	1万4,580円
ビール	1万1,603円
焼酎	6,315円
カクテル等	4,704円
清酒	3,831円

菓子
8万2,637円（32位）

アイスクリーム	1万948円
ケーキ	7,588円
チョコレート	6,595円
スナック菓子	5,597円
ビスケット	5,531円

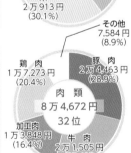

穀類 6万9,374円 41位
パン 2万7,384円（39.5%）　麺類 1万6,523円（23.8%）　米 2万913円（30.1%）　他の穀類 4,554円（6.6%）

肉類 8万4,672円 32位
豚肉 2万4,463円（28.9%）　牛肉 2万1,505円（25.4%）　鶏肉 1万7,273円（20.4%）　加工肉 1万3,848円（16.4%）　その他 7,584円（8.9%）

食品産業

注：従業者4人以上の事業所に関する統計表。
事業所数：2013年 271　2014年 258　2015年 297　2016年 295　2017年 294
出荷額：2013年 710　2014年 768　2015年 835　2016年 945　2017年 955

飲食料小売額	2,396 億円	44
百貨店・総合スーパー	6 店	45
飲食料小売店数	2,215 店	40
コンビニ数	214 店	45
ドラッグストア数	87 店	41

□は全国順位

Data で見る 高知県

※高知市の1世帯当たりの年間支出金額

快適度

人口密度 /km	99 人	44
物価格差	99.2	18
県民所得 / 人	256.7 万円	37
犯罪認知件数 / 千人	5.05 件	18
旅行に行く人の割合	33.0%	45
医師数 /10 万人	316.9 人	3

■は全国順位

※グラフの外側がより高い快適度

行動ウエート

※グラフの外側がより高いウエート

趣味・娯楽の時間	178 分	23
睡眠時間	473 分	5
仕事・学業をする時間	402 分	40
学習や自己啓発をする時間	127 分	24
スポーツをする時間	112 分	42
食事をする時間	99 分	36

■は全国順位

人口

- 人口
  71 万 7,480 人（45 位）
- 人口増減数
  − 7,809 人（19 位）
- 出生率
  6.5 人／千人（40 位）
- 死亡率 14.6 人／千人（2 位）
- 外国人の割合 0.67%（43 位）

家庭*

- 世帯主年齢 56.8 歳（42 位）
- 子ども（18 歳未満）の人員
  0.68 人（13 位）
- 高齢者（65 歳以上）の人員
  0.73 人（39 位）
- 持ち家率 73.7%（43 位）
- 平均畳数 25.6 帖（14 位）

世帯

- 世帯数
  35 万 2,247 世帯（42 位）
- 平均人員 2.04 人（44 位）
- 核家族世帯率 54.9%
  （33 位）
- 単身者世帯率 36.4%（6 位）
- 高齢者世帯率 13.2%
  （11 位）

家計*

- 貯蓄額 1,304 万円（40 位）
- 負債総額 400 万円（41 位）
- 消費支出 362 万 8,785 円
  （16 位）
- 家賃 12 万 9,552 円（10 位）
- 水道光熱費 25 万 5,346 円
  （28 位）

消費*

- 衣類・履物費 12 万 291 円
  （35 位）
- 保健医療費 14 万 5,918 円
  （40 位）
- 教育費
  12 万 7,210 円（24 位）
- 自動車関連費
  34 万 3,304 円（13 位）
- 通信費 18 万 163 円（5 位）

外国人旅行者

宿泊者数の推移

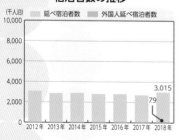

（千人泊）　延べ宿泊者数　外国人延べ宿泊者数

3,015
79

2012年 2013年 2014年 2015年 2016年 2017年 2018年

宿泊者上位 5 カ国

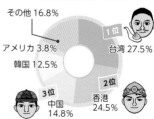

その他 16.8%
アメリカ 3.8%
韓国 12.5%
1位 台湾 27.5%
2位 香港 24.5%
3位 中国 14.8%

身長 169.7cm（43 位）
体重 62.1kg（35 位）
初婚年齢 30.8 歳
　　　　　（20 位）
寿命 80.26 年（37 位）

婚姻率 3.8 人／千人
　　　　（43 位）

1.75 人／千人
（7 位）離婚率

身長 156.9cm（41 位）
体重 52.6kg（33 位）
初婚年齢 29.4 歳
　　　　　（36 位）
寿命 87.01 年（26 位）

気　候

最高気温 35℃以上の日数	2 日	全国で 37 位
平均気温	17.8℃	全国で 7 位
日照時間	2,135 時間	全国で 9 位
降水量	2,539 mm	全国で 3 位
平均相対湿度	71.2%	全国で 20 位

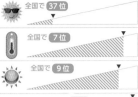

（高知管区気象台 2019 年）

最低気温 -0.7℃／最高気温 36.8℃

産　業
- 総事業所数 3 万 5,366（45 位）
- 小売事業所数
　　　　7,890（43 位）
- 卸売事業所数
　　　　2,036（44 位）
- 上場企業数 6（35 位）
- 代表取締役出身者数
　　　　8,929 人（45 位）

経　済
- 県内総生産
　　　2 兆 3,170 億円（46 位）
- 企業倒産数 4 件（33 位）
- 有効求人倍率 1.14（45 位）
- 月額給与（男）28.91 万円
　　　　　　　　　（33 位）
- 月額給与（女）22.50 万円
　　　　　　　　　（29 位）

労　働
- 労働時間 175 時間／月
　　　　　　　　（45 位）
- 通勤時間 26 分（29 位）
- 勤続年数 11.9 年
　　　　　　　（34 位）
- 大卒初任給 19.23 万円
　　　　　　　　（34 位）
- パート時給 1,041 円
　　　　　　　（29 位）

社　会
- 中高年の就職率 26.53%
　　　　　　　　　（37 位）
- 失業率 1.92%（32 位）
- 自殺者数 18.4 人／10 万人
　　　　　　　　　（11 位）
- 生活保護世帯数
　　　　5,808 世帯（36 位）
- 少年犯罪数 2.24 人／千人
　　　　　　　　　（24 位）

福　祉
- 病院数 17.8 施設／10 万人（1 位）
- 一般診療所数
　79.3 施設／10 万人（28 位）
- 児童福祉施設数
　55.0 施設／10 万人（4 位）
- 老人福祉センター数
　8.1 施設／10 万人（4 位）
- 図書館数 5.7 施設／10 万人
　　　　　　　　　　（3 位）

教　育
- 大学進学率 49.3%（28 位）
- 高卒の割合 18.4%（35 位）
- 学校の IT 化
　　　　3.6 人／台（3 位）
- 教科書・参考書費*
　　　　2,755 円（22 位）
- 補習教育費* 2 万 4,437円（30位）

交通・通信
- 自動車保有台数
　　　1,519 台／千世帯（34 位）
- ガソリン代* 7 万 3,030円（23位）
- 交通費* 4 万 6,043 円（29 位）
- 電話代* 16 万 5,113 円（6 位）
- 交通事故死亡者数
　4.67 人／10 万人（4 位）

学　校
- 保育所数 259 カ所
　　　　　　　（40 位）
- 幼稚園数 39 カ所
　　　　　　　（45 位）
- 小学校数 231 校
　　　　　　　（35 位）
- 高校数 46 校（42 位）
- 大学数 4 校（41 位）

スポーツ
- 野球をする人の割合 4.7%（47 位）
- ゴルフをする人の割合 5.6%
　　　　　　　　　（38 位）
- サッカーをする人の割合 3.8%
　　　　　　　　　（45 位）
- ラグビー部のある高校
　10.9%（38 位）
- 高校陸上部員数の割合
　3.1%（37 位）

娯　楽
- 博物館数 1.4 施設／10 万人
　　　　　　　　　（13 位）
- 映画館数 1.4 施設／10 万人
　　　　　　　　　（47 位）
- 月謝類* 3 万 2,120円（33位）
- 書籍雑誌費* 4 万 4,497 円
　　　　　　　　　（8 位）
- 海外旅行に行く人の割合
　3.8%（35 位）

早わかり

2020 都道府県 Data Book

話のネタ帳

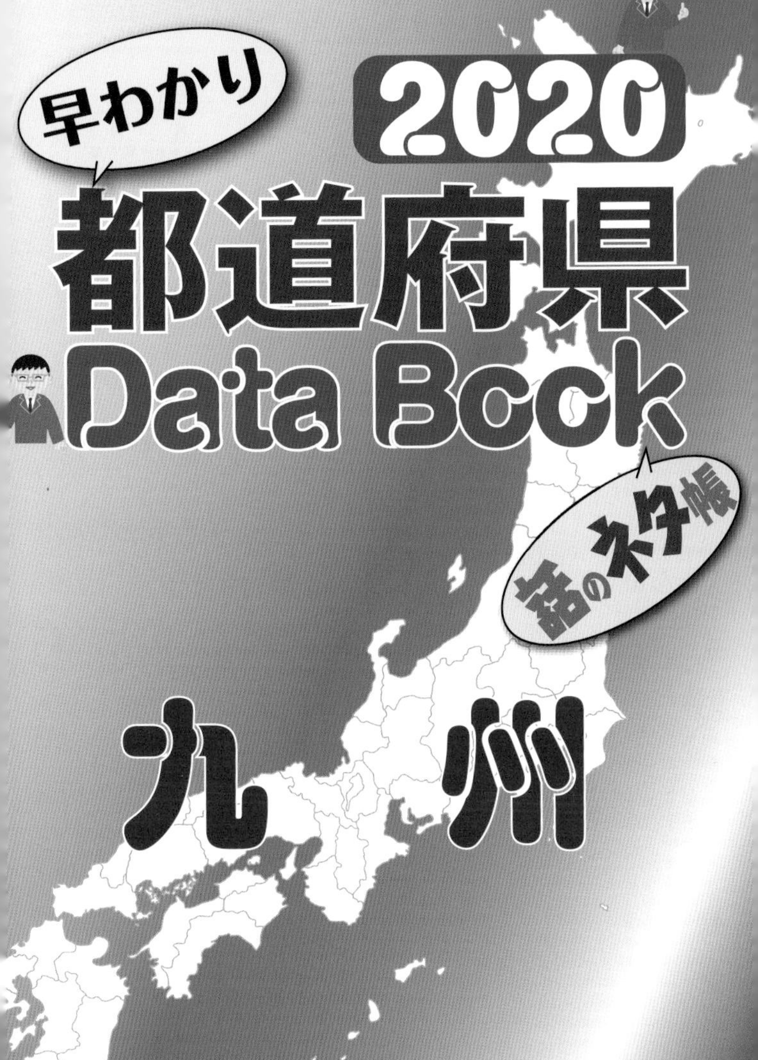

九州

福岡県

県の
- 木：ツツジ
- 花：ウメ
- 鳥：ウグイス
- 県民歌：希望の光

福岡県民

目立ちたがり屋

おおまん
→いいかげん

大盤振る舞い、
お祭り好き

凡 例
- 新幹線
- J R
- 国 道
- 県道・都道府県道

福岡県のNO.1 ▶

風味調味料 支出金額※1	洋ラン類 出荷量※2	海藻加工品 出荷額※2

たんす 出荷額※2

仕事・学業を する時間※3

※1 福岡市、※2 2018年、※3 2016年

大島村

A 芦屋町 水巻町
遠賀町
岡垣町

C
宗像市 中間市 鞍手町

福津市
古賀市
D 小竹町
新宮町 久山町 宮若市
篠栗町
粕屋町 須恵町 飯塚市
志免町 宇美町 桂川町
糸島市 大野城市 太宰府市
春日市 筑紫野市 筑前町
福岡市 **F** 那珂川市
G 小郡市
大刀洗町

J
久留米市
広川町
大川市 筑後市
大木町 八女市
柳川市 みやま市
大牟田市

I

←**浮羽稲荷神社**／うきは市
山に沿って連なる鳥居が鮮やかなビュースポット。稲荷大神など三神を祀る。

J

←**焼きとり**／久留米市
日本有数の焼き鳥店舗密度。鶏だけでなく、豚や牛、馬などバラエティー豊か。

芦屋釜／芦屋町
南北朝時代頃の茶の湯釜。芸術性や技術力で名声を得ており8点が国宝指定。

足立山妙見宮／北九州市
和気清麻呂を祀る。健脚健康の神として知られ、わらじの願掛けがユニーク。

みあれ祭／宗像市
宗像大社の秋の大祭。沖ノ島と大島にあるご神体を本土の辺津宮にお迎えする。

←相島／新宮町
新宮町から沖合約8km、面積約1.2km²の小さな島は、猫が多く生息する猫の島。

北九州市
直方市
苅田町
福智町
行橋市
糸田町
田川市
香春町
みやこ町
吉富町
赤村
築上町
豊前市
川崎町
大任町
上毛町
添田町
嘉麻市
東峰村
朝倉市
うきは市
I

N

英彦山／添田町
西国一の修験道の霊山。登山道には、かつての山伏の行場があちこちに見られる。

節分厄除大祭／福岡市→
櫛田神社では、日本一大きなお多福面が置かれる。その口をくぐって招福を願う。

戸板山神社／那珂川市
磨崖仏が刻まれた大岩は、天岩戸神話で天照大神が隠れた岩戸の片方とか。

秋月／朝倉市
鎌倉時代に秋月氏が築城する。城下町の美しい景観が守られた筑紫の小京都。

福岡県 の 食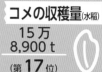

※福岡市の1世帯当たりの年間支出金額

耕地面積（田畑計）
8万300ha
（第15位）

コメの作付面積（水稲延べ）
3万5,000ha
（第14位）

コメの収穫量（水稲）
15万8,900t
（第17位）

肉用牛（飼育頭数）
2万1,600頭
（第26位）

養豚（飼育頭数）
8万2,300頭
（第26位）

ブロイラー（飼育頭数）
126万3,000羽
（第19位）

漁獲量・天然（海面漁業）
2万9,196t
（第25位）

漁獲量・養殖（海面養殖）
3万9,888t
（第10位）

食料自給率（カロリーベース）
20%
（第37位）

エンゲル係数*
24.7
（第34位）

食費*（年間支出）
93万8,764円
（第28位）

牛乳・乳製品*（年間支出）
3万5,766円
（第26位）

調味料*（年間支出）
4万540円
（第11位）
- ●風味調味料　3,131円（第1位）
- ●ドレッシング　2,450円（第5位）

生鮮野菜*（年間支出）
6万7,628円
（第21位）

生鮮果物*（年間支出）
3万5,610円
（第35位）

外食*（年間支出）
17万3,184円
（第11位）

調理食品*（年間支出）
11万4,704円
（第38位）

生 産

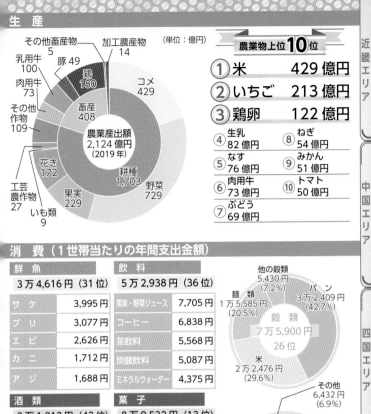

（単位：億円）

その他畜産物 5
加工農産物 14
乳用牛 100
肉用牛 73
その他作物 109
花き 172
工芸農作物 27
いも類 9
果実 229
野菜 729
耕種 1,703
畜産 408
豚 49
鶏 180
コメ 429
農業産出額 2,124 億円（2019 年）

農業物上位 10 位

①	米	429 億円		
②	いちご	213 億円		
③	鶏卵	122 億円		
④	生乳 82 億円		⑧	ねぎ 54 億円
⑤	なす 76 億円		⑨	みかん 51 億円
⑥	肉用牛 73 億円		⑩	トマト 50 億円
⑦	ぶどう 69 億円			

消 費（1 世帯当たりの年間支出金額）

鮮 魚
3 万 4,616 円（31 位）

サ ケ	3,995 円
ブ リ	3,077 円
エ ビ	2,626 円
カ ニ	1,712 円
ア ジ	1,688 円

飲 料
5 万 2,938 円（36 位）

果実・野菜ジュース	7,705 円
コーヒー	6,838 円
茶飲料	5,568 円
炭酸飲料	5,087 円
ミネラルウォーター	4,375 円

酒 類
3 万 1,213 円（43 位）

ビール	7,442 円
発泡酒等	6,397 円
焼 酎	5,151 円
清 酒	4,906 円
ワイン	2,929 円

菓 子
8 万 9,532 円（13 位）

アイスクリーム	9,731 円
ケーキ	7,080 円
チョコレート	6,890 円
スナック菓子	4,813 円
せんべい	4,644 円

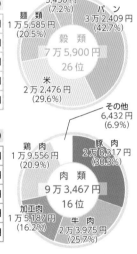

他の穀類 5,430 円（7.2%）
パン 3 万 2,409 円（42.7%）
麺 類 1 万 5,585 円（20.5%）
穀 類 7 万 5,900 円 26 位
米 2 万 2,476 円（29.6%）

その他 6,432 円（6.9%）
鶏 肉 1 万 9,556 円（20.9%）
豚 肉 2 万 8,317 円（30.3%）
肉 類 9 万 3,467 円 16 位
加工肉 1 万 5,187 円（16.2%）
牛 肉 2 万 3,975 円（25.7%）

食品産業

（カ所）事業所数　出荷額　（億円）

	2013年	2014年	2015年	2016年	2017年
事業所数	1,016	972	1,055	924	883
出荷額	8,947	9,042	9,891	9,920	9,940

注：従業者4人以上の事業所に関する統計量。

飲食料小売額	1 兆 5,860 億円	9
百貨店・総合スーパー	61 店	9
飲食料小売店数	1 万 726 店	6
コンビニ数	1,646 店	8
ドラッグストア数	479 店	9

□は全国順位

Data で見る 福岡県

※福岡市の1世帯当たりの年間支出金額

快適度

人口密度 /km	1,024 人	7
物価格差	96.6	44
県民所得 / 人	280.0 万円	29
犯罪認知件数 / 千人	6.76 件	6
旅行に行く人の割合	46.0%	26
医師数 /10 万人	302.6 人	8

■は全国順位

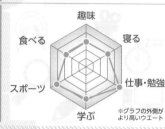

人口密度・物価格差・県民所得・犯罪件数・旅行・医師数

※グラフの外側がより高い快適度

行動ウエート

趣味・食べる・寝る・スポーツ・仕事・勉強・学ぶ

※グラフの外側がより高いウエート

趣味・娯楽の時間	178 分	23
睡眠時間	459 分	36
仕事・学業をする時間	440 分	1
学習や自己啓発をする時間	140 分	9
スポーツをする時間	129 分	5
食事をする時間	100 分	27

■は全国順位

人口

- 人口
  513 万 1,305 人（9 位）
- 人口増減数
  − 532 人（7 位）
- 出生率
  8.3 ／千人（3 位）
- 死亡率 10.6 人／千人（38 位）
- 外国人の割合 1.55%（21 位）

家庭*

- 世帯主年齢 57.1 歳（40 位）
- 子ども（18 歳未満）の人員
  0.70 人（9 位）
- 高齢者（65 歳以上）の人員
  0.72 人（40 位）
- 持ち家率 72.1%（45 位）
- 平均畳数 25.1 帖（19 位）

世帯

- 世帯数
  242 万 4,091 世帯（9 位）
- 平均人員 2.12 人（38 位）
- 核家族世帯率 54.5%
  （35 位）
- 単身者世帯率 37.4%（4 位）
- 高齢者世帯率 10.7%
  （42 位）

家計*

- 貯蓄額 2,089 万円（6 位）
- 負債総額 666 万円（8 位）
- 消費支出 359 万 5,648 円
  （17 位）
- 家賃 16 万 4,991 円
  （6 位）
- 水道光熱費 22 万 8,305 円
  （42 位）

消費*

- 衣類・履物費 16 万 4,932 円
  （3 位）
- 保健医療費 16 万 4,174 円
  （21 位）
- 教育費
  17 万 4,862 円（9 位）
- 自動車関連費
  26 万 9,594 円（32 位）
- 通信費 16 万 1,031 円（26 位）

外国人旅行者

宿泊者数の推移

（千人泊）

延べ宿泊者数　外国人延べ宿泊者数

20,000 / 16,000 / 12,000 / 8,000 / 4,000 / 0

16,732

3,367

2012年 2013年 2014年 2015年 2016年 2017年 2018年

宿泊者上位 5 カ国

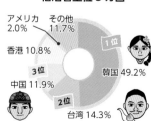

アメリカ 2.0%　その他 11.7%

香港 10.8%

3位 中国 11.9%

2位 台湾 14.3%

1位 韓国 49.2%

気候

最高気温 35℃以上の日数	**7 日**		全国で 25 位
平均気温	**17.9℃**		全国で 4 位
日照時間	**1,982 時間**		全国で 24 位
降水量	**1,609 mm**		全国で 21 位
平均相対湿度	**69.5%**		全国で 30 位

（福岡管区気象台 2019 年）

最低気温 0.6℃／最高気温 37.6℃

身長 170.7cm（17 位）
体重 62.6kg（21 位）
初婚年齢 30.8 歳（20 位）
寿命 80.66 年（25 位）

5.0 人／千人（5 位）〔婚姻率〕

1.91 人／千人（2 位）〔離婚率〕

身長 157.1cm（37 位）
体重 52.1kg（44 位）
初婚年齢 29.3 歳（30 位）
寿命 87.14 年（21 位）

産 業

- 総事業所数 21 万 2,649（8 位）
- 小売事業所数 4 万 2,014（6 位）
- 卸売事業所数 1 万 7,506（4 位）
- 上場企業数 85（6 位）
- 代表取締役出身者数 4 万 3,528 人（5 位）

経 済

- 県内総生産 18 兆 4,134 億円（8 位）
- 企業倒産所数 42 件（5 位）
- 有効求人倍率 1.45（27 位）
- 月額給与（男）31.73 万円（17 位）
- 月額給与（女）23.78 万円（13 位）

労 働

- 労働時間 177 時間／月（38 位）
- 通勤時間 31 分（12 位）
- 勤続年数 11.5 年（42 位）
- 大卒初任給 20.20 万円（17 位）
- パート時給 1,039 円（31 位）

社 会

- 中高年の就職率 26.95%（35 位）
- 失業率 2.86%（2 位）
- 自殺者数 15.9 人／ 10 万人（31 位）
- 生活保護世帯数 3 万 8,376 世帯（6 位）
- 少年犯罪数 3.73 人／千人（4 位）

福 祉

- 病院数 9.0 施設／ 10 万人（14 位）
- 一般診療所数 92.0 施設／ 10 万人（10 位）
- 児童福祉施設数 29.1 施設／ 10 万人（39 位）
- 老人福祉センター数 4.0 施設／ 10 万人（34 位）
- 図書館数 2.2 施設／ 10 万人（41 位）

教 育

- 大学進学率 53.8%（16 位）
- 高卒の割合 18.2%（36 位）
- 学校の IT 化 7.1 人／台（44 位）
- 教科書・参考書費* 4,739 円（3 位）
- 補習教育費* 4 万 358 円（9 位）

交通・通信

- 自動車保有台数 1,352 台／千世帯（39 位）
- ガソリン代* 4 万 5,733 円（39 位）
- 交通費* 9 万 327 円（9 位）
- 電話代* 14 万 4,804 円（29 位）
- 交通事故死亡者数 1.92 人／ 10 万人（43 位）

学 校

- 保育所数 1,009 カ所（7 位）
- 幼稚園数 430 カ所（8 位）
- 小学校数 738 校（9 位）
- 高校数 164 校（9 位）
- 大学数 34 校（6 位）

スポーツ

- 野球をする人の割合 7.4%（18 位）
- ゴルフをする人の割合 7.2%（24 位）
- サッカーをする人の割合 4.9%（31 位）
- ラグビー部のある高校 26.8%（9 位）
- 高校陸上部員数の割合 3.0%（41 位）

娯 楽

- 博物館数 0.5 施設／ 10 万人（42 位）
- 映画館数 3.4 施設／ 10 万人（11 位）
- 月謝類* 5 万 2,052 円（3 位）
- 書籍雑誌費* 3 万 7,042 円（34 位）
- 海外旅行に行く人の割合 6.2%（14 位）

佐賀県

県の

木：クスの木
花：クスの花
鳥：カササギ
歌：佐賀県民の歌

ふるさとの歌：
栄の国から
準県歌：
風はみらい色

佐賀県民

葉隠の精神
（武士道）

几帳面な
節約家

出る杭は打たれる

鹿島ガタリンピック／鹿島市
有明の干潟を舞台に、泥んこ
になりながらスキーやレー
スなどを競う大運動会。

佐賀県の NO.1

和食
支出金額※1

二条大麦
出荷量※2

学校の
IT化※2

陶磁器製置物
出荷額※2

※1 佐賀市、※2 2018 年

玄海町

A 唐津市

D

C 伊万里市

E 多久市

F 武雄市

大町町

G 有田町

大魚神社／太良町
干満差 6 m、「月の引力の見
える町」の海中鳥居。干潮
時には海底路が現れる。

**←ムツゴロウの蒲焼・甘露煮
／佐賀市**
有明珍味の代表格。黒焼き
は頭から尾まで味わえる。

H 嬉野市　鹿島市

I

小友祇園／唐津市
高さ 15 m の祇園山笠が海中を練り歩く「海を渡る山笠」として有名な祭り。

佐嘉神社／佐賀市
境内は広く、8 つの神社があり、八社詣巡りすると大願がかなうとされる。

めおとしの塔／伊万里市
焼き物を叩いて音色で選別した「めおとし」の技を再現。日本の音風景 100 選。

むつごろうトイレ／小城市→
海遊ふれあいパークにつながる道に出現する、インパクト大の公衆トイレ。

多久聖廟釈菜／多久市
多久聖廟創建以来 300 年の伝統をもつ。儒教の祖・孔子と弟子を祀る式典。

基山町

鳥栖市

吉野ヶ里町

神埼市

みやき町

上峰町

佐賀市

小城市

江北町

白石町

N

太良町

凡　例
新幹線
Ｊ　Ｒ
国　道
謎・問題

武雄温泉楼門／武雄市
東京駅を設計した辰野金吾氏の設計。釘を一本も使っていない独創的な建築物。

有田ポーセリンパーク／有田町
再現したツヴィンガー宮殿を中心に有田焼の魅力発信。

シーボルトの湯／嬉野市
美人の湯として知られる嬉野温泉でシーボルトも利用したという公衆浴場。

佐賀県 の 食

※佐賀市の1世帯当たりの年間支出金額

耕地面積（田畑計）
5万
1,100ha
（第29位）

コメの作付面積（水稲延べ）
2万
4,100ha
（第24位）

コメの収穫量（水稲）
7万
1,800 t
（第34位）

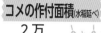

肉用牛（飼育頭数）
5万
2,100頭
（第13位）

養豚（飼育頭数）
8万
1,600頭
（第27位）

ブロイラー（飼育頭数）
393万
5,000羽
（第7位）

漁獲量・天然（海面漁業）
8,404 t
（第36位）

漁獲量・養殖（海面養殖）
6万
9,849 t
（第7位）

食料自給率
（カロリーベース）
93%
（第7位）

エンゲル係数*
24.0
（第42位）

食費*（年間支出）
91万
7,575円
（第35位）

牛乳・乳製品*（年間支出）
3万
1,665円
（第42位）

調味料*（年間支出）
3万
9,503円
（第17位）

●風味調味料
　3,056円（第2位）
●カレールウ
　1,598円（第4位）

生鮮野菜*（年間支出）
6万
2,128円
（第34位）

●ごぼう
　1,229円（第5位）

生鮮果物*（年間支出）
2万
9,650円
（第46位）

●グレープフルーツ
　343円（第5位）

外 食*（年間支出）
16万
1,110円
（第21位）

●和食
　4万924円（第1位）

調理食品*（年間支出）
12万
888円
（第27位）

●冷凍調理食品
　1万879円（第3位）

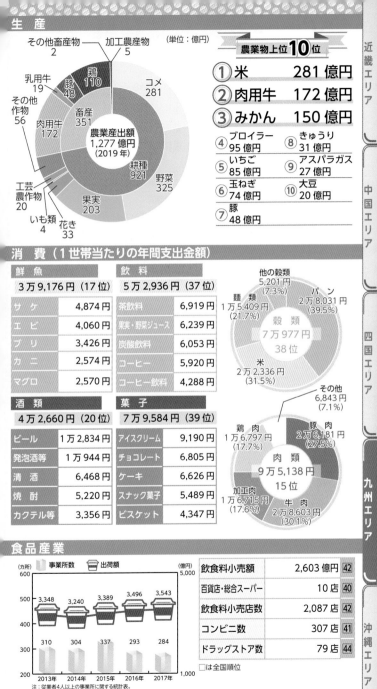

生　産

（単位：億円）

その他畜産物 2
加工農産物 5
鶏 110
豚 48
乳用牛 19
肉用牛 172
その他作物 56
工芸農作物 20
いも類 4
花き 33
果実 203
野菜 325
コメ 281
畜産 351
耕種 921
農業産出額 1,277 億円（2019 年）

農業物上位 **10** 位

①	米	281 億円
②	肉用牛	172 億円
③	みかん	150 億円

④	ブロイラー 95 億円	⑧	きゅうり 31 億円
⑤	いちご 85 億円	⑨	アスパラガス 27 億円
⑥	玉ねぎ 74 億円	⑩	大豆 20 億円
⑦	豚 48 億円		

消　費（1 世帯当たりの年間支出金額）

鮮魚 3 万 9,176 円（17 位）	
サ ケ	4,874 円
エ ビ	4,060 円
ブ リ	3,426 円
カ ニ	2,574 円
マグロ	2,570 円

飲料 5 万 2,936 円（37 位）	
茶飲料	6,919 円
果実・野菜ジュース	6,239 円
炭酸飲料	6,053 円
コーヒー	5,920 円
コーヒー飲料	4,288 円

酒類 4 万 2,660 円（20 位）	
ビール	1 万 2,834 円
発泡酒等	1 万 944 円
清 酒	6,468 円
焼 酎	5,220 円
カクテル等	3,356 円

菓子 7 万 9,584 円（39 位）	
アイスクリーム	9,190 円
チョコレート	6,805 円
ケーキ	6,626 円
スナック菓子	5,489 円
ビスケット	4,347 円

穀類 7 万 977 円 38 位

他の穀類 5,201 円（7.3%）
麺 類 1 万 5,409 円（21.7%）
パン 2 万 8,031 円（39.5%）
米 2 万 2,336 円（31.5%）

肉類 9 万 5,138 円 15 位

その他 6,843 円（7.1%）
鶏 肉 1 万 6,797 円（17.7%）
豚 肉 2 万 6,181 円（27.5%）
牛 肉 2 万 8,603 円（30.1%）
加工肉 1 万 6,715 円（17.6%）

食品産業

■ 事業所数　🪣 出荷額

	2013年	2014年	2015年	2016年	2017年
出荷額（億円）	3,348	3,240	3,389	3,496	3,543
事業所数（カ所）	310	304	337	293	284

飲食料小売額	2,603 億円	42
百貨店・総合スーパー	10 店	40
飲食料小売店数	2,087 店	42
コンビニ数	307 店	41
ドラッグストア数	79 店	44

□は全国順位

注：従業者4人以上の事業所に関する統計表。

Data で見る 佐賀県

※佐賀市の1世帯当たりの年間支出金額

快適度

人口密度 /㎢	336 人	16
物価格差	97.2	41
県民所得 / 人	250.9 万円	43
犯罪認知件数 / 千人	4.15 件	32
旅行に行く人の割合	43.7%	30
医師数 /10 万人	280.0 人	14

■は全国順位

人口密度・物価格差・県民所得・犯罪件数・旅行・医師数

※グラフの外側がより高い快適度

行動ウエート

趣味・食べる・寝る・スポーツ・仕事・勉強・学ぶ

※グラフの外側がより高いウエート

趣味・娯楽の時間	168 分	40
睡眠時間	466 分	15
仕事・学業をする時間	416 分	20
学習や自己啓発をする時間	118 分	42
スポーツをする時間	131 分	1
食事をする時間	98 分	41

■は全国順位

人口

- 人口
  82 万 8,781 人（42 位）
- 人口増減数
  − 4,491 人（11 位）
- 出生率
  8.0 人／千人（7 位）
- 死亡率 12.4 人／千人（21 位）
- 外国人の割合 0.82%（35 位）

家庭*

- 世帯主年齢 57.5 歳（36 位）
- 子ども（18 歳未満）の人員
  0.59 人（22 位）
- 高齢者（65 歳以上）の人員
  0.67 人（46 位）
- 持ち家率 77.7%（37 位）
- 平均畳数 23.9 帖（28 位）

世帯

- 世帯数
  33 万 3,689 世帯（44 位）
- 平均人員　2.48 人（5 位）
- 核家族世帯率 55.8%
  （30 位）
- 単身者世帯率 26.9%
  （42 位）
- 高齢者世帯率 11.1%
  （36 位）

家計*

- 貯蓄額 1,552 万円（31 位）
- 負債総額 572 万円（15 位）
- 消費支出 354 万 2,458 円
  （21 位）
- 家賃 11 万 7,101 円（12 位）
- 水道光熱費 25 万 5,763 円
  （26 位）

消費*

- 衣類・履物費 14 万 6,147 円
  （8 位）
- 保健医療費 17 万 8,701 円
  （10 位）
- 教育費
  13 万 8,321 円（18 位）
- 自動車関連費
  29 万 2,303 円（26 位）
- 通信費 17 万 9,931 円（6 位）

外国人旅行者

宿泊者数の推移

（千人泊）
延べ宿泊者数　外国人延べ宿泊者数

10,000
8,000
6,000
4,000
2,000
0

2,753
392

2012 年 2013 年 2014 年 2015 年 2016 年 2017 年 2018 年

宿泊者上位 5 カ国

タイ 1.0%
その他 5.0%
香港 3.6%

3位 中国 16.6%

2位 台湾 21.3%

1位 韓国 52.5%

身長 170.2cm（35 位）
体重 62.8kg（17 位）
初婚年齢 30.2 歳（4 位）
寿命 80.65 年（26 位）

婚姻率 4.2 人／千人（29 位）

離婚率 1.57 人／千人（33 位）

身長 157.1cm（37 位）
体重 52.9kg（25 位）
初婚年齢 28.9 歳（9 位）
寿命 87.12 年（22 位）

気候

項目	値	全国順位
最高気温 35℃以上の日数	14 日	全国で 11 位
平均気温	17.7℃	全国で 9 位
日照時間	2,042 時間	全国で 21 位
降水量	2,079 mm	全国で 7 位
平均相対湿度	70.8%	全国で 23 位

（佐賀管区気象台 2019 年）

最低気温 -2.8℃／最高気温 37.8℃

近畿エリア
中国エリア
四国エリア
九州エリア
沖縄エリア

産業
- 総事業所数 3 万 7,479（43 位）
- 小売事業所数 8,036（41 位）
- 卸売事業所数 2,242（42 位）
- 上場企業数 4（40 位）
- 代表取締役出身者数 1 万 833 人（41 位）

経済

- 県内総生産 2 兆 7,648 億円（44 位）
- 企業倒産数 1 件（45 位）
- 有効求人倍率 1.27（37 位）
- 月額給与（男）28.16 万円（38 位）
- 月額給与（女）21.11 万円（40 位）

労働
- 労働時間 181 時間／月（1 位）
- 通勤時間 26 分（29 位）
- 勤続年数 11.4 年（43 位）
- 大卒初任給 19.32 万円（33 位）
- パート時給 991 円（37 位）

社会
- 中高年の就職率 33.64%（12 位）
- 失業率 1.85%（37 位）
- 自殺者数 18.2 人／10 万人（12 位）
- 生活保護世帯数 6,357 世帯（31 位）
- 少年犯罪数 2.63 人／千人（17 位）

福祉
- 病院数 12.6 施設／10万人（6位）
- 一般診療所数 84.1 施設／10 万人（21 位）
- 児童福祉施設数 42.2 施設／10 万人（18 位）
- 老人福祉センター数 7.1 施設／10 万人（7 位）
- 図書館数 3.5 施設／10 万人（16 位）

教育
- 大学進学率 44.2%（42 位）
- 高卒の割合 31.2%（1 位）
- 学校のＩＴ化 1.9 人／台（1 位）
- 教科書・参考書* 3,211 円（15 位）
- 補習教育費*3万7,728円（12位）

交通・通信
- 自動車保有台数 1,873 台／千世帯（14 位）
- ガソリン代*7万6,361円（19位）
- 交通費* 4 万 5,500 円（30 位）
- 電話代* 16 万 6,072 円（5 位）
- 交通事故死亡者数 4.15 人／10 万人（8 位）

学校
- 保育所数 249 カ所（41 位）
- 幼稚園数 54 カ所（42 位）
- 小学校数 164 校（45 位）
- 高校数 52 校（39 位）
- 大学数 2 校（46 位）

スポーツ
- 野球をする人の割合 6.9%（25 位）
- ゴルフをする人の割合 5.9%（35 位）
- サッカーをする人の割合 6.0%（12 位）
- ラグビー部のある高校 7.7%（45 位）
- 高校陸上部員数の割合 5.0%（4 位）

娯楽
- 博物館数 1.0 施設／10 万人（23 位）
- 映画館数 2.6 施設／10 万人（29 位）
- 月謝類* 4 万 77 円（18 位）
- 書籍雑誌費* 3 万 4,729 円（41 位）
- 海外旅行に行く人の割合 4.2%（30 位）

長崎県

県の
木：ヒノキ、ツバキ　サキ、アワビ (秋) サバ、
花：雲仙ツツジ　　トビウオ、ヒラメ、(冬)
鳥：オシドリ　　　ブリ、イワシ、フグ
魚：(春) タイ、イカ、獣：九州シカ
アマダイ (夏) アジ、イ　歌：南の風

長崎県民

遊び好き

エキゾチックで
リベラル

信仰心が強い

平成新山ネイチャーセンター
／島原市
普賢岳噴火で生まれた平成
新山を間近で観察できる。

長崎県の NO.1 ▶

| アジ類 漁獲量 |
| 1世帯中の 高齢者人員[1] |
| ビワ 出荷量[2] |

[1]長崎市、[2]2018 年

壱岐市

壱岐

佐世保市

A 平戸市

小値賀町

対馬市

対馬

新上五島町

男女群島

五島市

五島市

土石流被災家屋保存公園
／南島原市
普賢岳噴火の被災家屋を展
示。土石流の威力を伝える。

オランダ商館／平戸市
日本最初の洋風建築物。1640年頃の建物の復元や環境整備が進む。

九十九島／佐世保市
西海国立公園内にある日本一密集した208の島々を遊覧船でクルージング。

北緯33度線展望台／西海市
360度ビューの景色を見渡せば、水平線上に五島列島や平戸島、夕日の全景。

黒丸踊り／大村市→
戦国時代に起源をもつ祝賀の踊り。巨大な花輪を背負って太鼓を打ち鳴らす。

フルーツバス停／諫早市
長崎旅博覧会のおもてなしとして作られた、巨大フルーツ型のバス停が点在。

出島／長崎市
鎖国時代の貿易窓口。住居や蔵、番所など建物の復元事業が進み公開されている。

雲仙地獄／雲仙市
高温の硫黄泉や噴気がたちこめる地熱地帯で、江戸時代のキリシタン殉教の舞台。

平戸市
松浦市

佐世保市 B
佐々町

波佐見町

川棚町
東彼杵町

西海市 C
D 大村市

長崎市
長与町
時津町

E

諫早市
F

G
雲仙市
島原市 H

南島原市

I

凡　例
- 新幹線
- J R
- 国　道
- 県道・町道

※長崎市の1世帯当たりの年間支出金額

耕地面積 (田畑計)
4万
6,300ha
(第32位)

コメの作付面積 (水稲延べ)
1万
1,400ha
(第38位)

コメの収穫量 (水稲)
5万
1,900 t
(第39位)

肉用牛 (飼育頭数)
7万
9,400 頭
(第8位)

養豚 (飼育頭数)
20万
1,100 頭
(第14位)

ブロイラー (飼育頭数)
301万
1,000 羽
(第10位)

漁獲量・天然 (海面漁業)
29万
591 t
(第2位)

漁獲量・養殖 (海面養殖)
2万
3,752 t
(第13位)

食料自給率 (カロリーベース)
47%
(第22位)

エンゲル係数*
25.3
(第25位)

食費* (年間支出)
89万
258 円
(第38位)

牛乳・乳製品* (年間支出)
3万
850 円
(第44位)

調味料* (年間支出)
3万
6,061 円
(第39位)
●酢　1,314 円 (第3位)

生鮮野菜* (年間支出)
6万
3,330 円
(第29位)
●キャベツ 3,113 円 (第3位)

生鮮果物* (年間支出)
3万
6,259 円
(第32位)

外食* (年間支出)
15万
3,985 円
(第28位)

調理食品* (年間支出)
11万
1,895 円
(第40位)

生産

（単位：億円）

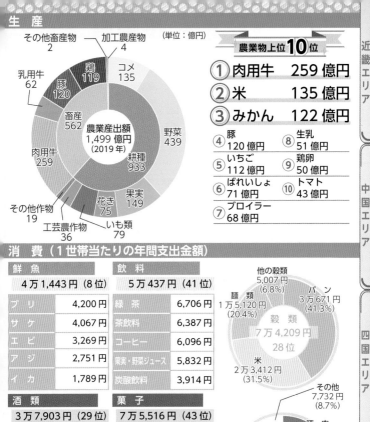

その他畜産物 2
加工農産物 4
鶏 119
コメ 135
乳用牛 62
豚 120
畜産 562
肉用牛 259
その他作物 19
工芸農作物 36
いも類 79
花き 75
野菜 439
果実 149
耕種 933

農業産出額 1,499億円（2019年）

農業物上位10位

① 肉用牛　259億円
② 米　135億円
③ みかん　122億円

④ 豚 120億円	⑧ 生乳 51億円
⑤ いちご 112億円	⑨ 鶏卵 50億円
⑥ ばれいしょ 71億円	⑩ トマト 43億円
⑦ ブロイラー 68億円	

消費（1世帯当たりの年間支出金額）

鮮魚
4万1,443円（8位）

ブリ	4,200円
サケ	4,067円
エビ	3,269円
アジ	2,751円
イカ	1,789円

飲料
5万437円（41位）

緑茶	6,706円
茶飲料	6,387円
コーヒー	6,096円
果実・野菜ジュース	5,832円
炭酸飲料	3,914円

酒類
3万7,903円（29位）

ビール	1万1,402円
清酒	7,566円
焼酎	7,266円
発泡酒等	6,195円
カクテル等	1,721円

菓子
7万5,516円（43位）

アイスクリーム	7,724円
カステラ	6,559円
チョコレート	5,898円
ケーキ	5,289円
せんべい	4,011円

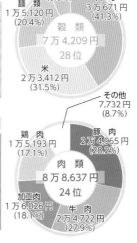

他の穀類 5,007円（6.8%）
パン 3万671円（41.3%）
麺類 1万5,120円（20.4%）
穀類 7万4,209円 28位
米 2万3,412円（31.5%）

その他 7,732円（8.7%）
鶏肉 1万5,193円（17.1%）
豚肉 2万4,965円（28.2%）
肉類 8万8,637円 24位
加工肉 1万6,026円（18.1%）
牛肉 2万4,722円（27.9%）

食品産業

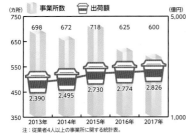

（カ所）事業所数　（億円）出荷額
698　672　718　625　600
2,390　2,495　2,730　2,774　2,826
2013年　2014年　2015年　2016年　2017年
注：従業者4人以上の事業所に関する統計表。

飲食料小売額	4,289億円	28
百貨店・総合スーパー	12店	36
飲食料小売店数	4,158店	22
コンビニ数	392店	32
ドラッグストア数	128店	34

□は全国順位

Data で見る 長崎県

快適度

人口密度 /km²	325 人	18
物価格差	99.9	9
県民所得 / 人	251.9 万円	41
犯罪認知件数 / 千人	2.53 件	45
旅行に行く人の割合	36.4%	44
医師数 /10 万人	306.3 人	6

■は全国順位

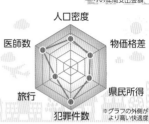

※グラフの外側がより高い快適度

行動ウエート

※グラフの外側がより高いウエート

趣味・娯楽の時間	181 分	20
睡眠時間	459 分	36
仕事・学業をする時間	416 分	20
学習や自己啓発をする時間	120 分	38
スポーツをする時間	122 分	14
食事をする時間	99 分	36

■は全国順位

人口

- 人口
　136 万 5,391 人 (29 位)
- 人口増減数
　− 1 万 3,612 人 (38 位)
- 出生率
　7.6 人／千人 (12 位)
- 死亡率 13.3 人／千人 (14 位)
- 外国人の割合 0.78% (38 位)

家庭※

- 世帯主年齢 65.9 歳 (1 位)
- 子ども (18 歳未満) の人員
　0.29 人 (47 位)
- 高齢者 (65 歳以上) の人員
　1.05 人 (1 位)
- 持ち家率 88.5% (9 位)
- 平均畳数 30.3 帖 (2 位)

世帯

- 世帯数
　63 万 4,001 世帯 (28 位)
- 平均人員　2.15 人 (36 位)
- 核家族世帯率 57.1%
　(20 位)
- 単身者世帯率 31.9%
　(21 位)
- 高齢者世帯率 12.9%
　(16 位)

家計※

- 貯蓄額 1,800 万円 (18 位)
- 負債総額 389 万円 (43 位)
- 消費支出 325 万 4,743 円
　(37 位)
- 家賃 8 万 5,421 円 (31 位)
- 水道光熱費 25 万 9,228 円
　(23 位)

消費※

- 衣類・履物費 11 万 2,883 円
　(41 位)
- 保健医療費 14 万 6,924 円
　(38 位)
- 教育費
　7 万 2,596 円 (44 位)
- 自動車関連費
　27 万 3,526 円 (31 位)
- 通信費 13 万 5,143 円 (45 位)

外国人旅行者

宿泊者数の推移

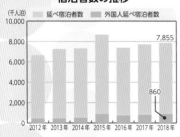

(千人泊)

延べ宿泊者数　外国人延べ宿泊者数

7,855

860

2012年 2013年 2014年 2015年 2016年 2017年 2018年

宿泊者上位 5 カ国

その他 21.6%

香港 6.1%

アメリカ 6.8%

1位 韓国 37.6%

2位 台湾 15.9%

3位 中国 12.0%

気候

身長 171.0cm（10位）
体重 63.1kg（15位）
初婚年齢 30.3歳（7位）
寿命 80.38年（31位）

婚姻率 4.0人／千人（35位）
離婚率 1.54人／千人（35位）

身長 158.0cm（12位）
体重 53.8kg（7位）
初婚年齢 29.1歳（17位）
寿命 86.97年（28位）

項目	値	全国順位
最高気温 35℃以上の日数	3日	全国で 33位
平均気温	17.9℃	全国で 5位
日照時間	1,959時間	全国で 29位
降水量	1,788mm	全国で 16位
平均相対湿度	74.7%	全国で 9位

（長崎管区気象台 2019年）

最低気温 0.3℃／最高気温 37.3℃

産業

・総事業所数 6万2,028（27位）
・小売事業所数 1万3,852（25位）
・卸売事業所数 3,690（28位）
・上場企業数 0（47位）
・代表取締役出身者数 1万5,663人（28位）

経済

・県内総生産 4兆3,957億円（32位）
・企業倒産数 2件（40位）
・有効求人倍率 1.19（42位）
・月額給与（男）28.18万円（37位）
・月額給与（女）21.28万円（39位）

労働

・労働時間 179時間／月（14位）
・通勤時間 27分（26位）
・勤続年数 11.9年（34位）
・大卒初任給 19.09万円（38位）
・パート時給 992円（36位）

社会

・中高年の就職率 31.88%（18位）
・失業率 2.18%（20位）
・自殺者数 15.4人／10万人（37位）
・生活保護世帯数 7,943世帯（22位）
・少年犯罪数 1.16人／千人（45位）

福祉

・病院数 11.1施設／10万人（8位）
・一般診療所数 103.1施設／10万人（3位）
・児童福祉施設数 47.1施設／10万人（11位）
・老人福祉センター数 6.8施設／10万人（11位）
・図書館数 2.8施設／10万人（31位）

教育

・大学進学率 45.4%（38位）
・高卒の割合 28.9%（9位）
・学校のIT化 4.2人／台（8位）
・教科書・参考書費* 1,243円（44位）
・補習教育費* 1万9,800円（38位）

交通・通信

・自動車保有台数 1,448台／千世帯（37位）
・ガソリン代* 5万8,977円（32位）
・交通費* 6万3,113円（16位）
・電話代* 12万3,122円（42位）
・交通事故死亡者数 2.46人／10万人（40位）

学校

・保育所数 484カ所（19位）
・幼稚園数 110カ所（29位）
・小学校数 329校（24位）
・高校数 79校（23位）
・大学数 8校（26位）

スポーツ

・野球をする人の割合 5.5%（45位）
・ゴルフをする人の割合 4.4%（45位）
・サッカーをする人の割合 3.7%（46位）
・ラグビー部のある高校 29.1%（4位）
・高校陸上部員数の割合 4.7%（5位）

娯楽

・博物館数 1.0施設／10万人（24位）
・映画館数 1.9施設／10万人（42位）
・月謝類* 2万3,306円（43位）
・書籍雑誌費* 3万4,723円（42位）
・海外旅行に行く人の割合 3.7%（37位）

熊本県

県の
木：クスノキ　魚：クルマエビ
花：リンドウ　歌：熊本県民の歌
鳥：ヒバリ

熊本県民

肥後の議論倒れ
→目立ちたがり屋

俺の意見は正しい！

→わさもん
新しもの好き

肥後もっこす
→がんこで
意地っ張り

観光うたせ船／芦北町
漁をしない時期に出航。新鮮な海の幸を楽しみながら太刀魚釣りに挑戦できる。

熊本県の NO.1 ▶

通信費※1

トマト
出荷量※2

スイカ
出荷量※2

宿根かすみ草
出荷量※2

い（いぐさ）
出荷量※2

※1 熊本市、※2 2018 年

J

B 南関町　山鹿市

C 荒尾市　和水町
玉名市　玉東町

菊池市
合志市
菊陽町

長洲町

D

E 益城町
熊本市
◎ 嘉島町
御船町
甲佐町

宇土市
F

上天草市

氷川町

宇城市
G
美里町
H

苓北町 I
天草市
上天草市

八代市

五木村

芦北町 J
山江村
相良村

津奈木町　球磨村

水俣市　人吉市　錦町

凡例

- ━ ━ ━ 新幹線
- ─ ─ ─ ＪＲ
- ──── 国道
- ──── 県道・有料道

鍋ヶ滝／小国町
垂れ幕のような幅の広い滝
で、裏側からも眺められる。
ライトアップも美しい。

トンカラリン／和水町
用途不明の謎の人工トンネ
ル。石が穴の中に落ちると
きの音から命名。

野原八幡風流／荒尾市
少年が優雅に舞う芸能で、
鎌倉時代から始まり口伝に
より伝えられている。

破魔弓祭／長洲町
四王子神社の祭事、的ばか
い。締め込み姿の男衆が、
的を巡って激しく奪い合う。

水前寺成趣園／熊本市
阿蘇の伏流水が湧き出る池
を中心に、東海道五十三次
の景勝を模した大名庭園。

小国町
南小国町
産山村
阿蘇市
大津町
西原村
南阿蘇村
高森町
山都町
水上村
湯前町
多良木町
あさぎり町

N

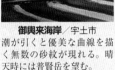

御輿来海岸／宇土市
潮が引くと優美な曲線を描
く無数の砂紋が現れる。晴
天時には普賢岳を望む。

三角西港／宇城市
明治日本の産業を支えた九
州の一大集散地。当時の施
設をほぼ原形のまま残す。

日本一の石段／美里町
釈迦院御坂遊歩道にある
3333段の石段。途中には休
憩所やトイレなどもある。

崎津教会／天草市
隠れキリシタンの地に建て
られた、ゴシック様式の教
会。内部は珍しい畳敷き。

熊本県 の 食

※熊本市の1世帯当たりの年間支出金額

耕地面積（田畑計）
11万
700ha
（第 13 位）

コメの作付面積（水稲延べ）
3万
3,300ha
（第 15 位）

コメの収穫量（水稲）
16万
800 t
（第 16 位）

肉用牛（飼育頭数）
12万
5,300 頭
（第 4 位）

養豚（飼育頭数）
27万
7,100 頭
（第 11 位）

ブロイラー（飼育頭数）
323万
5,000 羽
（第 8 位）

漁獲量・天然（海面漁業）
1万
7,831 t
（第 28 位）

漁獲量・養殖（海面養殖）
5万
281 t
（第 9 位）

食料自給率（カロリーベース）
58%
（第 18 位）

エンゲル係数*
23.8
（第 44 位）

食費*（年間支出）
89万
2,871 円
（第 36 位）

牛乳・乳製品*（年間支出）
3万
640 円
（第 45 位）

調味料*（年間支出）
3万
8,413 円
（第 20 位）
●みそ 2,816 円（第 2 位）
●ふりかけ 2,337 円（第 2 位）
●マヨネーズ類 1,416 円（第 3 位）

生鮮野菜*（年間支出）
5万
537 円
（第 47 位）

生鮮果物*（年間支出）
2万
7,834 円
（第 47 位）
●メロン 2,078 円（第 3 位）

外 食*（年間支出）
16万
8,783 円
（第 16 位）
●飲酒代 3万 3,024 円（第 3 位）
●ハンバーガー 5,972 円（第 4 位）

調理食品*（年間支出）
11万
9,048 円
（第 33 位）

生 産

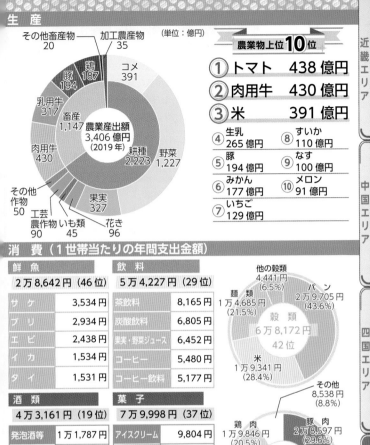

（単位：億円）

その他畜産物 20
加工農産物 35
鶏 187
豚 194
乳用牛 317
畜産 1,147
肉用牛 430
その他作物 50
工芸農作物 90
いも類 45
花き 96
果実 327
野菜 1,227
耕種 2,223
コメ 391

農業産出額 3,406億円 （2019年）

農業物上位10位

① トマト 438億円
② 肉用牛 430億円
③ 米 391億円

④ 生乳 265億円		⑧ すいか 110億円
⑤ 豚 194億円		⑨ なす 100億円
⑥ みかん 177億円		⑩ メロン 91億円
⑦ いちご 129億円		

消 費 （1世帯当たりの年間支出金額）

鮮魚

2万8,642円 （46位）

サ ケ	3,534円
ブ リ	2,934円
エ ビ	2,438円
イ カ	1,534円
タ イ	1,531円

飲料

5万4,227円 （29位）

茶飲料	8,165円
炭酸飲料	6,805円
果実・野菜ジュース	6,452円
コーヒー	5,480円
コーヒー飲料	5,177円

酒 類

4万3,161円 （19位）

発泡酒等	1万1,787円
ビール	1万1,143円
焼 酎	8,092円
カクテル等	4,081円
清 酒	3,642円

菓 子

7万9,998円 （37位）

アイスクリーム	9,804円
ケーキ	7,073円
スナック菓子	5,397円
チョコレート	5,374円
せんべい	4,292円

穀 類 6万8,172円 42位

他の穀類 4,441円 （6.5%）
パン 2万9,705円 （43.6%）
麺 類 1万4,685円 （21.5%）
米 1万9,341円 （28.4%）

肉 類 9万6,605円 10位

その他 8,538円 （8.8%）
鶏 肉 1万9,846円 （20.5%）
豚 肉 2万8,597円 （29.6%）
加工肉 1万6,766円 （17.4%）
牛 肉 2万2,858円 （23.7%）

食品産業

（カ所）	事業所数	出荷額	（億円）
600			5,000
500	547 530 530 512 499		4,000
400	3,187 3,301 3,462 3,531 3,663		3,000
300			2,000
200	2013年 2014年 2015年 2016年 2017年		1,000

注：従業者4人以上の事業所に関する統計表。

飲食料小売額	5,365億円	23
百貨店・総合スーパー	18店	27
飲食料小売店数	4,263店	20
コンビニ数	522店	24
ドラッグストア数	151店	29

□は全国順位

Data で見る　熊本県

※熊本市の1世帯当たりの年間支出金額

快適度

人口密度 /km	237 人	27
物価格差	98.6	26
県民所得 / 人	251.7 万円	42
犯罪認知件数 / 千人	3.70 件	37
旅行に行く人の割合	40.7%	38
医師数 /10 万人	289.8 人	10

■は全国順位

※グラフの外側がより高い快適度

行動ウエート

趣味・娯楽の時間	162 分	45
睡眠時間	465 分	19
仕事・学業をする時間	417 分	17
学習や自己啓発をする時間	126 分	26
スポーツをする時間	120 分	20
食事をする時間	102 分	15

■は全国順位

※グラフの外側がより高いウエート

人口

- 人口
　178 万 79 人（23 位）
- 人口増減数
　− 9,105 人（26 位）
- 出生率
　8.2 人／千人（4 位）
- 死亡率 12.3 人／千人（22 位）
- 外国人の割合 0.94%（31 位）

家庭*

- 世帯主年齢 57.4 歳（38 位）
- 子ども（18 歳未満）の人員
　0.73 人（6 位）
- 高齢者（65 歳以上）の人員
　0.76 人（36 位）
- 持ち家率 77.1%（38 位）
- 平均畳数 21.1 帖（42 位）

世帯

- 世帯数
　78 万 1,507 世帯（24 位）
- 平均人員　2.28 人（24 位）
- 核家族世帯率 56.1%
　（26 位）
- 単身者世帯率 30.9%
　（24 位）
- 高齢者世帯率 12.2%
　（22 位）

家計*

- 貯蓄額 1,176 万円（43 位）
- 負債総額 524 万円（23 位）
- 消費支出 347 万 8,584 円
　（24 位）
- 家賃 11 万 5,382 円（16 位）
- 水道光熱費 23 万 9,723 円
　（39 位）

消費*

- 衣類・履物費 13 万 1,897 円
　（21 位）
- 保健医療費 15 万 2,281 円
　（32 位）
- 教育費
　18 万 7,993 円（5 位）
- 自動車関連費
　24 万 6,994 円（38 位）
- 通信費 19 万 8,228 円（1 位）

外国人旅行者

宿泊者数の推移

（千人泊）
延べ宿泊者数　外国人延べ宿泊者数

10,000
8,053
8,000
6,000
4,000
2,000
1,013
0
2012年 2013年 2014年 2015年 2016年 2017年 2018年

宿泊者上位 5 カ国

その他 11.4%
シンガポール 1.7%
中国 12.2%
1位 韓国 36.7%
3位 香港 13.5%
2位 台湾 24.4%

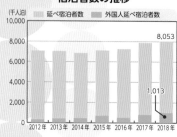

身長 170.1㎝ （37 位）
体重 62.1kg （35 位）
初婚年齢 30.4 歳
（10 位）
寿命 81.22 年 （7 位）

4.4 人／千人
婚姻率 （15 位）

1.71 人／千人
（10 位）離婚率

身長 156.9㎝ （41 位）
体重 52.5kg （36 位）
初婚年齢 29.1 歳
（17 位）
寿命 87.49 年 （6 位）

気 候

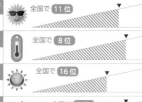

最高気温 35℃以上の日数 全国で 11 位
14 日

平均気温 全国で 8 位
17.7℃

日照時間 全国で 16 位
2,070 時間

降水量 全国で 8 位
2,027 ㎜

平均相対湿度 全国で 17 位
72.3%

（熊本管区気象台 2019 年）

最低気温 -2.6℃／最高気温 37.8℃

産 業

・総事業所数 7 万 2,144 （24 位）
・小売事業所数
1 万 5,425 （23 位）
・卸売事業所数
4,472 （23 位）
・上場企業数 6 （35 位）
・代表取締役出身者数
1 万 8,417 人 （22 位）

経 済

・県内総生産
5 兆 7,127 億円 （25 位）
・企業倒産数 7 件 （20 位）
・有効求人倍率 1.77 （9 位）
・月額給与 （男） 28.04 万円
（39 位）
・月額給与 （女） 21.92 万円
（34 位）

労 働

・労働時間 179 時間／月
（14 位）
・通勤時間 28 分 （23 位）
・勤続年数 11.8 年
（37 位）
・大卒初任給 19.11 万円
（37 位）
・パート時給 961 円
（45 位）

社 会

・中高年の就職率 33.22%
（14 位）
・失業率 2.68% （6 位）
・自殺者数 16.0 人／ 10 万人
（28 位）
・生活保護世帯数
7,378 世帯 （26 位）
・少年犯罪数 2.24 人／千人
（23 位）

福 祉

・病院数 12.2 施設／ 10 万人（7 位）
・一般診療所数
83.3 施設／ 10 万人（23 位）
・児童福祉施設数
47.5 施設／ 10 万人 （10 位）
・老人福祉センター数
6.6 施設／ 10 万人 （15 位）
・図書館数 2.9 施設／ 10 万人
（24 位）

教 育

・大学進学率 46.5% （33 位）
・高卒の割合 25.8% （12 位）
・学校の I T 化
4.4 人／台 （11 位）
・教科書・参考書*
2,654 円 （23 位）
・補習教育費*3 万 9,917円（10位）

交通・通信

・自動車保有台数
1,717 台／千世帯 （25 位）
・ガソリン代*8 万 786 円（15位）
・交通費* 5 万 754 円 （24 位）
・電話代* 17 万 9,953 円 （1 位）
・交通事故死亡者数
3.93 人／ 10 万人 （14 位）

学 校

・保育所数 625 カ所
（13 位）
・幼稚園数 105 カ所
（30 位）
・小学校数 347 校
（23 位）
・高校数 73 校 （27 位）
・大学数 9 校 （24 位）

スポーツ

・野球をする人の割合 7.1%（22 位）
・ゴルフをする人の割合 5.9%
（35 位）
・サッカーをする人の割合 6.0%
（12 位）
・ラグビー部のある高校
19.2% （26 位）
・高校陸上部員数の割合
3.2% （32 位）

娯 楽

・博物館数 0.8 施設／ 10 万人
（32 位）
・映画館数 3.3 施設／ 10 万人
（14 位）
・月謝類* 4 万 4,663 円（10位）
・書籍雑誌費* 3 万 1,798 円
（45 位）
・海外旅行に行く人の割合
4.0% （33 位）

大分県

県の

木：ブンゴウメ　　鳥：メジロ
花：
ブンゴウメの花　　県の日：
11月14日

大分県民

赤猫根性
→協調性に
欠ける

よだきいわぁ

個人主義

津久見扇子踊り／津久見市
450年前に戦没勇士や農民の
供養のため創設された京舞
の流れをくむ扇子踊り。

よだきい
→おっくう、面倒

大分県のNO.1 ▶

カボス
生産量

サフラン
生産量

ハンバーガー
支出金額[1]

[1]大分市

中津市　**A**

C

宇佐市　**B**

玖珠町　**K**

D
別府市

日田市

由布市

E 九重町

空の公園／佐伯市
豊後くろしおライン山頂に
あり、豊後水道と米水津湾
が一望できる絶景スポット。

N

G
竹田市

H

豊後
大野市

K

←**豊後森機関庫**／玖珠町
九州唯一の現存する機関庫。
ススや機銃掃射の痕が独特
の雰囲気を醸し出す。

凡　例
- - - - 新幹線
──── JR
──── 国　道
──── 鉄・有料道

中津からあげ／中津市
からあげの聖地として知られ専門店がひしめく。醤油ベースの味付けが多い。

安心院町の鏝絵／宇佐市
左官が腕をふるったカラフルな鏝絵が方々にあり、町そのものがさながら美術館。

酢屋の坂／杵築市
「サンドイッチ型城下町」で北台の武家屋敷と商人の町をつなぐ美しい石畳の坂。

血の池地獄／別府市
1300年以上前から存在する日本最古の天然地獄。赤い熱泥が堆積している。

八丁原地熱発電所／九重町
規模は日本最大。展示館やガイドもあり、間近で大地のエネルギーを実感する。

切支丹洞窟礼拝堂／竹田市
旧岡藩ではひそかに布教が続けられ、歴史に現れなかった史跡を残している。

大分国際車いすマラソン大会／大分市
1981年開始、世界初の車いすだけの国際マラソン大会。

普光寺磨崖仏／豊後大野市
密教の修験場として栄えた寺。崖に彫られた不動明王は、日本最大級の磨崖仏。

国東市

築市

出町

大分市

F

臼杵市

I 津久見市

J
佐伯市

大分県 の 食

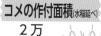

※大分市の1世帯当たりの年間支出金額

耕地面積(田畑計)
5万
5,100ha
(第26位)

コメの作付面積(水稲延べ)
2万
600ha
(第27位)

コメの収穫量(水稲)
8万
9,600 t
(第27位)

肉用牛(飼育頭数)
4万
6,900頭
(第16位)

養豚(飼育頭数)
13万
2,300頭
(第19位)

ブロイラー(飼育頭数)
247万
1,000羽
(第12位)

漁獲量・天然(海面漁業)
3万
1,562 t
(第23位)

漁獲量・養殖(海面養殖)
2万
3,421 t
(第16位)

食料自給率(カロリーベース)
47%
(第22位)

エンゲル係数*
25.2
(第28位)

食費*(年間支出)
79万
7,765円
(第46位)

牛乳・乳製品*(年間支出)
2万
8,309円
(第47位)
●粉ミルク
1,658円 (第2位)

調味料*(年間支出)
3万
3,042円
(第46位)

生鮮野菜*(年間支出)
5万
3,209円
(第46位)

生鮮果物*(年間支出)
3万
2,152円
(第41位)

外食*(年間支出)
12万
2,625円
(第45位)
●ハンバーガー
6,195円 (第1位)

調理食品*(年間支出)
10万
6,715円
(第44位)

生産

その他畜産物 3 ／ 加工農産物 11

（単位：億円）

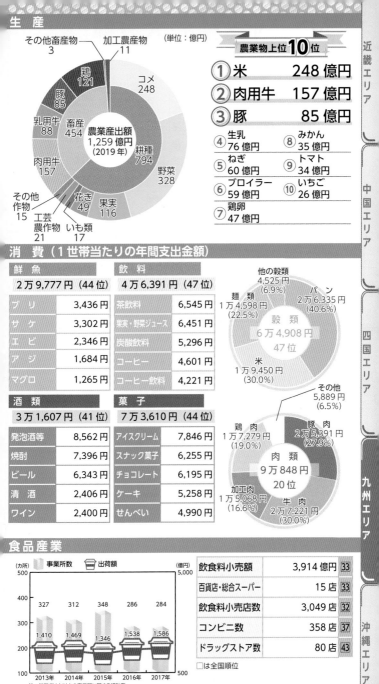

農業産出額 1,259 億円（2019 年）

- 鶏 121
- 豚 85
- 乳用牛 88
- 肉用牛 157
- 畜産 454
- コメ 248
- 野菜 328
- 耕種 794
- 果実 116
- 花き 49
- いも類 17
- 工芸農作物 21
- その他作物 15

農業物上位 10 位

①	米	248 億円
②	肉用牛	157 億円
③	豚	85 億円

④ 生乳	76 億円	⑧ みかん	35 億円
⑤ ねぎ	60 億円	⑨ トマト	34 億円
⑥ ブロイラー	59 億円	⑩ いちご	26 億円
⑦ 鶏卵	47 億円		

消費（1 世帯当たりの年間支出金額）

鮮魚

2 万 9,777 円（44 位）

ブリ	3,436 円
サケ	3,302 円
エビ	2,346 円
アジ	1,684 円
マグロ	1,265 円

飲料

4 万 6,391 円（47 位）

茶飲料	6,545 円
果実・野菜ジュース	6,451 円
炭酸飲料	5,296 円
コーヒー	4,601 円
コーヒー飲料	4,221 円

酒類

3 万 1,607 円（41 位）

発泡酒等	8,562 円
焼酎	7,396 円
ビール	6,343 円
清酒	2,406 円
ワイン	2,400 円

菓子

7 万 3,610 円（44 位）

アイスクリーム	7,846 円
スナック菓子	6,255 円
チョコレート	6,195 円
ケーキ	5,258 円
せんべい	4,990 円

穀類 6 万 4,908 円 47 位
- 麺類 1 万 4,598 円（22.5%）
- 他の穀類 4,525 円（6.9%）
- パン 2 万 6,335 円（40.6%）
- 米 1 万 9,450 円（30.0%）

肉類 9 万 848 円 20 位
- その他 5,889 円（6.5%）
- 豚肉 2 万 5,391 円（27.9%）
- 鶏肉 1 万 7,279 円（19.0%）
- 加工肉 1 万 5,068 円（16.6%）
- 牛肉 2 万 7,221 円（30.0%）

食品産業

（カ所） 事業所数 ／ 出荷額 （億円）				
327	312	348	286	284
1,410	1,469	1,346	1,538	1,586
2013年	2014年	2015年	2016年	2017年

注：従業者4人以上の事業所に関する統計表。

飲食料小売額	3,914 億円	33
百貨店・総合スーパー	15 店	33
飲食料小売店数	3,049 店	32
コンビニ数	358 店	37
ドラッグストア数	80 店	43

□は全国順位

Data で見る 大分県

※大分市の1世帯当たりの年間支出金額

快適度

人口密度 /km	180 人	33
物価格差	97.3	40
県民所得 / 人	260.5 万円	36
犯罪認知件数 / 千人	2.64 件	44
旅行に行く人の割合	44.3%	27
医師数 /10 万人	275.2 人	16

■は全国順位

※グラフの外側がより高い快適度

行動ウエート

※グラフの外側がより高いウエート

趣味・娯楽の時間	174 分	33
睡眠時間	466 分	15
仕事・学業をする時間	424 分	8
学習や自己啓発をする時間	120 分	38
スポーツをする時間	120 分	20
食事をする時間	98 分	41

■は全国順位

人口

- 人口
  116 万 218 人（33 位）
- 人口増減数
  − 8,940 人（24 位）
- 出生率
  7.2 人／千人（20 位）
- 死亡率 12.8 人／千人（18 位）
- 外国人の割合 1.17%（28 位）

家庭*

- 世帯主年齢 60.3 歳（14 位）
- 子ども（18 歳未満）の人員
  0.54 人（32 位）
- 高齢者（65 歳以上）の人員
  0.89 人（9 位）
- 持ち家率 77.1%（38 位）
- 平均畳数 22.2 帖（40 位）

世帯

- 世帯数
  53 万 7,715 世帯（32 位）
- 平均人員 2.16 人（34 位）
- 核家族世帯率 56.4%
  （25 位）
- 単身者世帯率 33.2%
  （14 位）
- 高齢者世帯率 13.9%
  （6 位）

家計*

- 貯蓄額 1,555 万円（30 位）
- 負債総額 492 万円（27 位）
- 消費支出 299 万 508 円
  （44 位）
- 家賃 10 万 8,919 円（21 位）
- 水道光熱費 22 万 6,054 円
  （44 位）

消費*

- 衣類・履物費 10 万 6,617 円
  （45 位）
- 保健医療費 15 万 6,120 円
  （28 位）
- 教育費
  7 万 7,532 円（42 位）
- 自動車関連費
  22 万 7,488 円（40 位）
- 通信費 15 万 2,728 円（38 位）

外国人旅行者

宿泊者数の推移

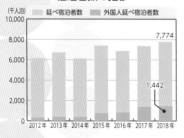

（千人泊）
延べ宿泊者数　外国人延べ宿泊者数
10,000
8,000　　　　　　　　　　　　　　　7,774
6,000
4,000
　　　　　　　　　　　　　　　1,442
2,000

2012 年　2013 年　2014 年　2015 年　2016 年　2017 年　2018 年

宿泊者上位 5 カ国

タイ 1.8%　その他 8.9%
中国 8.9%
3位　香港 9.4%
1位　韓国 59.2%
2位　台湾 11.8%

気候

身長 169.5cm （46 位）
体重 63.3kg （13 位）
初婚年齢 30.4 歳
　　　　　　（10 位）
寿命 81.08 年 （9 位）

婚姻率 4.2 人／千人
　　　（29 位）

1.71 人／千人
（10 位）離婚率

身長 156.8cm （44 位）
体重 52.4kg （38 位）
初婚年齢 29.0 歳
　　　　　　（14 位）
寿命 87.31年 （12 位）

気候		
最高気温 35℃以上の日数	3 日	全国で 33 位
平均気温	17.4℃	全国で 14 位
日照時間	1,980 時間	全国で 25 位
降水量	1,753 mm	全国で 17 位
平均相対湿度	72.7%	全国で 15 位

（大分管区気象台 2019 年）

最低気温 -0.4℃／最高気温 35.9℃

産 業

- 総事業所数 5 万 2,973 （34 位）
- 小売事業所数
　 1 万 1,034 （33 位）
- 卸売事業所数
　　　　 3,081 （35 位）
- 上場企業数 8 （33 位）
- 代表取締役出身者数
　 1 万 3,980 人 （33 位）

経 済

- 県内総生産
　 4 兆 1,508 億円 （33 位）
- 企業倒産数 4 件 （33 位）
- 有効求人倍率 1.56 （21 位）
- 月額給与（男）28.72 万円
　　　　　　　　　　（34 位）
- 月額給与（女）21.73 万円
　　　　　　　　　　（36 位）

労 働

- 労働時間 178 時間／月
　　　　　　　　（30 位）
- 通勤時間 24 分 （42 位）
- 勤続年数 11.3 年
　　　　　　　　（44 位）
- 大卒初任給 18.89 万円
　　　　　　　　（43 位）
- パート時給 963 円
　　　　　　　　（43 位）

社 会

- 中高年の就職率 38.95%
　　　　　　　　　（2 位）
- 失業率 1.99% （27 位）
- 自殺者数 16.3 人／ 10 万人
　　　　　　　　　（26 位）
- 生活保護世帯数
　　　　 9,042 世帯 （20 位）
- 少年犯罪数 1.36 人／千人
　　　　　　　　　（41 位）

福 祉

- 病院数 13.7 施設／10万人（4位）
- 一般診療所数
　 83.5 施設／ 10 万人 （22 位）
- 児童福祉施設数
　 37.5 施設／ 10 万人 （23 位）
- 老人福祉センター数
　 3.8 施設／ 10 万人 （37 位）
- 図書館数 2.8 施設／ 10 万人
　　　　　　　　　（29 位）

教 育

- 大学進学率 47.4% （31 位）
- 高卒の割合 25.8% （13 位）
- 学校のＩＴ化
　　　 4.3 人／台 （9 位）
- 教科書・参考書費*
　　　 1,906 円 （33 位）
- 補習教育費* 2 万 995円（35位）

交通・通信

- 自動車保有台数
　 1,598 台／千世帯 （31 位）
- ガソリン代* 6 万 9,743円（25位）
- 交通費* 4 万 1,390 円 （34 位）
- 電話代* 14 万 3,719円（31位）
- 交通事故死亡者数
　 3.58 人／ 10 万人 （20 位）

学 校

- 保育所数 325 カ所
　　　　　　　　（31 位）
- 幼稚園数 176 カ所
　　　　　　　　（19 位）
- 小学校数 270 校
　　　　　　　　（30 位）
- 高校数 55 校 （34 位）
- 大学数 5 校 （38 位）

スポーツ

- 野球をする人の割合 7.8% （8 位）
- ゴルフをする人の割合 8.2%
　　　　　　　　　（13 位）
- サッカーをする人の割合 6.0%
　　　　　　　　　（12 位）
- ラグビー部のある高校
　　　　　　　 29.1% （5 位）
- 高校陸上部員数の割合
　　　　　　　 3.4% （29 位）

娯 楽

- 博物館数 0.9 施設／ 10 万人
　　　　　　　　　（29 位）
- 映画館数 3.1 施設／ 10 万人
　　　　　　　　　（16 位）
- 月謝類* 2 万 8,587 円（40位）
- 書籍雑誌費* 3 万 5,386 円
　　　　　　　　　（40 位）
- 海外旅行に行く人の割合
　　　　　　　 4.1% （32 位）

宮崎県

県の木：フェニックス、鳥：ヤマザクラ、コシジロヤマドリ
オビスギ　歌：宮崎県民歌
花：ハマユウ

宮崎県民

なるようにしか
ならない主義

たぶんね…

なんとか
なるさ

陽気

てげてげ
→のん気で欲がない

宮崎県の NO.1 ▶

鶏の
飼育頭数

降水量の
合計

初婚年齢
（男）※1

初婚年齢
（女）※1

児童福祉
施設数※1※2

※1 2018年、※2 人口当たり

飫肥の厚焼／日南市
元禄時代、飫肥城主に献上
された名物の玉子焼き。上
品なプリンのような味わい。

とび魚すくい／串間市
観光漁船で夜の沖へ出て、
船の灯りに集まるトビウオ
をタモですくう。

高千穂町

日之影町

五ヶ瀬町

諸塚村

椎葉村

美郷

木城町

西米良村

D
西都市

G
えびの市

小林市

綾町

F
国富町

H
宮崎市

高原町

都城市

三股町

日南市

串間市

J

N

凡例
- ━━━ 新幹線
- ━ ━ J R
- ─── 国道
- ━━━ 謎・解説

MZ3-5138

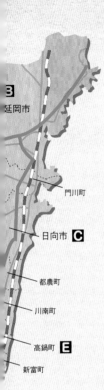

3

延岡市

門川町

日向市 **C**

都農町

川南町

高鍋町 **E**

新富町

I

国見ヶ丘／高千穂町
標高 513m の丘で雲海の名所。晴れると高千穂の山々や棚田を一望できる。

美々津／日向市
京都・大阪の町家造りを取り入れた街並みは、廻船で栄えた当時の面影を残す。

高鍋大師／高鍋町
持田古墳群周辺にあり「十一面くわんのん」など 700 体以上の奇妙な石像が立つ。

田の神さぁ／えびの市
豊作を願って田の神を石に刻み、化粧をほどこし大切に祀る薩摩藩独特の文化。

神さん山／延岡市
高さ 24m と 15m の巨岩による岩屋の間に真三角の岩が鎮座、神秘的な洞穴遺跡。

西都原古墳群／西都市
300 基以上の古墳が点在する特別史跡公園。天孫降臨の神話が息づく。

綾の照葉大吊橋／綾町
九州山地国定公園照葉樹林地帯内に架かる吊り橋。歩道吊橋としては世界最大級。

青島／宮崎市
1.5km ほどの島で、奇岩「鬼の洗濯板」が島を囲む。200 種以上の植物が生息する。

宮崎県 の 食

※宮崎市の1世帯当たりの年間支出金額

耕地面積(田畑計)
6万
6,600ha
(第 **20** 位)

コメの作付面積(水稲延べ)
1万
6,100ha
(第 **31** 位)

コメの収穫量(水稲)
7万
4,900 t
(第 **32** 位)

肉用牛(飼育頭数)
25万
300 頭
(第 **3** 位)

養豚(飼育頭数)
83万
5,700 頭
(第 **2** 位)

ブロイラー(飼育頭数)
2,823万
6,000 羽
(第 **1** 位)

漁獲量・天然(海面漁業)
10万
3,281 t
(第 **9** 位)

漁獲量・養殖(海面養殖)
1万
3,627 t
(第 **19** 位)

食料自給率(カロリーベース)
65%
(第 **16** 位)

エンゲル係数*
24.9
(第 **30** 位)

食費*(年間支出)
84万
4,666 円
(第 **43** 位)

牛乳・乳製品*(年間支出)
3万
1,097 円
(第 **43** 位)

調味料*(年間支出)
3万
8,221 円
(第 **23** 位)
- マヨネーズ類 1,403 円 (第 4 位)
- みそ 2,726 円 (第 5 位)
- 砂糖 1,372 円 (第 5 位)

生鮮野菜*(年間支出)
5万
3,318 円
(第 **45** 位)

生鮮果物*(年間支出)
3万
2,095 円
(第 **42** 位)

外食*(年間支出)
14万
374 円
(第 **36** 位)

調理食品*(年間支出)
10万
9,390 円
(第 **43** 位)

生産

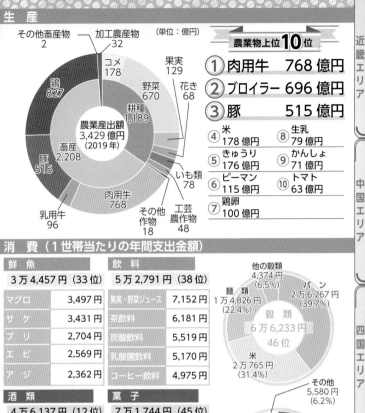

その他畜産物 2
加工農産物 32
（単位：億円）

鶏 827
豚 515
乳用牛 96
畜産 2,208
肉用牛 768
その他作物 18
工芸農作物 48
いも類 78
コメ 178
果実 129
野菜 670
花き 68
耕種 1,189

農業産出額
3,429億円
（2019年）

農業物上位 **10** 位	
① 肉用牛	**768 億円**
② ブロイラー	**696 億円**
③ 豚	**515 億円**

④ 米	178 億円	⑧ 生乳	79 億円
⑤ きゅうり	176 億円	⑨ かんしょ	71 億円
⑥ ピーマン	115 億円	⑩ トマト	63 億円
⑦ 鶏卵	100 億円		

消費（1世帯当たりの年間支出金額）

鮮魚
3万4,457円（33位）

マグロ	3,497 円
サ ケ	3,431 円
ブ リ	2,704 円
エ ビ	2,569 円
ア ジ	2,362 円

飲料
5万2,791円（38位）

果実・野菜ジュース	7,152 円
茶飲料	6,181 円
炭酸飲料	5,519 円
乳酸菌飲料	5,170 円
コーヒー飲料	4,975 円

酒類
4万6,137円（12位）

発泡酒等	1万2,747 円
焼 酎	1万2,597 円
ビール	1万1,265 円
カクテル等	3,192 円
ワイン	2,773 円

菓子
7万1,744円（45位）

アイスクリーム	7,986 円
チョコレート	5,948 円
ケーキ	5,656 円
スナック菓子	4,855 円
せんべい	4,150 円

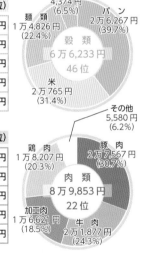

他の穀類 4,374円（6.5%）
パン 2万6,267円（39.7%）
麺類 1万4,826円（22.4%）
米 2万765円（31.4%）

穀類
6万6,233円
46位

その他 5,580円（6.2%）
鶏肉 1万8,207円（20.3%）
豚肉 2万7,567円（30.7%）
加工肉 1万6,621円（18.5%）
牛肉 2万1,877円（24.3%）

肉類
8万9,853円
22位

食品産業

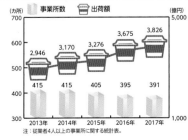

事業所数 / 出荷額

（カ所）
700
600
500
400
300

（億円）
5,000

	2013年	2014年	2015年	2016年	2017年
出荷額	2,946	3,170	3,276	3,675	3,826
事業所数	415	415	405	395	391

1,000

注：従業者4人以上の事業所に関する統計表。

飲食料小売額	3,986 億円	30
百貨店・総合スーパー	10 店	40
飲食料小売店数	2,921 店	34
コンビニ数	374 店	35
ドラッグストア数	107 店	35

□は全国順位

Data で見る **宮崎県**

快適度

人口密度 /km	140 人	39
物価格差	96.0	47
県民所得 / 人	240.7 万円	45
犯罪認知件数 / 千人	3.69 件	38
旅行に行く人の割合	39.5%	42
医師数 /10 万人	246.6 人	25

■は全国順位

人口密度 / 物価格差 / 県民所得 / 犯罪件数 / 旅行 / 医師数

※グラフの外側がより高い快適度

行動ウエート

趣味 / 食べる / 寝る / スポーツ / 仕事・勉強 / 学ぶ

※グラフの外側がより高いウエート

趣味・娯楽の時間	190 分	3
睡眠時間	473 分	5
仕事・学業をする時間	403 分	39
学習や自己啓発をする時間	138 分	10
スポーツをする時間	115 分	38
食事をする時間	102 分	15

■は全国順位

人 口

- 人口
  110 万 3,755 人 (35 位)
- 人口増減数
  − 8,253 人 (21 位)
- 出生率
  7.9 人／千人 (9 位)
- 死亡率 13.0 人／千人 (16 位)
- 外国人の割合 0.66% (44 位)

家 庭*

- 世帯主年齢 58.3 歳 (29 位)
- 子ども (18 歳未満) の人員
  0.63 人 (16 位)
- 高齢者 (65 歳以上) の人員
  0.79 人 (28 位)
- 持ち家率 74.7% (42 位)
- 平均畳数 19.9 帖 (46 位)

世 帯

- 世帯数
  52 万 5,513 世帯 (34 位)
- 平均人員 2.10 人 (40 位)
- 核家族世帯率 59.3% (4 位)
- 単身者世帯率 32.1%
  (20 位)
- 高齢者世帯率 14.1% (4 位)

家 計*

- 貯蓄額 1,149 万円 (44 位)
- 負債総額 423 万円 (37 位)
- 消費支出 315 万 9,169 円
  (40 位)
- 家賃 11 万 4,632 円 (18 位)
- 水道光熱費 20 万 9,966 円
  (46 位)

消 費*

- 衣類・履物費 10 万 6,818 円
  (42 位)
- 保健医療費 16 万 3,195 円
  (22 位)
- 教育費
  6 万 8,786 円 (46 位)
- 自動車関連費
  38 万 9,315 円 (9 位)
- 通信費 15 万 6,135 円 (33 位)

外国人旅行者

宿泊者数の推移

(千人泊) 延べ宿泊者数 ■ 外国人延べ宿泊者数
10,000 / 8,000 / 6,000 / 4,000 / 2,000 / 0
4,159
327
2012年 2013年 2014年 2015年 2016年 2017年 2018年

宿泊者上位 5 カ国

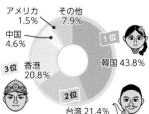

アメリカ 1.5%　その他 7.9%
中国 4.6%
3位 香港 20.8%
1位 韓国 43.8%
2位 台湾 21.4%

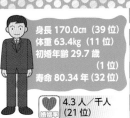

身長 170.0㎝（39位）
体重 63.4kg（11位）
初婚年齢 29.7 歳
（1位）
寿命 80.34 年（32位）

婚姻率 4.3 人／千人（21位）

離婚率 1.89 人／千人（4位）

身長 157.1㎝（37位）
体重 53.5kg（11位）
初婚年齢 28.7 歳
（1位）
寿命 87.12 年（22位）

気 候

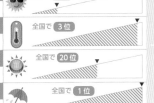

最高気温 35℃以上の日数	2 日	全国で 37 位
平均気温	18.4℃	全国で 3 位
日照時間	2,045 時間	全国で 20 位
降水量	3,046 ㎜	全国で 1 位
平均相対湿度	76.8%	全国で 3 位

（宮崎管区気象台 2019 年）

最低気温 0.0℃／最高気温 35.4℃

産 業

・総事業所数 5 万 1,475（36 位）
・小売事業所数
　1 万 642（34 位）
・卸売事業所数
　2,987（36 位）
・上場企業数 4（40 位）
・代表取締役出身者数
　1 万 4,106 人（32 位）

経 済

・県内総生産
　3 兆 5,512 億円（38 位）
・企業倒産数 0 件（46 位）
・有効求人倍率 1.53（25 位）
・月額給与（男）26.50 万円
（46 位）
・月額給与（女）19.83 万円
（47 位）

労 働

・労働時間 178 時間／月
（30 位）
・通勤時間 24 分（42 位）
・勤続年数 11.0 年
（45 位）
・大卒初任給 19.09 万円
（39 位）
・パート時給 963 円
（43 位）

社 会

・中高年の就職率 38.04%
（3 位）
・失業率 1.78%（40 位）
・自殺者数 18.6 人／10 万人
（9 位）
・生活保護世帯数
　7,350 世帯（27 位）
・少年犯罪数 1.85 人／千人
（31 位）

福 祉

・病院数 12.9 施設／10 万人（5 位）
・一般診療所数
　82.1 施設／10 万人（25 位）
・児童福祉施設数
　61.6 施設／10 万人　（1 位）
・老人福祉センター数
　6.6 施設／10 万人　（18 位）
・図書館数 2.9 施設／10 万人
（26 位）

教 育

・大学進学率 44.5%（41 位）
・高卒の割合 29.1%（8 位）
・学校のＩＴ化
　4.9 人／台（24 位）
・教科書・参考書費*
　1,809 円（36 位）
・補習教育費*1 万 4,523 円（45 位）

交通・通信

・自動車保有台数
　1,719 台／千世帯（24 位）
・ガソリン代*8 万 5,448円（9位）
・交通費*2 万 9,387 円（47 位）
・電話代*14 万 3,700 円（32 位）
・交通事故死亡者数
　3.61 人／10 万人（19 位）

学 校

・保育所数 425 カ所
（25 位）
・幼稚園数 94 カ所
（32 位）
・小学校数 241 校
（34 位）
・高校数 54 校（35 位）
・大学数 7 校（30 位）

スポーツ

・野球をする人の割合 6.2%（37 位）
・ゴルフをする人の割合 7.7%
（17 位）
・サッカーをする人の割合 4.7%
（35 位）
・ラグビー部のある高校
　33.3%（2 位）
・高校陸上部員数の割合
　3.3%（30 位）

娯 楽

・博物館数 0.4 施設／10 万人
（45 位）
・映画館数 1.7 施設／10 万人
（45 位）
・月謝類*2 万 1,757 円（45 位）
・書籍雑誌費*3 万 1,221 円
（46 位）
・海外旅行に行く人の割合
　3.4%（39 位）

鹿児島県

鹿児島県民

ぼっけもん
→質実剛健で
短気な男性

薩摩おこじょ
→男性を立てる女性

無愛想でも
心優しい

鹿児島県の NO.1 ▶

- 豚の
飼育頭数
- 保健
医療費[1]
- 砂糖
支出金額[1]
- 酢
支出金額[1]
- そら豆
出荷量[2]

[1] 鹿児島市、[2] 2018年

長島町

阿久根市

薩摩川内市

いちき串木野市

E

南さつま市

奄美市

龍郷町

大和村

宇検村

奄美市

瀬戸内町

奄美大島

喜界島

喜界町

N

与論島

沖永良部島

和泊町

知名町

徳之島

天城町

徳之島町

伊仙町

与論町

釜蓋神社／南九州市
鳥居から拝殿まで、頭に乗せた釜の蓋を落とさずに歩くと願いが叶うとされる。

唐船峡そうめん流し／指宿市
回転式流しそうめんの発祥の地。平成の名水百選認定の名水を使用し涼やか。

←**宇宙科学技術館**／南種子町
種子島宇宙センター内にある、日本で初めての本格的な宇宙開発展示館。

凡 例
- ━ ━ ━ 新幹線
- ━ ━ ━ J R
- ━━━━ 国 道
- ━━━ 鉄道・有料道路

A 出水市
B 伊佐市
出水市
湧水町
さつま町
薩摩川内市
霧島市
B 姶良市
C
D
鹿児島市
鹿児島市
垂水市
曽於市
志布志市
大崎町
鹿屋市
東串良町
F 南九州市
G 指宿市
肝付町
錦江町
南大隅町
枕崎市

屋久島町

西之表市
中種子町
南種子町
H

箱崎八幡神社／出水市
日本一の大鈴で有名。鶴の親子の舞いを描いた浮き彫りは、鶴の飛来地ならでは。

トシドン／薩摩川内市
祝福の神様「トシドン」が大晦日の夜、小さな子どものいる家にやってくる。

加治木まんじゅう／姶良市
島津義弘公に由来する伝統和菓子。あん入り蒸しまんじゅうの生地は甘酒の風味。

曽我どんの傘焼き／鹿児島市
鎌倉時代に曽我兄弟が父の仇討ちで雨傘を燃やして夜討ちした故事に由来。

砂の祭典／南さつま市
日本三大砂丘の一つ、吹上浜で5月に開催される世界最大規模の砂像イベント。

鹿児島県 の 食

※鹿児島市の１世帯当たりの年間支出金額

耕地面積(田畑計)
11万
6,000ha
(第 12 位)

コメの作付面積(水稲延べ)
1万
9,500ha
(第 28 位)

コメの収穫量(水稲)
8万
8,500 t
(第 28 位)

肉用牛(飼育頭数)
33万
8,100 頭
(第 2 位)

養豚(飼育頭数)
126万
9,000 頭
(第 1 位)

ブロイラー(飼育頭数)
2,797 万羽
(第 2 位)

漁獲量・天然(海面漁業)
6万
3,560 t
(第 15 位)

漁獲量・養殖(海面養殖)
5万
2,254 t
(第 8 位)

食料自給率
(カロリーベース)
82%
(第 8 位)

エンゲル係数*
25.1
(第 29 位)

食費*(年間支出)
93万
7,084 円
(第 29 位)

牛乳・乳製品*(年間支出)
3万
4,241 円
(第 33 位)

調味料*(年間支出)
4万
1,488 円
(第 8 位)
●砂糖 1,709 円 (第 1 位)
●酢 1,635 円 (第 1 位)
●しょう油 2,442 円 (第 3 位)

生鮮野菜*(年間支出)
6万
1,235 円
(第 37 位)
●もやし 1,253 円 (第 3 位)

生鮮果物*(年間支出)
3万
6,908 円
(第 31 位)

外 食*(年間支出)
15万
8,227 円
(第 25 位)

調理食品*(年間支出)
11万
2,798 円
(第 39 位)

生 産

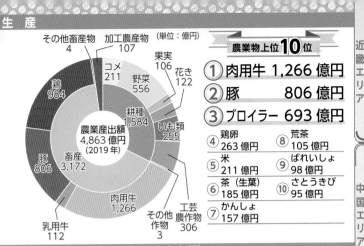

その他畜産物 4
加工農産物 107
（単位：億円）

コメ 211
野菜 556
果実 106
花き 122
鶏 984
耕種 1,584
いも類 255
豚 806
畜産 3,172
農業産出額 4,863 億円（2019 年）
乳用牛 112
肉用牛 1,266
工芸農作物 306
その他作物 3

農業物上位 10 位

1. 肉用牛 1,266 億円
2. 豚 806 億円
3. ブロイラー 693 億円

4. 鶏卵 263 億円
5. 米 211 億円
6. 茶（生葉）185 億円
7. かんしょ 157 億円
8. 荒茶 105 億円
9. ばれいしょ 98 億円
10. さとうきび 95 億円

消 費（1 世帯当たりの年間支出金額）

鮮 魚
3 万 9,141 円（18 位）

サ ケ	4,933 円
ブ リ	4,106 円
エ ビ	3,288 円
マグロ	2,916 円
イ カ	1,941 円

飲 料
6 万 5,362 円（2 位）

乳酸菌飲料	9,854 円
果実・野菜ジュース	8,870 円
緑 茶	7,464 円
茶飲料	6,830 円
コーヒー	5,045 円

酒 類
3 万 5,586 円（36 位）

焼 酎	1 万 1,393 円
ビール	1 万 1,272 円
発泡酒等	6,343 円
ワイン	2,013 円
カクテル等	1,936 円

菓 子
8 万 8,389 円（18 位）

アイスクリーム	8,919 円
ケーキ	6,976 円
チョコレート	6,215 円
せんべい	4,887 円
スナック菓子	4,060 円

穀 類
7 万 2,224 円
35 位

他の穀類 5,026 円（6.9%）
麺 類 1 万 5,720 円（21.8%）
パ ン 2 万 8,021 円（38.8%）
米 2 万 3,456 円（32.5%）

肉 類
9 万 5,319 円
14 位

その他 5,617 円（6.0%）
鶏 肉 1 万 8,137 円（19.0%）
豚 肉 3 万 1,106 円（32.6%）
加工肉 1 万 4,811 円（15.5%）
牛 肉 2 万 5,647 円（26.9%）

食品産業

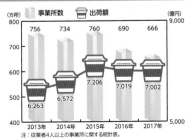

（カ所）事業所数　出荷額（億円）

年	事業所数	出荷額
2013年	756	6,263
2014年	734	6,572
2015年	760	7,206
2016年	690	7,019
2017年	666	7,002

注：従業者4人以上の事業所に関する統計表。

飲食料小売額	5,138 億円	24
百貨店・総合スーパー	10 店	40
飲食料小売店数	4,907 店	15
コンビニ数	571 店	22
ドラッグストア数	173 店	24

□は全国順位

Data で見る鹿児島県

快適度

人口密度 /km	176 人	36
物価格差	96.1	46
県民所得 / 人	241.4 万円	44
犯罪認知件数 / 千人	3.58 件	40
旅行に行く人の割合	39.6%	41
医師数 /10 万人	270.8 人	17

■は全国順位

※グラフの外側がより高い快適度

行動ウエート

趣味・娯楽の時間	168 分	40
睡眠時間	468 分	10
仕事・学業をする時間	419 分	13
学習や自己啓発をする時間	128 分	21
スポーツをする時間	117 分	25
食事をする時間	105 分	4

※グラフの外側がより高いウエート

■は全国順位

人口

- 人口
  164 万 3,437 人（24 位）
- 人口増減数
  − 1 万 2,451 人（35 位）
- 出生率
  8.1 人／千人（6 位）
- 死亡率 13.8 人／千人（9 位）
- 外国人の割合 0.71%（41 位）

家庭*

- 世帯主年齢 60.5 歳（12 位）
- 子ども（18 歳未満）の人員
  0.57 人（27 位）
- 高齢者（65 歳以上）の人員
  0.83 人（23 位）
- 持ち家率 81.0%（31 位）
- 平均畳数 23.4 帖（31 位）

世帯

- 世帯数
  80 万 8,564 世帯（21 位）
- 平均人員 2.03 人（45 位）
- 核家族世帯率 58.6%
  （11 位）
- 単身者世帯率 35.7%（7 位）
- 高齢者世帯率 14.0%（5 位）

家計*

- 貯蓄額 1,381 万円（39 位）
- 負債総額 400 万円（41 位）
- 消費支出 343 万 1,049 円
  （29 位）
- 家賃 11 万 5,673 円（14 位）
- 水道光熱費 22 万 6,125 円
  （43 位）

消費*

- 衣類・履物費 11 万 8,893 円
  （37 位）
- 保健医療費 21 万 6,500 円
  （1 位）
- 教育費
  9 万 9,874 円（36 位）
- 自動車関連費
  26 万 7,429 円（33 位）
- 通信費 17 万 5,196 円（9 位）

外国人旅行者

宿泊者数の推移

（千人泊）
延べ宿泊者数　外国人延べ宿泊者数

8,864

831

2012年 2013年 2014年 2015年 2016年 2017年 2018年

宿泊者上位 5 カ国

アメリカ 1.9%
その他 11.7%
中国 12.8%
香港 29.7%（1 位）
台湾 19.0%（3 位）
韓国 24.9%（2 位）

身長 169.9cm（40位）
体重 62.0kg（39位）
初婚年齢 30.4歳（10位）
寿命 80.02年（43位）

婚姻率 4.3人／千人（21位）

離婚率 1.71人／千人（10位）

身長 158.0cm（12位）
体重 53.4kg（15位）
初婚年齢 29.1歳（17位）
寿命 86.78年（36位）

気候

最高気温 35℃以上の日数	1日	全国で 40位
平均気温	19.4℃	全国で 2位
日照時間	1,971時間	全国で 27位
降水量	2,470mm	全国で 4位
平均相対湿度	72.4%	全国で 16位

（鹿児島管区気象台 2019年）

最低気温 0.6℃／最高気温 35.0℃

産業

・総事業所数 7万5,443（23位）
・小売事業所数
　　　　1万6,512（21位）
・卸売事業所数
　　　　　4,581（22位）
・上場企業数 10（28位）
・代表取締役出身者数
　　　　1万8,990人（20位）

経済

・県内総生産
　　　5兆1,777億円（26位）
・企業倒産数 7件（20位）
・有効求人倍率 1.31（34位）
・月額給与（男）28.27万円
　　　　　　　　　　（36位）
・月額給与（女）21.09万円
　　　　　　　　　　（42位）

労働

・労働時間 179時間／月
　　　　　　　　　　（14位）
・通勤時間 23分（46位）
・勤続年数 11.0年
　　　　　　　　　　（45位）
・大卒初任給 19.73万円
　　　　　　　　　　（26位）
・パート時給 999円
　　　　　　　　　　（34位）

社会

・中高年の就職率 34.07%
　　　　　　　　　　（9位）
・失業率 2.57%（8位）
・自殺者数 19.0人／10万人
　　　　　　　　　　（7位）
・生活保護世帯数
　　　1万2,069世帯（14位）
・少年犯罪数 1.39人／千人
　　　　　　　　　　（40位）

福祉

・病院数 14.9施設／10万人（2位）
・一般診療所数
　86.6施設／10万人（16位）
・児童福祉施設数
　44.4施設／10万人（14位）
・老人福祉センター数
　7.5施設／10万人（6位）
・図書館数 3.8施設／10万人
　　　　　　　　　　（10位）

教育

・大学進学率 43.3%（44位）
・高卒の割合 27.6%（11位）
・学校のIT化
　　　　3.3人／台（2位）
・教科書・参考書費*
　　　　1,867円（34位）
・補習教育費 3万452円（22位）

交通・通信

・自動車保有台数
　　　　1,645台／千世帯（28位）
・ガソリン代* 6万8,092円（27位）
・交通費* 5万4,742円（21位）
・電話代* 15万4,232円（16位）
・交通事故死亡者数
　3.78人／10万人（15位）

学校

・保育所数 561カ所
　　　　　　　　　　（16位）
・幼稚園数 150カ所
　　　　　　　　　　（23位）
・小学校数 515校
　　　　　　　　　　（10位）
・高校数 89校（18位）
・大学数 6校（34位）

スポーツ

・野球をする人の割合 5.9%（41位）
・ゴルフをする人の割合 7.3%
　　　　　　　　　　（23位）
・サッカーをする人の割合 5.3%
　　　　　　　　　　（26位）
・ラグビー部のある高校
　　　　　　　　27.0%（8位）
・高校陸上部員数の割合
　　　　　　　　2.9%（42位）

娯楽

・博物館数 0.9施設／10万人
　　　　　　　　　　（28位）
・映画館数 2.4施設／10万
　　　　　　　　　　（33位）
・月謝類* 3万5,999円（27位）
・書籍雑誌費* 3万6,556円（36位）
・海外旅行に行く人の割合
　　　　　　　　2.9%（44位）

たらこ への支出

辛子明太子は、福岡県にある食品加工会社の創業者が韓国の「たらこのキムチ漬」からヒントを得て、1949（昭和24）年に商品化したのが始まりと言われています。その後、この辛子明太子は九州から全国へと広まっていき、現在ではご飯のおかずやパスタなどの料理でも広く親しまれています。

「たらこ」への支出金額は 12月に多い

1世帯当たりのめんたいこや辛子明太子などを含む「たらこ」への支出金額を月別に見ると、お歳暮やおせち料理の準備の時期に当たる12月に支出金額が多く、最も多い12月（335円）は、1月から11月までの間の1か月平均額（189円）と比べて約1.8倍となっています。

福岡県で多い「たらこ」への支出金額

支出金額をみると、1位の福岡市は6,989円、2位の北九州市は6,832円と他の市に比べて突出して支出金額が多く、全国の約3倍です。「たらこ」は辛子明太子の発祥地である福岡県の食文化にしっかりと根付いているようです。

たらこの支出金額
（1世帯当たり年間支出金額：円／H25～27年平均）

全国	福岡市	北九州市	新潟市	青森市	秋田市
2,418	6,989	6,832	3,751	3,740	3,524

No.1

出典：「家計調査結果」（総務省統計局）
家計ミニトピックス平成29年1月15日発行
http://www.stat.go.jp/data/kakei/tsushin/index.htm より作成

さつまいも への支出

さつまいもは秋から冬にかけての購入が多い

「さつまいも」は、例年関東では10月中旬～11月上旬、九州では10月上旬～11月下旬頃に収穫されます。「さつまいも」の1か月間の購入量を月別に見ると、10月が336gと最も多く、最も少ない6月（103g）に比べて3.3倍となっています。

70歳以上の世帯の購入量は 39歳以下の2倍

● 70歳以上の世帯が3.8kgと最も多く、最も少ない39歳以下の世帯（1.9kg）の2倍

● 10年前と比較すると、39歳以下では購入量が増加しているものの、40歳以上の各年齢階級では減少

さつまいもの購入数量は 九州の都市が上位

最後に、さつまいもの購入数量を都市別にみると、「さつまいも」の語源にもなっている薩摩地方の鹿児島市が5.0kgと最も多く、次いで佐賀市（4.8kg）、熊本市（4.4kg）となっています。

さつまいもの購入数量
（1世帯当たり年間購入数量：kg／H28年）

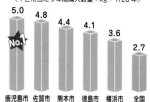

鹿児島市	佐賀市	熊本市	徳島市	横浜市	全国
5.0	4.8	4.4	4.1	3.6	2.7

No.1

出典：「家計調査結果」（総務省統計局）
家計ミニトピックス平成29年10月15日発行
http://www.stat.go.jp/data/kakei/tsushin/index.htm より作成

早わかり

2020

都道府県 Data Book

話のネタ帳

沖縄

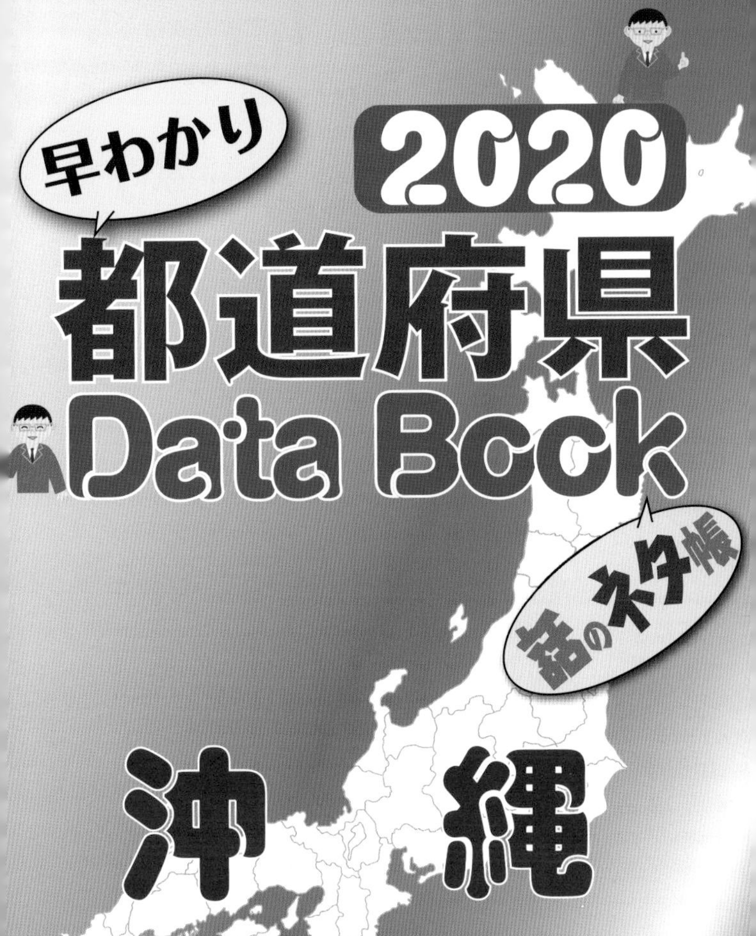

沖縄県

県の
木：
花：デイゴ
鳥：ノグチゲラ
魚：タカサゴ
リュウキュウマツ

歌：沖縄県民の歌
慰霊の日：
　　　　6月23日
本土復帰記念日：
　　　　5月15日

沖縄県民

うちなータイム
→時間にルーズ

テーゲー主義
→おおらかで
　こだわらない

助け合い

沖縄県の NO.1

エンゲル
係数

家賃※1

玉ねぎ
支出金額※1

弁当
支出金額※1

出生率※2

※1 那覇市、※2 2018 年

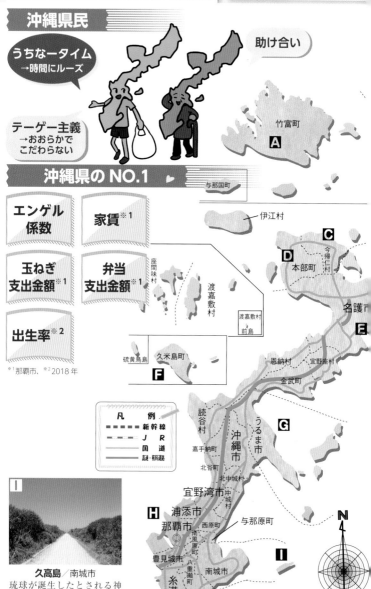

竹富町

A

与那国町

伊江村

C

D 本部町　今帰仁村

座間味村

渡嘉敷村

名護市

E

渡嘉敷村
前島

硫黄鳥島　久米島町

F

恩納村　宜野座村

金武町

読谷村

うるま市

G

沖縄市

嘉手納町

北谷町

北中城村

宜野湾市　中城村

浦添市

H 那覇市 ◎　西原町

与那原町

豊見城市　南風原町　八重瀬町

南城市

糸満市

I

凡　例
- - - 新幹線
─ ─ JR
──── 国道
──── 鉄道・新幹線

N

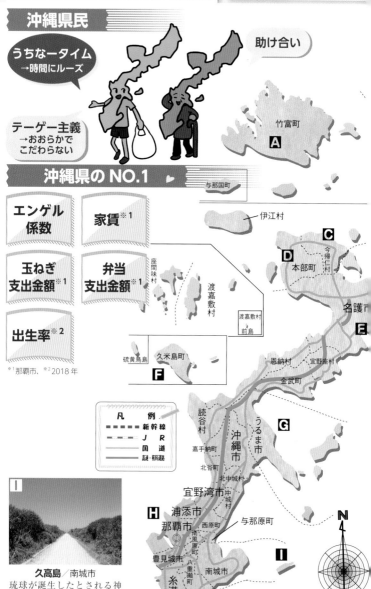

I

久高島／南城市
琉球が誕生したとされる神
の島。石や植物など島のも
のは持ち出しできない。

尖閣群島
魚釣島

石垣市

石垣市

国頭村

大宜味村

東村

宮古島

宮古
島市

多良間村

伊平屋島　伊是名島

伊平屋村

伊是名村

水牛車／竹富町
水牛の曳く車に乗って西表
島から由布島へ、遠浅の海
をのんびりと渡る。

塩屋湾のウンガミ／大宜味村
ウンガミ＝海神祭。村に迎
えた来訪神を再び海へと帰
す約500年の歴史ある祭礼。

今帰仁城址／今帰仁村
琉球統一以前の北山王の居
城（グスク）で世界遺産。
堅牢な城壁に囲まれている。

備瀬のフクギ並木／本部町
防風林として植えられたフ
クギが連なり集落を覆う。
木漏れ日に癒やされる。

ネオパークオキナワ／名護市
自然に近い環境での飼育が
コンセプト。鳥など動物と
近い距離で触れ合える。

ユイマール館／久米島町
重要文化財に指定されてい
る美しい久米島紬の織り＆
染め体験ができる。

海中道路／うるま市
全長約5kmで離島4島をつ
なぐ。橋ではなく土手を築
いてつくられた道路。

ジュリ馬行列祭り／那覇市
遊女たちが華やかに着飾り
行列する晴れ舞台。現在は
保存会が行っている。

沖縄県 の 食

※那覇市の1世帯当たりの年間支出金額

耕地面積 (田畑計)
3万
7,500ha
(第35位)

コメの作付面積 (水稲延べ)
677ha
(第46位)

コメの収穫量 (水稲)
2,000 t
(第46位)

肉用牛 (飼育頭数)
7万
4,700頭
(第9位)

養豚 (飼育頭数)
20万
9,800頭
(第13位)

ブロイラー (飼育頭数)
70万
7,000羽
(第28位)

漁獲量・天然 (海面漁業)
1万
5,555 t
(第30位)

漁獲量・養殖 (海面養殖)
2万
3,579 t
(第14位)

食料自給率
(カロリーベース)
33%
(第30位)

エンゲル係数*
29.3
(第1位)

食費* (年間支出)
77万
9,225円
(第47位)

牛乳・乳製品* (年間支出)
2万
8,876円
(第46位)
● 粉ミルク
2,046円 (第1位)

調味料* (年間支出)
3万
325円
(第47位)

生鮮野菜* (年間支出)
6万
1,524円
(第36位)
● にんじん
3,229円 (第1位)
● たまねぎ
3,871円 (第1位)

生鮮果物* (年間支出)
3万
662円
(第45位)

外 食* (年間支出)
12万
7,679円
(第41位)

調理食品* (年間支出)
12万
826円
(第28位)
● 弁当
2万4,518円 (第1位)
● ハンバーグ
2,321円 (第1位)
● おにぎり等
5,782円 (第4位)

生 産

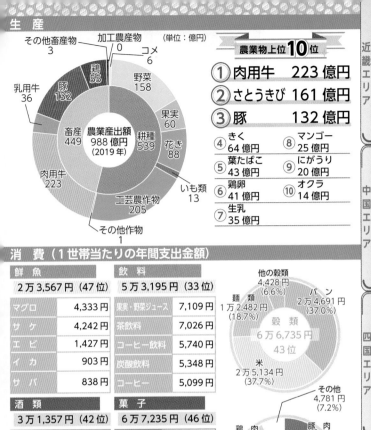

その他畜産物 3　加工農産物 0　コメ 6　（単位：億円）

野菜 158
鶏 55
豚 132
乳用牛 36
畜産 449
鶏
農業産出額 988 億円 （2019 年）
耕種 539
肉用牛 223
果実 60
花き 88
いも類 13
工芸農作物 205
その他作物 1

農業物上位 **10** 位

①	肉用牛	223 億円
②	さとうきび	161 億円
③	豚	132 億円

④ きく 64 億円	⑧ マンゴー 25 億円
⑤ 葉たばこ 43 億円	⑨ にがうり 20 億円
⑥ 鶏卵 41 億円	⑩ オクラ 14 億円
⑦ 生乳 35 億円	

消 費（1世帯当たりの年間支出金額）

鮮 魚
2 万 3,567 円 （47 位）

マグロ	4,333 円
サ ケ	4,242 円
エ ビ	1,427 円
イ カ	903 円
サ バ	838 円

飲 料
5 万 3,195 円 （33 位）

果実・野菜ジュース	7,109 円
茶飲料	7,026 円
コーヒー飲料	5,740 円
炭酸飲料	5,348 円
コーヒー	5,099 円

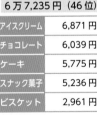

酒 類
3 万 1,357 円 （42 位）

ビール	1 万 170 円
発泡酒等	6,627 円
焼 酎	5,614 円
カクテル等	3,943 円
ワイン	2,564 円

菓 子
6 万 7,235 円 （46 位）

アイスクリーム	6,871 円
チョコレート	6,039 円
ケーキ	5,775 円
スナック菓子	5,236 円
ビスケット	2,961 円

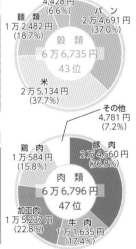

他の穀類 4,428 円 （6.6%）
麺 類 1 万 2,482 円 （18.7%）
パン 2 万 4,691 円 （37.0%）
穀 類 6 万 6,735 円 43 位
米 2 万 5,134 円 （37.7%）

その他 4,781 円 （7.2%）
鶏 肉 1 万 584 円 （15.8%）
豚 肉 2 万 4,560 円 （36.8%）
肉 類 6 万 6,796 円 47 位
加工肉 1 万 5,237 円 （22.8%）
牛 肉 1 万 1,635 円 （17.4%）

食品産業

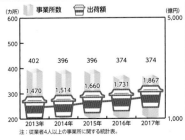

事業所数　出荷額

	2013年	2014年	2015年	2016年	2017年
事業所数	402	396	396	374	374
出荷額	1,470	1,514	1,660	1,731	1,867

注：従業者4人以上の事業所に関する統計表。

飲食料小売額	4,282 億円	29
百貨店・総合スーパー	29 店	15
飲食料小売店数	3,199 店	31
コンビニ数	331 店	39
ドラッグストア数	142 店	31

□は全国順位

Data で見る 沖縄県

※那覇市の1世帯当たりの年間支出金額

快適度

項目	値	順位
人口密度 /㎢	635 人	9
物価格差	98.5	29
県民所得 / 人	227.3 万円	47
犯罪認知件数 / 千人	4.50 件	28
旅行に行く人の割合	28.3%	47
医師数 /10 万人	240.7 人	27

■は全国順位

※グラフの外側がより高い快適度

行動ウエート

※グラフの外側がより高いウエート

項目	値	順位
趣味・娯楽の時間	160 分	47
睡眠時間	461 分	30
仕事・学業をする時間	407 分	35
学習や自己啓発をする時間	127 分	24
スポーツをする時間	125 分	7
食事をする時間	101 分	23

■は全国順位

人口

- 人口
  147 万 6,178 人（25 位）
- 人口増減数
  4,642 人（6 位）
- 出生率
  11.0 人／千人（1 位）
- 死亡率 8.5 人／千人（47 位）
- 外国人の割合 1.34%（26 位）

家庭*

- 世帯主年齢 59.2 歳（24 位）
- 子ども（18 歳未満）の人員
  0.60 人（21 位）
- 高齢者（65 歳以上）の人員
  0.77 人（31 位）
- 持ち家率 55.6%（47 位）
- 平均畳数 20.4 帖（44 位）

世帯

- 世帯数
  65 万 4,128 世帯（26 位）
- 平均人員 2.26 人（25 位）
- 核家族世帯率 58.6%
  （10 位）
- 単身世帯率 32.4%
  （17 位）
- 高齢者世帯率 7.3%（47 位）

家計*

- 貯蓄額 752 万円（47 位）
- 負債総額 297 万円（46 位）
- 消費支出 252 万 7,113 円
  （47 位）
- 家賃 24 万 8,059 円（1 位）
- 水道光熱費 21 万 5,914 円
  （45 位）

消費*

- 衣類・履物費 7 万 1,954 円
  （47 位）
- 保健医療費 13 万 1,250 円
  （45 位）
- 教育費
  6 万 9,790 円（45 位）
- 自動車関連費
  14 万 1,868 円（46 位）
- 通信費 12万 7,740円（47位）

外国人旅行者

宿泊者数の推移

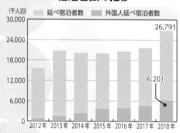

（千人泊）
延べ宿泊者数　外国人延べ宿泊者数
30,000
24,000
18,000
12,000
6,000
0
26,791
6,201
2012年 2013年 2014年 2015年 2016年 2017年 2018年

宿泊者上位 5 カ国

その他 11.0%
アメリカ 4.5%
香港 10.2%
1位 台湾 28.5%
3位 中国 20.4%
2位 韓国 25.3%

身長 168.6㎝（47 位）
体重 61.6kg（46 位）
初婚年齢 30.0 歳
　　　　　（2 位）
寿命 80.27 年（36 位）

5.5 人／千人（2 位）婚姻率

2.53 人／千人（1 位）離婚率

身長 156.8㎝（44 位）
体重 52.5kg（36 位）
初婚年齢 28.8 歳
　　　　　（3 位）
寿命 87.44 年（7 位）

気　候

最高気温 35℃以上の日数	**0 日**	全国で 45 位
平均気温	**23.9℃**	全国で 1 位
日照時間	**1,666 時間**	全国で 47 位
降水量	**2,638 ㎜**	全国で 2 位
平均相対湿度	**77.0%**	全国で 2 位

（那覇管区気象台 2019 年）

最低気温 12.0℃／最高気温 33.9℃

産　業

- 総事業所数 6 万 4,285（25 位）
- 小売事業所数
　1 万 2,731（28 位）
- 卸売事業所数
　3,112（34 位）
- 上場企業数 6（35 位）
- 代表取締役出身者数
　1 万 4,215 人（31 位）

経　済

- 県内総生産
　4 兆 1,320 億円（34 位）
- 企業倒産数 3 件（36 位）
- 有効求人倍率 1.12（46 位）
- 月額給与（男）26.93 万円
　　　　　　　　（44 位）
- 月額給与（女）21.48 万円
　　　　　　　　（38 位）

労　働

- 労働時間 176 時間／月
　　　　　　　　（41 位）
- 通勤時間 30 分（14 位）
- 勤続年数 9.6 年（47 位）
- 大卒初任給 18.05 万円
　　　　　　　（46 位）
- パート時給 975 円
　　　　　　（41 位）

社　会

- 中高年の就職率 28.61%
　　　　　　　　（29 位）
- 失業率 2.68%（5 位）
- 自殺者数 16.5 人／ 10 万人
　　　　　　　　（24 位）
- 生活保護世帯数
　1 万 8,283 世帯（9 位）
- 少年犯罪数 6.19 人／千人
　　　　　　　　（1 位）

福　祉

- 病院数 6.4 施設／ 10 万人（28 位）
- 一般診療所数
　61.7 施設／ 10 万人（44 位）
- 児童福祉施設数
　58.8 施設／ 10 万人（2 位）
- 老人福祉センター数
　2.8 施設／ 10 万人（44 位）
- 図書館数 2.7 施設／ 10 万人
　　　　　　　　（32 位）

教　育

- 大学進学率 39.6%（47 位）
- 高卒の割合 17.5%（37 位）
- 学校の I T 化
　4.8 人／台（21 位）
- 教科書・参考書費*
　3,392 円（13 位）
- 補習教育費*1 万 9,200円（40位）

交通・通信

- 自動車保有台数
　1,513 台／千世帯（35 位）
- ガソリン代* 5万4,192円（37位）
- 交通費* 3 万 4,092 円（45 位）
- 電話代* 12 万 113 円（47 位）
- 交通事故死亡者数
　2.49 人／ 10 万人（39 位）

学　校

- 保育所数 554 カ所
　　　　　　（17 位）
- 幼稚園数 197 カ所
　　　　　　（17 位）
- 小学校数 270 校
　　　　　　（30 位）
- 高校数 64 校（30 位）
- 大学数 8 校（26 位）

スポーツ

- 野球をする人の割合 9.9%（1 位）
- ゴルフをする人の割合 6.9%
　　　　　　　　（25 位）
- サッカーをする人の割合 6.5%
　　　　　　　　（8 位）
- ラグビー部のある高校
　23.4%（17 位）
- 高校陸上部員数の割合
　1.3%（47 位）

娯　楽

- 博物館数 1.0 施設／ 10 万人
　　　　　　　　（25 位）
- 映画館数 3.7 施設／ 10 万人
　　　　　　　　（5 位）
- 月謝類* 2 万 1,248円（47位）
- 書籍雑誌費* 2万8,102円(47位)
- 海外旅行に行く人の割合
　4.5%（26 位）

ビール・「発泡酒・ビール風アルコール飲料」への支出

お酒のなかで支出金額が最も多いのはビール！

お酒に占める構成比を見てみると、最も高いのはビール（29.3％）、続いて「発泡酒・ビール風アルコール飲料」（22.9％）、焼ちゅう（15.6％）という順番になっています。特に、第1位のビールと第2位の「発泡酒・ビール風アルコール飲料」が酒類の支出金額全体の5割以上を占めていることがわかります。

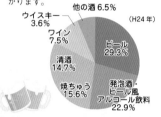

他の酒 6.5%
ウイスキー 3.6%
ワイン 7.5%
清酒 14.7%
焼ちゅう 15.6%
ビール 29.3%
発泡酒・ビール風アルコール飲料 22.9%
（H24 年）

出典：「家計調査結果」（総務省統計局）
家計ミニトピックス平成 25 年 6 月 15 日発行
http://www.stat.go.jp/data/kakei/tsushin/index.htm より作成

ビール及び「発泡酒・ビール風アルコール飲料」の購入量は、夏場に向けて増加

1世帯当たりの平均購入量を月別に見ると、ビール及び「発泡酒・ビール風アルコール飲料」は、夏場に向けて増加しています。特にビールは、7月、8月および12月の購入量が多くなっており、「発泡酒・ビール風アルコール飲料」の購入量を上回っています。これはお中元やお歳暮のための購入などが増えるためとみられます。

年齢が上がるにつれ、ビールの購入量は増加する傾向に

世帯主の年齢別の1世帯当たり年間購入量を見ると、ビールは70歳以上を除き、世帯主の年齢が上がるにつれ、購入量が多くなります。一方、「発泡酒・ビール風アルコール飲料」は、40歳代で最も購入量が多くなっているものの、30歳代から60歳代まででは大きな差はみられません。

贈答用の米への支出

近年、米離れが進んでいると言われていますが、日本人の主食として欠かすことができない食料品の1つであることに変わりはありません。そのため、新米の出回る9月〜10月やお歳暮などの贈答用として、米を贈ることが多いという方もいらっしゃるのではないでしょうか。

那覇市で多い贈答用の米への支出金額

贈答用の米への年間支出金額を都市別に見てみると、那覇市が5,884円と最も多く、全国平均の約4.9倍となっています。

また、那覇市に次いで支出が多かったのは、米の日本一の産地である新潟県の県庁所在市、新潟（3,533円）

ですが、那覇市はその約1.7倍も支出しています。沖縄は、東京に次いで米の収穫量が少ないこともあって米が貴重な品であることから、お中元やお歳暮のほか、いただいたお祝いなどの返礼として米を贈る風習があるとのことです。

贈答用米の支出金額
（1世帯当たり年間支出金額：円／H23〜25年平均帯）

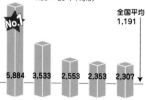

全国平均 1,191

那覇市	新潟市	佐賀市	福井市	仙台市
No.1 5,884	3,533	2,553	2,353	2,307

出典：「家計調査結果」（総務省統計局）
家計ミニトピックス平成 26 年 9 月 15 日発行
http://www.stat.go.jp/data/kakei/tsushin/index.htm より作成

早わかり

2020

都道府県

Data Book

話のネタ帳

資　料

〔都道府県の食〕

耕地面積 (田畑計)
………… 114 万 4,000ha (北海道)
コメの作付面積 (水稲延べ)
………… 11 万 9,200ha (新潟県)
コメの収穫量 (水稲)
…………64 万 6,100 t (新潟県)
飼育頭数 (肉用牛) …51 万 2,800 頭 (北海道)
飼育頭数 (養豚) …126 万 9,000 頭 (鹿児島県)
飼育頭数 (ブロイラー)
………… 2,823 万 6,000 羽 (宮崎県)
海面漁業漁獲量 (天然)
…………87 万 6,625 t (北海道)
海面漁業漁獲量 (養殖)
…………11 万 8,509 t (北海道)
食料自給率 (カロリーベース) …206% (北海道)
エンゲル係数※ ………… 29.3% (沖縄県)
食料費の年間支出金額※
………… 113 万 7,145 円 (東京都)
牛乳・乳製品の年間支出金額※
………… 4 万 4,556 円 (岩手県)
調味料の年間支出金額※
………… 4 万 3,137 円 (長野県)
生鮮野菜の年間支出金額※
………… 8 万 5,409 円 (神奈川県)
果物の年間支出金額※
………… 4 万 7,553 円 (山形県)
外食の年間支出金額※
…………25 万 4,258 円 (東京都)
調理食品の年間支出金額※
…………15 万 4,273 円 (静岡県)

◆生 産
農業産出額……… 1 兆 2,593 億円 (北海道)

◆消 費 (年間支出金額※)
鮮 魚…………… 4 万 7,318 円 (石川県)
飲 料…………… 6 万 8,409 円 (茨城県)
酒 類…………… 5 万 5,605 円 (秋田県)
菓 子…………10 万 7,657 円 (石川県)
穀 類…………… 8 万 9,115 円 (石川県)
肉 類…………11 万 8,101 円 (滋賀県)

◆食品産業
飲食料小売額…… 4 兆 7,102 億円 (東京都)
百貨店・総合スーパー数 … 125 店 (東京都)
飲食料小売店数…… 2 万 3,265 店 (東京都)
コンビニ数………… 4,837 店 (東京都)
ドラッグストア数……… 1,778 店 (東京都)

〔Data で見る都道府県〕

◆快適度
人口密度…………… 6,300 人／km² (東京都)

物価価格差………………… 104.4 (東京都)
県民所得………… 534.8 万円／人 (東京都)
犯罪認知件数……… 9.61 件／千人 (大阪府)
旅行に行く人の割合…… 56.8% (東京都)
医師数………329.5 人／10 万人 (徳島県)

◆行動ウエート 週平均 1 日当たり
趣味・娯楽の時間………… 204 分 (青森県)
睡眠時間………………… 482 分 (秋田県)
仕事・学業をする時間…… 440 分 (福岡県)
学習・自己啓発をする時間
………… 161 分 (大阪府)
スポーツをする時間
…… 131 分 (山形県、滋賀県、佐賀県)
食事時間…… 106 分 (埼玉県、東京都、山梨県)

◆人 口
人 口…………… 1,374 万 732 人 (東京都)
人口増減数………10 万 3,386 人 (東京都)
出生率………… 11.0 人／千人 (沖縄県)
死亡率………… 15.8 人／千人 (秋田県)
外国人の割合……………… 4.21% (東京都)

◆家 庭
世帯主年齢※ ……………… 65.9 歳 (長崎県)
子ども (18 歳未満) の人員※ … 0.85 人 (石川県)
高齢者 (65 歳以上) の人員※ … 1.05 人 (長崎県)
持ち家率※ ………………… 92.8% (福島県)
平均畳数※ ………………… 34.2 帖 (滋賀県)

◆世 帯
世帯数………… 719 万 8,348 世帯 (東京都)
平均人員………………… 2.66 人 (福井県)
核家族世帯率……………… 63.9% (奈良県)
単身世帯率………………… 47.3% (東京都)
高齢者世帯率……………… 15.1% (山口県)

◆家 計
貯蓄現在高 (平均値)※… 2,786 万円 (奈良県)
負債現在高 (平均値)※ … 928 万円 (愛知県)
年間消費支出金額※
………… 426 万 781 円 (石川県)
家賃地代 (年間支出金額)※
…………24 万 8,059 円 (沖縄県)
水道光熱費の年間支出金額※
…………36 万 2,650 円 (山形県)

◆消 費
衣類・履物の年間支出金額※
…………17 万 8,981 円 (東京都)
保健医療の年間支出金額※
………… 21 万 6,500 円 (鹿児島県)
教育費の年間支出金額※
…………24 万 4,576 円 (埼玉県)

自動車等関係の年間支出金額※
　　　……………46万3,851円　（栃木県）
通信費の年間支出金額※
　　　……………19万8,228円　（熊本県）

◆男　女
身長（男）……………171.7㎝　（福井県）
体重（男）…………… 65.5kg　（青森県）
寿命（男）………… 81.78年　（滋賀県）
初婚年齢（男）………… 29.7歳　（宮崎県）
身長（女）……………158.8㎝　（石川県）
体重（女）…………… 54.8kg　（岩手県）
寿命（女）………… 87.675年　（長野県）
初婚年齢（女）… 28.7歳　（岡山県、宮崎県）
婚姻率………………………6.2人／千人　（東京都）
離婚率………………………2.53人／千人　（沖縄県）

◆気　象
35℃以上日数　……24日　（岐阜県、京都府）
平均気温……………………23.9℃　（沖縄県）
日照時間………………2,216時間　（山梨県）
降水量の合計………………3,046㎜　（高知県）
平均相対湿度………………77.5%　（富山県）

◆産　業
総事業所数…………… 62万1,671　（東京都）
小売事業所数………… 9万6,671　（東京都）
卸売事業所数………… 5万4,057　（東京都）
上場企業数……………………1,997　（東京都）
代表取締役出身数… 8万8,162人　（東京都）

◆経　済
県内総生産…… 103兆7,525億円　（東京都）
企業倒産数…………………… 149件　（東京都）
有効求人倍率…………………… 2.00　（福井県）
月額給与（男）……… 42.03万円　（東京都）
月額給与（女）……… 30.06万円　（東京都）

◆労　働
労働時間
　　　……181時間／月　（群馬県、千葉県、佐賀県）
通勤時間……………………… 46分　（神奈川県）
勤続年数………… 13.4年　（山形県、茨城県）
大卒初任給…………… 215.5万円　（東京都）
女性パートタイマー時給
　　　……………………… 1,328円　（東京都）

◆社　会
中高年の就職率……………40.58%　（福井県）
失業率………………………… 2.92%　（大阪府）
自殺者数……… 22.3人／10万人　（山梨県）
生活保護世帯数 …22万2,754世帯　（東京都）
少年犯罪数………… 6.19人／千人　（沖縄県）

◆福　祉
病院数……… 17.8施設／10万人　（高知県）
一般診療所数
　　　……110.6施設／10万人　（和歌山県）
児童福祉施設数
　　　…… 61.6施設／10万人　（宮崎県）
老人福祉センター数
　　　…… 11.3施設／10万人　（徳島県）
図書館数……… 6.4施設／10万人　（山梨県）

◆教　育
大学進学率………………… 65.9%　（京都府）
高卒の割合……………… 31.2%　（佐賀県）
学校のIT化 …………… 1.9人／台　（佐賀県）
教科書・参考書の年間支出金額※
　　　……………… 8,143円　（石川県）
補習教育の年間支出金額※
　　　………… 6万6,692円　（東京都）

◆交通・通信
自動車保有台数
　　　………… 2,111台／千世帯　（山形県）
ガソリン代の年間支出金額※
　　　…………10万7,955円　（山口県）
交通費の年間支出金額※
　　　…………13万3,653円　（埼玉県）
電話代の年間支出金額※
　　　…………17万9,953円　（熊本県）
交通事故死亡者数
　　　………… 5.57人／10万人　（東京都）

◆学　校
保育所数………………… 2,856カ所　（東京都）
幼稚園数………………… 985カ所　（東京都）
小学校数………………… 1,331校　（東京都）
高校数………………… 429校　（東京都）
大学数………………… 140校　（東京都）

◆スポーツ
野球をする人の割合………… 9.9%　（沖縄県）
ゴルフをする人の割合 …10.1%　（茨城県、千葉県）
サッカーをする人の割合 … 8.0%　（神奈川県）
ラグビー部のある高校…… 38.5%　（大阪府）
高校陸上部員数の割合……… 5.7%　（秋田県）

◆娯　楽
博物館数……… 3.9施設／10万人　（長野県）
映画館数……… 5.3施設／10万人　（石川県）
月謝類の年間支出金額※
　　　………… 5万3,785円　（石川県）
書籍雑誌の年間支出金額※
　　　………… 4万8,387円　（埼玉県）
海外旅行に行く人の割合 … 13.8%　（東京都）

〔都道府県の食〕

耕地面積 (田畑計) ･･････ 6,720ha (東京都)
コメの作付面積 (水稲延べ)
･･････････････････ 129ha (東京都)
コメの収穫量 (水稲) ･････ 519 t (東京都)
飼育頭数 (肉用牛) ･･････ 610 頭 (東京都)
飼育頭数 (養豚) ･･････ 1,730 頭 (和歌山県)
飼育頭数 (ブロイラー) ･･･････― (東京都、
　　　神奈川県、富山県、石川県、大阪府)
海面漁業漁獲量･･･････････― (栃木県、群馬県、
　　　埼玉県、山梨県、長野県、
　　　岐阜県、滋賀県、奈良県)
食料自給率 (カロリーベース)
･･････････････ 1% (東京都、大阪府)
エンゲル係数※ ･･･････････ 22.3% (高知県)
食料費の年間支出金額※
･･･････････････ 77 万 9,225 円 (沖縄県)
牛乳・乳製品の年間支出金額※
･･･････････････ 2 万 8,309 円 (大分県)
調味料の年間支出金額※
･･･････････････ 3 万 325 円 (沖縄県)
生鮮野菜の年間支出金額※
･･･････････････ 5 万 537 円 (熊本県)
果物の年間支出金額※
･･･････････････ 2 万 7,834 円 (熊本県)
外食の年間支出金額※
･･･････････････ 9 万 3,512 円 (青森県)
調理食品の年間支出金額※
･･･････････････ 9 万 9,499 円 (北海道)

◆生 産
農業産出額･･･････････････ 240 億円 (東京都)

◆消 費 (年間支出金額※)
鮮　魚･･･････････ 2 万 3,567 円 (沖縄県)
飲　料･･･････････ 4 万 6,391 円 (大分県)
酒　類･･･････････ 2 万 9,172 円 (岡山県)
菓　子･･･････････ 6 万 4,661 円 (和歌山県)
穀　類･･･････････ 6 万 4,908 円 (大分県)
肉　類･･･････････ 6 万 6,796 円 (沖縄県)

◆食品産業
飲食料小売額･････････ 1,756 億円 (鳥取県)
百貨店・総合スーパー数･････ 5 店 (徳島県)
飲食料小売店数･･････････ 1,186 店 (鳥取県)
コンビニ数･････････････ 191 店 (鳥取県)
ドラッグストア数････････ 70 店 (鳥取県)

〔Data で見る都道府県〕

◆快適度
人口密度･･･････････ 63 人／km² (北海道)
物価格差･･･････････････ 96.0 (宮崎県)
県民所得･･････････ 227.3 万円／人 (沖縄県)

犯罪認知件数･･････ 2.20 件／千人 (秋田県)
旅行に行く人の割合･･････ 28.3% (沖縄県)
医師数･･････ 169.8 人／10 万人 (埼玉県)

◆行動ウエート　週平均 1 日当たり
趣味・娯楽の時間･･･････ 160 分 (沖縄県)
睡眠時間･･･････････････ 452 分 (埼玉県)
仕事・学業をする時間･･･ 397 分 (和歌山県)
学習・自己啓発をする時間
･･･････････････ 107 分 (山形県)
スポーツをする時間･･････ 107 分 (徳島県)
食事時間･･･････ 96 分 (北海道、鳥取県)

◆人 口
人　口･･････････ 56 万 6,052 人 (鳥取県)
人口増減数･･･････ − 3 万 5,126 人 (北海道)
出生率････････････5.2 人／千人 (秋田県)
死亡率････････････8.5 人／千人 (沖縄県)
外国人の割合･････････ 0.43% (秋田県)

◆家 庭
世帯主年齢※ ･･･････････ 55.5 歳 (岡山県)
子ども (18 歳未満) の人員※ ･･ 0.29 人 (長崎県)
高齢者 (65 歳以上) の人員※ ･･ 0.61 人 (岡山県)
持ち家率※ ･･･････････ 55.6% (沖縄県)
平均畳数※ ･･･････････ 19.7 帖 (群馬県)

◆世 帯
世帯数･･･････ 23 万 6,957 世帯 (鳥取県)
平均人員※ ･･･････････ 1.91 人 (北海道)
核家族世帯率･････････ 47.8% (東京都)
単身者世帯率･････････ 25.5% (山形県)
高齢者世帯率･････････ 7.3% (沖縄県)

◆家 計
蓄現在高 (平均値) ※ ･･･ 752 万円 (沖縄県)
負債現在高 (平均値) ※109 円 (和歌山県)
年間消費支出金額※
･･････････ 252 万 7,113 円 (沖縄県)
家賃地代 (年間支出金額) ※
･･･････････････ 3 万 4,983 円 (福島県)
水道光熱費の年間支出金額※
･･･････････ 19 万 9,697 円 (兵庫県)

◆消 費
衣類・履物の年間支出金額※
･･････････ 7 万 1,954 円 (沖縄県)
保健医療の年間支出金額※
･･･････････ 12 万 3,938 円 (青森県)
教育費の年間支出金額※
･･･････････ 6 万 1,172 円 (青森県)
自動車等関係の年間支出金額※
･･･････････ 12 万 7,857 円 (大阪府)

通信費の年間支出金額※
    …………… 12 万 7,740 円（沖縄県）

◆男　女
身長（男）……………… 168.6cm（沖縄県）
体重（男）………………… 60.6kg（静岡県）
寿命（男）……………… 78.67 年（青森県）
初婚年齢（男）………… 32.3 歳（東京都）
身長（女）
    …… 156.8cm（香川県、愛媛県、大分県、沖縄県）
体重（女）………………… 51.9kg（広島県）
寿命（女）……………… 85.93 年（青森県）
初婚年齢（女）………… 30.4 歳（東京都）
婚姻率………………… 3.1 人／千人（秋田県）
離婚率……………… 1.26 人／千人（新潟県）

◆気　象
35℃以上日数
    …… 0 日（北海道、千葉県、沖縄県）
平均気温………………………… 9.8℃（北海道）
日照時間…………… 1,666 時間（沖縄県）
降水量の合計……………… 814mm（北海道）
平均相対湿度……………… 61.2%（広島県）

◆産　業
総事業所数………… 2 万 5,718（鳥取県）
小売事業所数……………… 5,353（鳥取県）
卸売事業所数……………… 1,585（鳥取県）
上場企業数……………………… 0（長崎県）
代表取締役出身数……… 6,165 人（鳥取県）

◆経　済
県内総生産……… 1 兆 8,234 億円（鳥取県）
企業倒産数………… 0 件（鳥取県、宮崎県）
有効求人倍率……………… 1.11（神奈川県）
月額給与（男）……… 26.18 万円（青森県）
月額給与（女）……… 19.83 万円（宮崎県）

◆労　働
労働時間…………… 172 時間／月（東京都）
通勤時間………………………… 22 分（秋田県）
勤続年数……………………9.6 年（沖縄県）
大卒初任給…………… 17.97 万円（秋田県）
女性パートタイマー時給
    …………………… 951 円（秋田県）

◆社　会
中高年の就職率……… 18.21%（神奈川県）
失業率………………………… 1.20%（三重県）
自殺者数…… 11.5 人／10 万人（神奈川県）
生活保護世帯数……… 1,457 世帯（富山県）
少年犯罪数………… 1.00 人／千人（秋田県）

◆福　祉
病院数……… 3.7 施設／10 万人（神奈川県）
一般診療所数
    ……… 59.0 施設／10 万人（埼玉県）
児童福祉施設数
    ……… 23.2 施設／10 万人（奈良県）
老人福祉センター数
    …… 1.4 施設／10 万人（神奈川県）
図書館数…… 0.9 施設／10 万人（神奈川県）

◆教　育
大学進学率…………………… 39.6%（沖縄県）
高卒の割合………………… 6.3%（東京都）
学校の IT 化 …………7.5 台／台（愛知県）
教科書・参考書の年間支出金額※
    ……………………… 823 円（和歌山県）
補習教育の年間支出金額※ 3,327 円（島根県）

◆交通・通信
自動車保有台数
    …………… 665 台／千世帯（東京都）
ガソリン代の年間支出金額※
    ………………… 2 万 632 円（東京都）
交通費の年間支出金額※
    ………………… 2 万 9,387 円（宮崎県）
電話代の年間支出金額※
    ………………… 12 万 113 円（沖縄県）
交通事故死亡者数
    ………… 0.96 人／10 万人（東京都）

◆学　校
保育所数………………… 188 カ所（鳥取県）
幼稚園数…………………… 20 カ所（鳥取県）
小学校数………………… 122 校（鳥取県）
高校数………………………… 32 校（鳥取県）
大学数………………… 2 校（島根県、佐賀県）

◆スポーツ
野球をする人の割合………… 4.7%（高知県）
ゴルフをする人の割合……… 3.4%（青森県）
サッカーをする人の割合…… 3.4%（秋田県）
ラグビー部のある高校……… 4.3%（島根県）
高校陸上部員数の割合……… 1.3%（沖縄県）

◆娯　楽
博物館数……… 0.2 施設／10 万人（青森県）
映画館数…… 1.4 施設／10 万人（高知県）
月謝類の年間支出金額※
    ………………… 2 万 1,248 円（沖縄県）
書籍雑誌の年間支出金額※
    ………………… 2 万 8,102 円（沖縄県）
海外旅行に行く人の割合
    ………………… 2.1%（岩手県、秋田県）

写真出典一覧

〔北海道〕
◆ （一社）網走市観光協会
　オロチョンの火祭り
◆ （一社）釧路観光コンベンション協会
　オンネトー／丹頂鶴自然公園
◆ 十勝観光連盟
　しかりべつ湖コタン／ばんえい
◆ 札幌市
　藻岩山／旧島松駅逓所／パレットの丘
◆ 室蘭市
　地球岬
◆ 函館市観光部
　ハリストス正教会

〔青森県〕
◆ （公社）青森県観光連盟

〔岩手県〕
◆ （公財）岩手県観光協会

〔宮城県〕
◆ 宮城県観光課

〔秋田県〕
◆ （一社）秋田県観光連盟

〔山形県〕
◆ （公社）山形県観光物産協会

〔福島県〕
◆ うつくしま観光プロモーション推進機構

〔茨城県〕
◆ （一社）茨城県観光物産協会

〔栃木県〕
◆ （公社）栃木県観光物産協会

〔群馬県〕
◆ ググっとぐんま写真館

〔埼玉県〕
◆ 埼玉県観光課
　うちわ祭／さきたま古墳群／浮野の里／天空
　のポピー／時の鐘
◆ 埼玉県観光課・氣賀澤 恒和・久喜市
　久喜提燈祭り
◆ 埼玉県観光課・氣賀澤 恒和・横瀬町
　あしがくぼの氷柱
◆ 埼玉県観光課・氣賀澤 恒和・飯能市
　飯能鳥居観音
◆ 埼玉県観光課・三好紘一・秩父市
　龍勢祭
◆ 埼玉県観光課・須長甲子男・越生町
　山吹の里歴史公園

〔千葉県〕
◆ （公社）千葉県観光物産協会
　※下記を除く
◆ 君津市
　清水渓流広場

〔東京都〕
◆ （公財）東京観光財団
　※「ツバキ油」を除く

〔神奈川県〕
◆ （公社）神奈川県観光協会

〔新潟県〕
◆ （公社）新潟県観光協会

〔富山県〕
◆ （公社）とやま観光推進機構
　※「ゲンゲ」を除く

〔石川県〕
◆ 石川県観光連盟

〔福井県〕
◆ （公社）福井県観光連盟

〔山梨県〕
◆ （公社）やまなし観光推進機構

〔長野県〕
◆ 野沢温泉観光協会
　大湯
◆ （公財）ながの観光コンベンションビューロー
　戸隠神社
◆ （一社）信州千曲観光局
　あんずの里
◆ 上田市マルチメディア情報センター
　安楽寺
◆ （一社）安曇野市観光協会
　奉射祭
◆ 松本市
　畳平
◆ 諏訪地方観光連盟
　万治の石仏／高過庵・空飛ぶ泥舟
◆ （一社）伊那市観光協会
　分杭峠
◆ 阿智昼神観光局
　昼神温泉朝市

〔岐阜県〕
◆ （一社）岐阜県観光連盟

〔静岡県〕
◆ （一社）静岡県観光協会

〔愛知県〕
◆ （一社）愛知県観光協会
間々観音／日泰寺／開運大日福だるま大祭／鳳来寺山
◆岡崎市
家康行列
◆ （一社）西尾市観光協会
抹茶工房

〔三重県〕
◆ （公社）三重県観光連盟

〔滋賀県〕
◆ （公社）びわこビジターズビューロー
※「のっぺいうどん」を除く

〔京都府〕
◆ （一社）京都府北部地域連携都市圏振興社
もんどり漁／傘松公園／赤れんが博物館／福知山城
◆ （一社）京都山城地域振興社
市営茶室 対鳳庵／永谷宗円生家／大御堂観音寺／浄瑠璃寺
◆石清水八幡宮
石清水祭

〔大阪府〕
◆ （公財）大阪観光局
勝尾寺／インスタントラーメン記念館／万博記念公園／成田山不動尊／希望の壁／住吉祭／堺刃物ミュージアム

〔兵庫県〕
◆ （公社）ひょうご観光本部
※「アーモンドトースト」を除く

〔奈良県〕
◆ （一財）奈良県ビジターズビューロー
※「唐古・鍵遺跡」「大峰山」は撮影・矢野建彦
※「陀々堂の鬼走り」は撮影・澤戢三
※「吉野本葛」「談山神社」を除く
◆談山神社
談山神社

〔和歌山県〕
◆和歌山県

〔鳥取県〕
◆鳥取県

〔島根県〕
◆ （公社）島根県観光連盟

〔岡山県〕
◆ （公社）岡山県観光連盟
〔広島県〕
◆広島県

〔山口県〕
◆ （一社）山口県観光連盟

〔徳島県〕
◆徳島県

〔香川県〕
◆ （公社）香川県観光協会

〔愛媛県〕
◆ （一社）愛媛県観光物産協会

〔高知県〕
◆ （公財）高知県観光コンベンション協会
※「かつおのぼり」を除く

〔福岡県〕
◆ （公社）福岡県観光連盟

〔佐賀県〕
◆ （一社）佐賀県観光連盟
※下記を除く
◆九州観光推進機構
小友祇園

〔長崎県〕
◆ （一社）長崎県観光連盟
※下記を除く
◆九州観光推進機構
フルーツバス停／雲仙地獄

〔熊本県〕
◆熊本県
※下記を除く
◆九州観光推進機構
﨑津協会

〔大分県〕 ◆ （公社）ツーリズムおおいた

〔宮崎県〕
◆ （公財）みやざき観光コンベンション協会

〔鹿児島県〕
◆ （公社）鹿児島県観光連盟

〔沖縄県〕
◆ （一財）沖縄観光コンベンションビューロー

「2020 都道府県 Data Book」
定価 1,350 円（税別）

平成 28 年 4 月 27 日 2016 年版発行　　　平成 29 年 4 月 27 日 2017 年版発行
平成 30 年 5 月 7 日 2018 年版発行　　　令和元年 5 月 7 日 2019 年版発行
令和 2 年 5 月 7 日 2020 年版発行

発 行 人：杉 田 　 尚
発 行 所：株式会社日 本 食 糧 新 聞 社
　　　　　〒 104-0032　東京都中央区八丁堀 2-14-4 ヤブ原ビル
編 　 集：〒 101-0051　東京都千代田区神田神保町 2-5 北沢ビル
　　　　　電話 03-3288-2177　　FAX03-5210-7718
販 　 売：〒 104-0032　東京都中央区八丁堀 2-14-4 ヤブ原ビル
　　　　　電話 03-3537-1311　　FAX03-3537-1071
印 刷 所：株式会社日本出版制作センター
　　　　　〒 101-0051　東京都千代田区神田神保町 2-5 北沢ビル
　　　　　電話 03-3234-6901　　FAX03-5210-7718

ISBN978-4-88927-271-0 C0033